LA REFORMA INSTITUCIONAL DE LA UNIÓN EUROPEA Y EL TRATADO DE AMSTERDAM

LA REFORMA INSTITUCIONAL DE LA UNIÓN EUROPEA Y EL TRATADO DE AMSTERDAM

ROBERTO VICIANO PASTOR
(Coordinador)

Polo Europeo Jean Monnet

tirant lo blllanch
Valencia, 2000

© DAVID GIMÉNEZ GLUCK
RICARDO MIGUEL LLOPIS CARRASCO
MANUEL MARTÍNEZ SOSPEDRA
Mª JOSEFA RIDAURA MARTÍNEZ
IRENE ROCHE LAGUNA
ROSARIO SERRA CRISTÓBAL
CLAUDIA STORINI
ROBERTO VICIANO PASTOR

© TIRANT LO BLANCH
EDITA: TIRANT LO BLANCH
C/ Artes Gráficas, 14 - 46010 - Valencia
TELFS.: 96/361 00 48 - 50
FAX: 96/369 41 51
Email:tlb@tirant.com
http://www.tirant.com
Librería virtual: http://www.tirant.es
DEPOSITO LEGAL: V - 1896 - 2000
I.S.B.N.: 84 - 8442 - 111 - 2
IMPRIME: GUADA LITOGRAFIA, S.L. - PMc

ÍNDICE

PRÓLOGO

Se reúnen en el presente volumen coordinado por Roberto Viciano un conjunto de trabajos de profesores de Derecho Constitucional de la Universidad de Valencia que se ocupan de lo que pugna por ser un nuevo sector (en lo material y en lo académico) del mundo del Derecho: el Derecho constitucional europeo. Un sector que, por la complejidad e inherente dificultad de las cuestiones con que debe enfrentarse, no ha precisado aún sus líneas definitorias, y que se encuentra todavía, en expresión de una de las colaboradoras en este libro, como la tela de Penélope, en situación de permanente diseño, en un continuo tejer y destejer de proyectos nunca llevados totalmente a cabo.

Esta situación (contemplada críticamente en todos los ensayos aquí reunidos) es posiblemente consecuencia de la falta de precedentes, en Derecho constitucional, relativos a cómo construir un sistema que, a la vez, haga posible la creación efectiva de una supracomunidad política, la Unión Europea, que preserve, a la vez, al menos algunos de los atributos tradicionales de la soberanía correspondientes a las unidades menores (los actuales Estados) que la integran. La gran pregunta, como es sabido, es la de cómo debe traducirse a términos políticos y constitucionales un proceso que comenzó eminentemente en términos económicos.

Pues ciertamente, y aún reconociendo el «gran diseño» original que buscaba la integración definitiva de Alemania en la Europa Occidental, la iniciación de lo que sería la Comunidad Europea se llevó a cabo desde la llamada perspectiva funcionalista que pretendía, en un proceso acumulativo, ir creando progresivamente espacios de integración en el ámbito europeo que hicieran posible la superación de las rivalidades y enfrentamientos tradicionales entre sus componentes; espacios de integración que se definían eminentemente (si no en exclusiva) desde la perspectiva económica. A principios de la década de los noventa, este enfoque había ya llevado a la creación de un auténtico espacio de librecambio definido por los límites de la Comunidad; pero desde hacía tiempo era ya evidente que el mantenimiento del proceso de integración requería medidas que iban mucho más allá de lo meramente económico, si se quería mantener un área europea definida como tal en un contexto mundial crecientemente globalizado.

Efectivamente, el proceso de integración ya ha exigido auténticas cesiones de competencias soberanas por parte de los países miembros de la Unión en beneficio de los órganos de ésta: posiblemente sea la más destacada la cesión referente a las competencias europeas, derivadas de la creación de un Banco Central Europeo, y de la —al parecer ineludible— introducción de una moneda común. En las condiciones del mundo de hoy, el mantenimiento de la posición económica de Europa urge la exigencia de unas instancias coordinadoras y directoras, dotadas de poderes cada vez más extensos.

Ahora bien, la definición de cuáles deban ser esas instancias, y de qué poderes debe disponer, se encuentra con obstáculos difíciles de superar desde la perspectiva del Derecho Constitucional tradicional, y de los conceptos básicos de que parte. En la fase actual de desarrollo de la Unión Europea el incremento de los poderes de sus órganos supone ya un paso cualitativo, como es su conversión en una auténtica comunidad política que se atribuye poderes soberanos. Y ello implica transferir ideas y conceptos, elaborados en el plano nacional, a un plano distinto para el que no fueron concebidos y donde resultan difícilmente comprensibles.

Se propone así, para reforzar las instituciones europeas, adoptar una serie de medidas que implican, en forma masiva, una renuncia, por parte de los Estados, a la titularidad de competencias definitorias, no ya sólo de la soberanía política (pues ya se vio que renuncias de este tipo se han producido en el proceso de integración) sino de la misma existencia de una comunidad política como tal en su concepción tradicional. Cuando se examinan las propuestas referentes a la organización institucional de la Unión Europea, se destaca no sólo su dimensión cuantitativa (en el sentido de extender el ámbito de los mecanismos de integración, a costa de los basados en la cooperación interestatal, según el conocido y criticado sistema de los pilares) sino sobre todo, que pretenden eliminar el carácter aún intergubernamental de las instituciones europeas, buscando así una relación directa entre esas instituciones y un (supuesto) pueblo europeo. Los diversos ensayos que integran este volumen se refieren abundantemente a esta cuestión. La eliminación del carácter intergubernamental de las diversas instituciones supondría, por ejemplo, la desaparición de las cuotas nacionales en la composición del Parlamento europeo (buscando una relación adecuada entre electores y representantes, independientemente del tamaño de los Estados miembros) y una radical alteración de la composición de la Comisión. Por otro lado, la búsqueda de una organización propia de las instituciones europeas, dotada de una suficiente legitimidad implica la desaparición del famoso déficit democrático mediante la redistribución de poderes entre los órganos legislativos, ejecutivos y judiciales de la Unión. En conjunto, todo ello exige una remodelación constitucional que defina, de modo adecuado a las necesidades del mundo y el momento actual, la estructura de los poderes europeos.

Todo ello, empero, supone una reordenación de los mismos conceptos en que se basa la cultura constitucional europea. Pues parte fundamental de ésta, desde sus mismos comienzos, ha sido la definición (mejor dicho, la autodefinición) de la comunidad política como tal. El concepto russoniano del pacto social, que sigue representando el fundamento teórico de la sujeción legítima del ciudadano a la voluntad general, tiene sentido en el seno de una comunidad política determinada, de la que el ciudadano se siente y se quiere miembro. Con notoria dificultad, a lo largo de dos siglos, se han ido configurando, en el ámbito europeo occidental, comunidades en que se produce un alto grado de identificación de los ciudadanos con el sujeto colectivo representado por su Estado, y aún así, y no hay que mirar muy lejos, esa tarea no se ha conseguido plenamente. Debe precisarse que esa identificación no se hace depender de las mayores o menores competencias de los poderes públicos, o de la mayor o menor intensidad de la intervención de esos poderes en la vida individual, sino más bien de la idea de que, en último término, las decisiones últimas sobre la vida colectiva van a ser adoptadas por un conjunto social determinado, con el que el ciudadano se identifica, y no por otro.

La cuestión no se centra sólo (aunque sí en gran parte) en el concepto de nacionalismo. Ciertamente, este factor parece conservar su relevancia a pesar de todas las experiencias acumuladas en dos siglos sobre sus efectos negativos para la paz y la convivencia inter- e intra-estatales. Pero, a la vista de datos recientes, no parece correcto atribuir en exclusiva a este factor la resistencia a la «comunitarización» de la política europea. Pues, como se ha mostrado ya en varias ocasiones, otra fuente de resistencia es la proveniente de sectores sociales e intelectuales, en forma alguna identificables con posturas nacionalistas, que temen que las conquistas del Estado social laboriosamente arrancadas a lo largo de un siglo en el marco de los Estados nacionales puedan verse reducidas o anuladas si se traslada el foco de decisión a instancias en que la voluntad de la comunidad nacional se verá diluida en unas instituciones representativas de una pluralidad de sociedades con tradiciones y culturas políticas muy distintas.

En efecto, las pautas políticas y sociales que caracterizan hoy a las sociedades de Europa occidental han sido resultado de una evolución que se ha producido dentro de cada una de ellas; evolución en la que el control de las instituciones democráticas sobre los poderes tradicionales (políticos, económicos, religiosos) ha dado lugar, progresivamente, a un tipo de organización política, en la última mitad del siglo XX, caracterizada por la coexistencia de la democracia constitucional y las prácticas de protección social del llamado Estado del bienestar. La cuestión reside en si, fuera del marco tradicional (estatal) de convivencia política, será posible mantener ese control sobre poderes (económicos sobre todo) que, en un mundo cada vez más globalizado, tienden a extender su influencia en perjuicio de ámbitos de libertad y democracia social trabajosamente obtenidos. ¿Hasta qué punto pueden instituciones que representen a un conjunto formado por multitud de países y sociedades (puesto que es ya visible una Unión Europea que incluya hasta treinta Estados) responder a las necesidades y aspiraciones de sectores y grupos que, siendo importantes en el marco nacional, se convertirán en minoritarios e irrelevantes en un ámbito de dimensiones europeas? ¿No acabarán esas instituciones siendo más sensibles a las instancias y entidades que se muevan en el ámbito supranacional (por ejemplo, las grandes compañías multinacionales) que a grupos y sectores sociales, por fuerza reducidos a una posición marginal en un ámbito europeo?

Desde esta perspectiva, el carácter aun intergubernamental de las instituciones europeas (esto es, su configuración y funcionamiento partiendo de cuotas nacionales) sigue siendo una relativa garantía de que las necesidades y aspiraciones de las diversas comunidades políticas estatales seguirán teniéndose en cuenta, sin verse sumergidas en un conjunto supranacional insensible a esas necesidades y aspiraciones. Por ello mismo, el famoso «déficit democrático», que supone el predominio de la Comisión y el Consejo sobre el Parlamento, en realidad representa una garantía del mantenimiento del principio democrático, contemplado desde cada realidad estatal, por cuanto asegura que las decisiones en el nivel europeo no van a diferir radicalmente (gracias a las fórmulas intergubernamentales de integración y funcionamiento de Comisión y Consejo) de la línea política seguida por los poderes constitucionales de cada Estado miembro, bajo el condicionamiento de sus respectivos electorados.

El conflicto entre la legitimidad democrática de que ahora disponen las comunidades políticas estatales, y la necesaria creación de una estructura institucional de la Unión Europea capaz de una efectiva labor de dirección (estructura institucional que difícilmente podrá alcanzar una legitimidad democrática similar) se traduce en un largo y complicado proceso que, como se refleja en el presente volumen trata, desde hace ya bastantes años, de conciliar ambos elementos. Las líneas que aquí se dibujan (desde fórmulas de ingeniería constitucional, hasta la creación de una auténtica comunidad política europea, traducida a una ciudadanía real de la Unión) reflejan las posiciones mantenidas durante los últimos años en un debate cuyo resultado, sin duda, va a definir decisivamente la configuración de la vida jurídica y política en Europa. La información y el análisis contenidos en esta colección de trabajos resultan, pues, una ayuda inestimable para el conocimiento de ese posible Derecho Constitucional Europeo en vías de aparición; al tiempo, el presente volumen es testimonio de las nuevas direcciones que están tomando los estudios de Derecho Constitucional, en una necesaria adaptación de la disciplina a los interrogantes de los nuevos tiempos.

LUIS LÓPEZ GUERRA
Madrid, abril de 2000

La marea alta del federalismo en Europa
ha pasado y creo que esto será evidente
durante la próxima Conferencia Intergubernamental.
(John Major, en la Cámara de los Comunes)[1]

PRESENTACIÓN

El volumen que el lector tiene en sus manos es el producto del seguimiento que un grupo de profesores del Departamento de Derecho Constitucional de la Universitat de València realizó de los trabajos de la Conferencia Intergubernamental de 1996 y sus resultados. Tal y como se deduce del título del libro, los autores nos hemos centrado en analizar las implicaciones institucionales de la citada Conferencia y del consiguiente Tratado de Amsterdam, pues desde hace tiempo venimos considerando que el estudio de las instituciones de la Unión Europea debe ser un espacio de estudio compartido con otras áreas de conocimiento, ya que el funcionamiento, y sobre todo las consecuencias de lo que dichas instituciones aprueban, sobrepasan el modelo clásico de toma de decisiones de las organizaciones internacionales.

Como se verá, el plan de la obra comienza analizando los supuestos y las expectativas que se generaron sobre la que tenía que ser la gran reforma institucional para, a continuación, ir analizando los cambios que se plantearon sobre cada institución y sobre el procedimiento de toma de decisiones comunitario. Junto a ello se acompaña una completa relación de la bibliografía que se ha generado sobre los aspectos institucionales contemplados en el Tratado de Amsterdam.

Lógicamente, no sólo se han tratado aquellas cuestiones que prosperaron sino que también hemos querido poner de relieve las múltiples cuestiones que pudieron haberse resuelto y que no prosperaron debido a la nula voluntad evolutiva que los gobiernos nacionales mantuvieron a lo largo de la Conferencia Intergubernamental.

---

[1] *Agence Europe*, nº 6.402, 20 de enero de 1995, p. 2

Por lo demás, decidimos respetar la orientación que en la exposición de su tema quisiera darle cada cual pues preferimos coordinarnos en el planteamiento del análisis más que en las formas de su narración.

Tan sólo resta agradecer a la Universitat de València la ayuda económica que nos proporcionó para poder desarrollar la investigación cuyos resultados ven ahora la luz.

DR. ROBERTO VICIANO PASTOR

LOS ORÍGENES Y EL CONTEXTO JURÍDICO-POLÍTICO DE LA REFORMA INSTITUCIONAL COMUNITARIA Y DE LA CONFERENCIA INTERGUBERNAMENTAL DE 1996

DR. ROBERTO VICIANO PASTOR
*Profesor Titular de Derecho Constitucional
Titular de Cátedra Jean Monnet sobre
instituciones políticas de la Unión Europea
Universitat de València*

1. Los antecedentes remotos: la crisis del sistema institucional y de toma de decisiones comunitario de los años 70-80

El problema de la inadecuación de los fines y objetivos de las Comunidades Europeas con la estructura institucional que debe tomar las decisiones para alcanzarlos no es reciente. Debemos remontarnos al compromiso de Luxemburgo[1] para comprender el origen y los responsables de la actual situación.

Hay que comenzar por recordar que el diseño originario de la estructura institucional diseñada por Monnet y asumida por Schuman en la Declaración del 9 de mayo de 1950, se articula alrededor de una Alta Autoridad independiente de los Estados y que toma sus decisiones con absoluta libertad teniendo presente tan sólo el interés de la Comunidad Europea del Carbón y del Acero.

Ese diseño será modificado al redactar el Tratado Constitutivo de la CECA, en donde los gobiernos nacionales colocarán la existencia de una Asamblea parlamentaria y de un Consejo de Ministros como órganos de

---

[1]   *Bulletin d'Activités des Communautés Européennes*, enero 1966, p. 49 y febrero 1966, p. 60.

enlace de los poderes nacionales parlamentarios y ejecutivos con la Alta Autoridad, aunque con una función meramente consultiva.

A pesar de esto, se puede afirmar que era una estructura institucional de claro corte federalista, preocupada por la existencia de un poder supranacional con capacidad de adoptar eficazmente las decisiones necesarias. Evidentemente, se trataba de un diseño con importantes carencias democráticas. Sin embargo, los Gobiernos nacionales optaron para el posterior desarrollo de las Comunidades por moderar y finalmente abandonar el modelo supranacional sin acometer, por otro lado, su democratización.

Así, el diseño institucional en los nuevos tratados trasladó el poder de decisión al Consejo de Ministros, convirtió a la Alta Autoridad en Comisión, transformándola en la iniciadora del proceso decisional y en la estructura de aplicación de las decisiones adoptadas y mantuvo a la Asamblea Parlamentaria como mero órgano consultivo. A pesar del evidente giro intergubernamental que adoptaron las Comunidades Europeas, se mantuvo la necesidad de abandonar progresivamente la intergubernamentalidad en las decisiones del Consejo de Ministros, estando previsto pasar de adoptar sus decisiones por unanimidad a una mayoría cualificada conforme se complicaran las medidas a adoptar. El «Informe Spaak», preparador de la redacción de los tratados justificó esta necesidad ante los Gobiernos diciendo que «ciertas decisiones son incluso tan indispensables para el funcionamiento y el desarrollo del mercado que (...) la regla de la unanimidad de los Gobiernos puede que tenga que descartarse en casos limitativamente enumerados después del transcurso de un periodo determinado»[2].

Como consecuencia, los nuevos tratados preveían la utilización de la mayoría cualificada al inicio de la tercera de las fases previstas para la creación del mercado común, inmediatamente después de haber creado la Unión aduanera. Por lo tanto, se trató de un desplazamiento temporal hacia la intergubernamentalidad.

---

[2]   Comité intergouvernemental creé par la Conférence de Messina, Rapport des Chefs de Délégation aux Ministres des Affaires étrangères, Bruselas, 21 de abril de 1956.

Pero el proceso hacia el progresivo retorno a la supranacionalidad, como era lógico conforme el grado de complejidad y la cantidad de las medidas a adoptar por las Comunidades Europeas aumentaba, fue interrumpido por la irrupción en la escena francesa y europea del General De Gaulle. A partir de ese momento y como consecuencia de su idea de construir la Europa de las patrias, el Gobierno francés comenzó a defender el proyecto de aumentar la intergubernamentalidad, con un marcado acento en la cooperación interestatal, en detrimento de la integración supranacional. Su visión de la construcción europea favoreció el recurso al consenso en el Consejo de Ministros como método de adopción de acuerdos, arrinconando paulatinamente el recurso a las reglas previstas en los Tratados.

Desde muy temprano, quedó puesto de manifiesto, por tanto, que la estructura diseñada en los Tratados de Roma era un marco jurídico-institucional inadecuado para llevar a cabo los objetivos que el propio Tratado recogía. La crisis de la construcción del mercado común a partir de finales de los años sesenta como consecuencia de la parálisis en la adopción de normas por el bloqueo político fue la mejor comprobación. Por ello, desde los propios gobiernos nacionales se impulsaron iniciativas como el plan Fouchet o correspondió a la Comisión la denuncia de esa fórmula y la presentación de alternativas.

Sin embargo, la más importante propuesta de reforma fue presentada por el Parlamento Europeo al poco tiempo de ser elegido, por primera vez, mediante sufragio universal directo de los ciudadanos europeos en 1979. El proyecto de Tratado de Unión Europea o «proyecto Spinelli» que aprobó el Parlamento constituyó una propuesta alternativa concreta y articulada al sistema institucional comunitario[3]. Planteaba en sus considerandos las causas del incorrecto funcionamiento de las instituciones comunitarias y exponía un catálogo de propuestas que aún hoy en día siguen siendo aceptadas por todos y negadas reiteradamente por los gobiernos nacionales que dirigen el proceso de construcción comunitaria.

En el proyecto de Tratado de Unión Europea de 1984 se refundía en un solo texto la regulación jurídica básica de las instituciones de las

---

[3]   Proyecto de Tratado instituyendo la Unión Europea, «*Proyecto Spinelli*», Parlamento Europeo, 14 de febrero de 1984, DOCE C 77/33, 19 de marzo de 1984.

Comunidades Europeas y su ordenamiento jurídico, se incorporaba un catálogo de derechos y libertades que no podían vulnerarse por las instituciones comunitarias, se configuraba a la Comisión como ejecutivo comunitario, Consejo y Parlamento compartían las funciones legislativas, se reducía el margen de uso de la unanimidad y se creaba un sistema de fuentes similar al continental, con una clara estructura jerárquica entre las normas comunitarias y entre las nacionales y las comunitarias.

Como puede apreciarse, todos los aspectos que hoy siguen siendo el caballo de batalla entre una doctrina mayoritariamente convencida de que las soluciones para el buen funcionamiento comunitario pasan por abordar ese elenco de reformas y una práctica, guiada por los gobiernos nacionales, que diferencia entre el discurso público y la toma de decisiones. Así, la opinión pública asiste impávida al espectáculo esquizofrénico de las declaraciones individuales o colectivas, vía Consejo Europeo, en las que se asumen los postulados de los teóricos, mientras que en el Consejo de Ministros o en las Conferencias Intergubernamentales se bloquean esas mismas iniciativas.

Sin embargo, hay que admitir que la propuesta Spinelli logró condicionar el discurso jurídico-político inmediato e incluso ha mantenido hasta nuestros días el debate sobre la necesidad de adecuar la estructura comunitaria a sus misiones[4].

En cuanto a lo primero, originó la rápida reacción de los gobiernos nacionales, que acababan de adoptar la Declaración Solemne de Stuttgart como asunción de la necesidad de reformas institucionales y sobre el procedimiento de toma de decisiones, y que pusieron en marcha la primera gran reforma de las Comunidades: la elaboración del Acta Única Europea[5]. Valga como ejemplo que el mismo nombre dado al nuevo tratado que modificaba los originales recoge dos términos similares al nombre oficial de la propuesta del Parlamento Europeo[6].

---

[4]   Ver, en este sentido, las declaraciones del Comisario Marcelino Oreja en *Agence Europe*, 15 de enero de 1995.

[5]   Declaración del Consejo Europeo de Stuttgart, 19 de junio de 1983, *Bulletin d'Activités des Communautés Européennes*, 6/1983, pp. 26-31.

[6]   Como se ha señalado, el Parlamento denominó a su propuesta Tratado de la Unión Europea. La denominación de Acta Única Europea buscó, como es

No hay que olvidar tampoco que el Acta Única Europea fue la respuesta intergubernamental al célebre «Libro Blanco sobre la terminación del mercado interior» de 1985, en el que la Comisión denunciaba la inexistencia práctica del mercado común debido a un sinfín de trabas fiscales, administrativas y físicas que anulaban sus pretendidos logros[7].

Sin embargo, a pesar de los intentos maquilladores de la realidad pactada, el Acta Única no consiguió aproximarse al contenido esencial del proyecto parlamentario. Es cierto que el texto permitió aumentar competencias a las Comunidades (aunque muchas de ellas venían siendo ejercidas vía artículo 308 TCE), incorporó a los Tratados el embrión de cooperación en materia de política exterior que se había iniciado en 1970, aumentó la influencia del Parlamento Europeo en el proceso decisional creando el procedimiento de cooperación y redujo el ámbito de utilización de la unanimidad en el Consejo, exigencia ineludible para conseguir desbloquear la adopción de decisiones comunitarias y permitir aprobar las normas necesarias para intentar constituir en 1992 el mercado interior. Pero, como puede contrastarse, no aprobó ninguna de las grandes propuestas del Parlamento Europeo.

Es decir, aunque recubierto de un lenguaje de gran reforma institucional, se adoptaron las decisiones estrictamente necesarias para permitir desbloquear el funcionamiento de las Comunidades, dar una mínima satisfacción al Parlamento Europeo y regularizar las ampliaciones competenciales que las circunstancias requerían. En realidad, la reforma global y a fondo del funcionamiento institucional de las Comunidades no se afrontó, lo que provocó que desde el mundo académico, las fuerzas políticas europeas, el Parlamento Europeo, la Comisión e incluso desde los propios gobiernos nacionales se siguiera hablando de la necesidad de reformar las instituciones para dotarlas de mayor democracia y efectividad.

---

evidente la identificación de «Única» con Unión y la utilización del adjetivo «Europea» en la misma posición final.

[7]   Como se recordará, aquel extenso documento señaló las enormes deficiencias del mercado común y proponía la adopción de cerca de trescientas directivas para culminar y hacer realmente efectivo el espacio económico comunitario. «Livre Blanc sur l'achèvement du marché intérieur», DOC COM (85) 310.

Por ello, cuando, a la vista de que las últimas piedras para la consecución del mercado interior el 1 de enero de 1993 habían sido colocadas y se puso en marcha en 1990 la Conferencia intergubernamental que diseñó las fases para la creación de la Unión económica y monetaria, inmediatamente resurgió la demanda de aprovechar la reforma de los Tratados para acometer los cambios necesarios que crearan las bases de una Unión Política. Los Estados miembros, que en un primer momento intentaron no volver a colocar en la agenda política la reforma institucional, se vieron obligados a convocar una segunda conferencia intergubernamental de contenido político y paralela a la económica. Como es sabido, los resultados de ambas conferencias intergubernamentales constituyeron los contenidos del Tratado de Maastricht.

2. El Tratado de Maastricht y la Conferencia Intergubernamental para la Unión Política de 1990

El Tratado de Maastricht puso por segunda vez de relieve el escaso interés de los gobiernos nacionales por llevar a cabo una reforma institucional que solucionara los problemas de toma de decisión y de gestión comunitaria. De manera hartamente sospechosa, consiguieron ponerse de acuerdo en los complicados mecanismos y condiciones para la integración económica y monetaria, mientras que sobre las soluciones institucionales reiteradamente expuestas y sobre las que teóricamente existía un cierto consenso doctrinal, no se consiguieron más que pequeños avances destinados, como en ocasiones anteriores, a presentar algún logro a la opinión pública europea y comprometer el próximo estudio.

Sin embargo, en esta ocasión la presión para que se realizaran las reformas institucionales fue mayor que en situaciones anteriores debido a dos razones. En primer lugar, había transcurrido más tiempo desde que, al menos retóricamente, se aceptó la necesidad de reforma por parte de las fuerzas políticas y en segundo lugar, la globalización de la economía, la desaparición de la guerra fría y la división de Europa en dos bloques, así como el propio desarrollo de la integración comunitaria requería a todas luces de mecanismos institucionales que permitieran que las Comunidades tuvieran una capacidad de toma de decisiones en lo interior y lo exterior dotada de agilidad, así como que dichas decisiones, que abarcaban un amplio y variado abanico de temas, gozaran de las mismas garantías que los ciudadanos tenían en la toma de decisiones de idéntico calado en el ámbito nacional. Los ciudadanos no entendían por qué a través de la integración europea se vaciaba de contenido las garantías constitucionales que tanto les había costado conseguir: división de poderes, control constitucional de las decisiones de los poderes constituidos, limitación de los poderes públicos por el respeto a un elenco de derechos fundamentales positivizados y exigibles jurisdiccionalmente, etc.

Pero a pesar de todo ello, los resultados de la conferencia intergubernamental para la Unión Política fueron escasos. La aspiración de constituir un embrión de Estado federal, tan sólo produjo que se creara la denominación Unión Europea para englobar las Comunidades preexistentes y las nuevas políticas intergubernamentales exterior y de seguridad común y de justicia e interior, denominación que ni siquiera se correspondía con una personalidad jurídica propia[8]. Las demandas de incorporar un catálogo de derechos fundamentales que limitaran el ejercicio del poder por las instituciones comunitarias, tan sólo consiguieron que se creara el concepto de ciudadanía de la unión, que presuponía la existencia de esos derechos, pero que en realidad limitaba los mismos al derecho de libre circulación y establecimiento en el territorio de la Unión, el derecho de protección diplomática y el derecho de participar en los procesos electorales locales y europeos del Estado en el que se resida aunque no se posea dicha nacionalidad. Además se creó un Defensor del Pueblo para proteger no se sabe qué derechos, pues los Tratados constitutivos no llegan a proteger una docena de derechos entre derechos individuales y económico-sociales[9].

Igual fortuna corrieron los intentos de aproximar a un texto constitucional los Tratados Constitutivos, refundiéndolos, o de introducir algu-

---

[8]   Todavía se recuerda la batalla que ganó el Reino Unido para que se retirara del texto del nuevo artículo A TUE la expresión de la «vocación federal» de la Unión Europea, sustituyéndola por otra de perfiles más ambiguos. Ver, MANGAS MARTÍN, A. y LIÑÁN NOGUERAS, D. J.: *Instituciones y Derecho de la Unión Europea*, McGraw-Hill, Madrid, 1996, p. 43.

[9]   Artículos 8 a 8E TUE, artículos 17 a 22 TUE en la nueva numeración del Tratado de Amsterdam.

nas garantías de tipo constitucional similares a las existentes en los Estados miembros. Tan sólo se aumentó el poder del Parlamento Europeo introduciendo el sistema de codecisión para gran parte de los temas que se tramitaban mediante el sistema de cooperación y dotando de nuevos campos de acción al procedimiento de cooperación. También el nombramiento de la Comisión fue avalado por el Parlamento. Pero ni la Comisión se convirtió en el ejecutivo comunitario con amplia capacidad de decisión y autonomía, ni el Consejo compartió sus poderes con el Parlamento en situación de igualdad, ni se reorganizó el complejo y confuso sistema de fuentes.

Fue tal la sensación de fracaso y las presiones sociales para que se avanzara, que la propia conferencia, para cerrar su trabajo, tuvo que incorporar al tratado de Maastricht el compromiso de que se convocaría una nueva conferencia intergubernamental en 1996 que abordaría la gran reforma institucional y la reforma del sistema de fuentes. Esta fue la génesis real del actual Tratado de Amsterdam.

Pero la angustia política de los dirigentes políticos de la nueva Unión Europea fue en aumento. Si su credibilidad quedó muy debilitada tras el fracaso de la conferencia intergubernamental sobre la Unión Política, se enfrentaron a consecuencias que no habían calibrado.

En primer lugar, la contestación ciudadana contra el contenido del Tratado de Maastricht, que además reveló una clara discordancia entre voluntad de los representantes políticos y voluntad de sus representados. En los países en donde se realizaron consultas populares se observó una fuerte reacción contra las propuestas recogidas en Maastricht, que alcanzó su punto culminante con el rechazo referendario de los ciudadanos daneses. Algunos identificaron esta tendencia con una oposición global a la construcción europea, pero parece más acertado identificarla con la discrepancia sobre la forma de llevar a cabo la integración: una integración económica, comercial y monetaria basada en fórmulas neoliberales y carente de bastantes de las garantías institucionales presentes en los Estados nacionales. Pero, además, la situación era especialmente delicada ya que los parlamentos nacionales de dichos Estados habían ratificado con amplias mayorías el Tratado. La situación no deslegitimaba sólo la construcción europea sino también la representación política en los Estados.

En segundo lugar, porque el Tribunal Constitucional alemán condicionó la ampliación de atribuciones a la Unión Europea a un aumento de su legitimación democrática, sembrando de dudas el proceso de integración desde el punto de vista constitucional alemán[10].

La reacción de los gobiernos y fuerzas políticas mayoritarias en Europa, tras el primer momento de perplejidad, fue continuar aumentando la fosa de sus contradicciones. Así, se sucedieron proclamas destinadas retóricamente a aproximar la Unión a sus ciudadanos (transparencia), democratizar las instituciones y renacionalizar políticas (subsidiariedad)[11]. En todos esos casos se remitían a la próxima conferencia intergubernamental para la reforma institucional para solventar los problemas. Mientras ésta llegara —con lo que las expectativas creadas fueron alimentando la esperanza de que la Conferencia Intergubernamental resolvería los males endémicos de la Unión Europea—, los gobiernos nacionales hacían valer la aplicación sistemática de los dos principios contenidos en el nuevo artículo 3 B TCE (actual art. 5 TCE), el de subsidiariedad y el de proporcionalidad, como testimonio, en su opinión, de las reivindicaciones populares.

La perspectiva de la cuarta ampliación de la Unión Europea vino a complicar la situación. El eterno dilema entre «ampliación» y «profundización» se resolvió decantándose esta vez por la primera, con la promesa, eso sí, de que se atenderían las necesidades de la segunda en la próxima Conferencia Intergubernamental, ya que, a todas luces, el traje institucional diseñado en 1957 hacía ya mucho tiempo que empezaba a reventar por las costuras.

Los Estados habían conseguido, por todo ello, una válvula de escape. El artículo N del Tratado de Maastricht, al tiempo que suponía la aceptación del fracaso de la Conferencia Intergubernamental de 1990, proclamaba el compromiso de poner remedio a la sensación de frustra-

---

[10]   Ver la sentencia del Tribunal Constitucional Federal alemán de 12 de octubre de 1993, en *Revista de Instituciones Europeas*, vol. 20 nº 3, pp. 975-1.025.

[11]   Ver las conclusiones de la Presidencia del Consejo Europeo de Birmingham, 16 de octubre de 1992, *Revue Trimestrielle de Droit Européen*, nº 30, 1994, pp. 141-142 y del Consejo Europeo de Edimburgo, 12 de diciembre de 1992, *Revue Trimestrielle de Droit Européen*, nº 30, 1994, pp. 143-145.

ción creada, convocando una nueva Conferencia Intergubernamental en 1996 para afrontar con decisión la reforma institucional.

El apartado 2 del artículo N del Tratado de la Unión Europea establecía que «en 1996 se convocará una Conferencia de los representantes de los Gobiernos de los Estados miembros para que examine, de conformidad con los objetivos establecidos en los artículos A y B de las disposiciones comunes, las disposiciones del presente Tratado para las que se prevea una modificación».

La modificación estaba, por tanto, «guiada», ya que debía partir de los objetivos enunciados en los artículos A y B del Tratado de la Unión, que desprenden un inequívoco sabor federal[12].

Los objetivos citados son crear «una unión cada vez más estrecha entre los pueblos de Europa», aproximar la toma de decisiones a los ciudadanos, «organizar de modo coherente y solidario las relaciones entre los Estados miembros y entre sus pueblos» (artículo A) y la creación de un espacio sin fronteras interiores, el fortalecimiento de la cohesión económica y social, el establecimiento de una unión económica y monetaria, afirmar la identidad de la Unión en el ámbito internacional, proteger los derechos de los europeos mediante la creación de una ciudadanía de la Unión, desarrollar la cooperación en el ámbito de la justicia y de los asuntos de interior (artículo B).

Pero lo más importante es que el artículo B indica expresamente que la Conferencia intergubernamental de 1996[13] deberá examinar «la medida en que las políticas y formas de cooperación establecidas en el presente Tratado deben ser revisadas, para asegurar la eficacia de los mecanismos e instituciones comunitarios». Es decir, el mandato general para la Conferencia Intergubernamental era la modificación de las instituciones y los mecanismos decisionales que afecten a la eficacia de la política exterior y de la política de cooperación en materia de justicia e interior, que eran las que creaba el Tratado de la Unión Europea.

---

[12]   Ver MANGAS MARTÍN, A. y LIÑÁN NOGUERAS, D. J.: *Instituciones y Derecho de la Unión Europea*, McGraw-Hill, Madrid, 1996, p. 77.

[13]   El tenor literal del artículo B se refería «al procedimiento previsto en el apartado 2 del artículo N».

Junto a este objetivo general, el propio Tratado remitía a la cita de 1996 algunos temas suscitados en la conferencia intergubernamental para la Unión Política de 1990 y que no habían podido ser objeto de acuerdo. En concreto, la extensión del ámbito de aplicación del procedimiento llamado de codecisión (art. G.61.8 TUE), las disposiciones relativas a la seguridad común de la Unión (art. J.4.6 TUE) y a la política exterior (art. J.10 TUE), la creación de nuevos ámbitos de acción comunitaria en materia de protección civil, energía y turismo (declaración núm. 1 del Acta Final del TUE) o la introducción de un sistema de jerarquía de las normas comunitarias (declaración núm. 16 del Acta Final del TUE).

Pero ese elenco de temas a tratar en la Conferencia Intergubernamental de 1996 fue completada por diferentes declaraciones de los Jefes de Estado y de Gobierno y por determinados acuerdos interinstitucionales.

En efecto, respecto a lo segundo, en una declaración aneja al Acuerdo interinstitucional de 29 de octubre de 1993, el Parlamento Europeo, el Consejo y la Comisión acordaron que «las disposiciones del procedimiento presupuestario del Tratado, incluido el régimen de gastos obligatorios y de gastos no obligatorios, deberán examinarse de nuevo en la Conferencia intergubernamental prevista para 1996, a fin de establecer una cooperación interinstitucional de carácter asociativo»[14]. Y otro tanto en el *modus vivendi* acordado por las tres instituciones el 20 de diciembre de 1994 sobre las medidas de ejecución de los actos adoptados según el procedimiento contemplado en el artículo 189 B del Tratado CE que convino que «cuando se lleve a cabo la revisión de los Tratados prevista para 1996, se examinará a petición del Parlamento Europeo, de la Comisión y de varios Estados miembros, el problema de las medidas de ejecución de los actos adoptados con arreglo al procedimiento contemplado en el artículo 189 B del Tratado CE, cuando se confíen dichas medidas a la Comisión»[15].

---

[14]   DOCE, nº C 331, de 7 de noviembre de 1993.
[15]   Punto 3 del *modus vivendi* en GARCÍA DE ENTERRÍA, E., TIZZANO, A., ALONSO GARCÍA, R., *Código de la Unión Europea*, Civitas, Madrid, 1996, p. 688.

Pero sin duda, la sucesiva ampliación de la agenda de la Conferencia Intergubernamental se fue produciendo a lo largo de las declaraciones finales de los Consejos Europeos posteriores a 1992.

En primer lugar, hay que destacar las conclusiones de la Presidencia en el Consejo Europeo de Lisboa en las que destacaron las orientaciones sobre el funcionamiento institucional de las Comunidades Europeas. En concreto, se urgía a «tomar medidas específicas para mejorar la transparencia del proceso decisional comunitario y reforzar el diálogo con los ciudadanos»[16]. Con ocasión de esta reunión, el Consejo estudió igualmente el informe de la Comisión relativo a «Europa y el reto de la ampliación», donde se apuntaban las dificultades institucionales a las que tendrían que hacer frente las Comunidades antes de realizar la siguiente ampliación[17].

En su reunión de Bruselas, el Consejo Europeo señaló que la Conferencia Intergubernamental debería ocuparse, «además del estudio del papel legislativo del Parlamento Europeo y de los demás puntos previstos en el Tratado de la Unión Europea, del estudio de las cuestiones relativas al número de miembros de la Comisión y a la ponderación de los votos de los Estados miembros en el Consejo. La Conferencia estudiará asimismo las medidas consideradas necesarias para facilitar los trabajos de las Instituciones y garantizar su funcionamiento eficaz»[18].

En la declaración de los doce Estados miembros aneja a la Decisión del Consejo de la Unión de 29 de marzo de 1994 que recoge el «compromiso de Ioannina» sobre decisiones del Consejo sobre mayoría cualificada, se acordó que fuera objeto de estudio por la Conferencia Intergubernamental de 1996 «la reforma de las instituciones, incluida la ponderación de votos y el número mínimo de votos para la mayoría cualificada en el Consejo»[19]. Cuestiones que fueron recordadas en la

---

[16]   Consejo Europeo de Lisboa, 26 y 27 de junio de 1992. Ver *Bulletin des Communautés Européennes*, 6/92, pp. 11-12.

[17]   Ver *Bulletin des Communautés Européennes*, 3/92, p. 7.

[18]   Conclusiones de la Presidencia, Consejo Europeo de Bruselas, 10 y 11 de diciembre de 1993, *Bulletin des Communautés Européennes*, 12/93, pp. 14 y 150.

[19]   DOCE, nº C 105, de 13 de abril de 1994, modificado al no adherirse Noruega por la Decisión de 1 de enero de 1995 (DOCE, nº C, de 1 de enero de 1995).

Declaración 8ª anexa al Acta Final de adhesión de Austria, Finlandia y Suecia.

El Consejo Europeo de Corfú, por su parte, al fijar las funciones del Grupo de Reflexión que se iba a crear para la preparación del trabajo de la Conferencia intergubernamental, incidió en los aspectos ya citados y entre las conclusiones de la Presidencia figuraba que el citado Grupo de Reflexión «elaborará ideas sobre las disposiciones del Tratado de la Unión europea que requieran una revisión y ante la perspectiva de la futura ampliación de la Unión, preparará opciones sobre las cuestiones institucionales expuestas en las conclusiones del Consejo Europeo de Bruselas y en el Acuerdo de Ioannina»[20].

El Consejo Europeo de Cannes, además de recordar casi textualmente los mandatos del Consejo de Bruselas y de Ioannina, estableció globalmente las prioridades del trabajo del Grupo de Reflexión y, consiguientemente, de la Conferencia intergubernamental[21]. A saber:

- analizar los principios, objetivos e instrumentos de la Unión frente a los nuevos desafíos con que se enfrenta Europa;

- fortalecer la política exterior y de seguridad común para que pueda estar a la altura de los nuevos desafíos internacionales;

- responder mejor a los imperativos de nuestro tiempo en materia de seguridad interna y, en términos más generales, en los ámbitos de la justicia y los asuntos de interior;

- aumentar la eficacia, el carácter democrático y la transparencia de las instituciones para que puedan adaptarse a las necesidades de una Unión ampliada;

---

[20]   Consejo de Corfú 24 y 25 de junio de 1994, *Bulletin de l'Union Européenne*, 6/94, p. 20.

[21]   Conclusiones de la Presidencia, Consejo Europeo de Cannes, 26 y 27 de junio de 1995, *Bulletin de l'Union Européenne*, 6/95, p. 18. Sobre la gestación del Protocolo al Tratado de Amsterdam sobre la aplicación del principio de subsidiariedad, ver DASTIS QUECEDO, A.: «Subsidiariedad y transparencia en el Tratado de Amsterdam», en *España y la negociación del Tratado de Amsterdam*, Política Exterior (Biblioteca Nueva), Madrid, 1998, pp. 163-173.

- fortalecer el respaldo de la opinión pública a la construcción europea, respondiendo a la necesidad de una democracia más cercana al ciudadano europeo;
- mejorar la aplicación del principio de subsidiariedad.

El Consejo de Madrid, por otro lado, señaló el mandato explícito para la Conferencia Intergubernamental, reafirmando lo establecido en las conclusiones de los Consejos Europeos de Bruselas, Corfú y Cannes y las declaraciones adoptadas con ocasión de acuerdos interinstitucionales, indicando explícitamente que deberá «examinar las disposiciones del Tratado de la Unión para las que se prevé una revisión explícita en el propio Tratado»[22].

El Consejo de Turín[23], por último, establecía un programa de la Conferencia Intergubernamental que se centraba en tres grandes ámbitos:

- **Una Unión más próxima a sus ciudadanos,** en lo que se englobaba «estudiar si es posible, y hasta qué punto, reforzar esos derechos fundamentales y mejorar la salvaguardia de los mismos»; el ámbito de los asuntos de justicia e interior en especial, la «mejora de la protección de los ciudadanos de la Unión, en particular frente a la delincuencia internacional, el terrorismo y el tráfico de estupefacientes»; «el desarrollo de políticas coherentes y eficaces en los ámbitos de asilo, inmigración y visados»; «resolver las divergencias sobre el control jurisdiccional y parlamentario de las decisiones de la Unión Europea en el ámbito de la Justicia y los asuntos de Interior»; las «bases para una cooperación y coordinación mejoradas con objeto de reforzar las políticas nacionales (de empleo)»; «la compatibilidad entre la competencia y los principios de acceso universal a los servicios fundamentales en interés de los ciudadanos»; el estatuto de las regiones ultraperiféricas; «estudiar el modo de incrementar la eficacia y la coherencia de la protección

---

[22] Conclusiones de la Presidencia, Consejo Europeo de Madrid, 15 y 16 de diciembre de 1995, *Bulletin de l'Union Européenne*, 12/95, p. 26.

[23] Conclusiones de la Presidencia, Consejo Europeo de Turín, 29 y 30 de marzo de 1996, *Bulletin de l'Union Européenne*, 3/96, pp. 9-11.

medioambiental a escala de la Unión»; «asegurar la mejor aplicación y cumplimiento del principio de subsidiariedad»; «hacer más transparente y abierto el trabajo de la Unión», así como «estudiar si es posible simplificar y consolidar los Tratados»[24].

– **Las instituciones en una Unión más democrática y eficaz,** que incluía «simplificar los procedimientos legislativos y hacerlos más claros y transparentes»; «ampliar el alcance de la codecisión en asuntos realmente legislativos»; el cometido del Parlamento Europeo, sus poderes legislativos, composición y el procedimiento uniforme para su elección; articulación de los Parlamentos nacionales en las tareas de la Unión. En cuanto al Consejo, «el alcance de las votaciones por mayoría, la ponderación de los votos y los umbrales para las decisiones por mayoría cualificada»; «de qué manera puede desempeñar la Comisión sus funciones fundamentales de forma más eficaz, tomando asimismo en consideración su composición»; el cometido y funcionamiento del Tribunal de Justicia Europeo y del Tribunal de Cuentas; las acciones necesarias para que la legislación sea más clara; la lucha contra el fraude; las fórmulas de flexibilidad[25].

---

[24] Ver las Conclusiones de la Presidencia, *Bulletin de l'Union Européenne*, 3/96, puntos nº 1.3 y 1.4.

[25] Idem, punto nº 1.5. Respecto de la definición del carácter legislativo de las propuestas normativas, hay que recordar que fue otra de las cuestiones más larga e intensamente debatidas durante la Conferencia Intergubernamental, ya que estaba directamente relacionada con dos cuestiones claves: la extensión del procedimiento de codecisión a todos los ámbitos legislativos —con la consiguiente equiparación institucional del Parlamento Europeo al Consejo— y la jerarquía normativa en derecho comunitario. La Comisión presentó dos informes sobre la cuestión a lo largo de las negociaciones. El primero de ellos, el documento CONF/3882/96, en julio de 1996, en el que señalaba que el procedimiento de codecisión debía extenderse a todos los ámbitos que fueran verdaderamente legislativos, proponiendo para ello un cuádruple criterio que fue asumido por el Parlamento Europeo a grandes rasgos: tener un fundamento directo en el TUE, tener carácter vinculante, determinar los elementos esenciales de la acción de la Comunidad en un ámbito determinado y gozar de alcance general.
El segundo de ellos, el CONF/3900/97, en el que la Comisión hacía suya la propuesta del Parlamento Europeo de que las normas de carácter ejecutivo

– **Refuerzo de la capacidad de actuación externa de la Unión**, que perseguía «reforzar su identidad en el panorama internacional», para lo que la conferencia debía establecer medios que permitieran «una mayor capacidad para determinar los principios y los ámbitos de la política exterior común; definir las actuaciones de la Unión en dichos ámbitos (...); crear los procedimientos y estructuras que contribuyeran a una adopción más eficaz y oportuna de las decisiones (...); convenir disposiciones presupuestarias apropiadas»; estudiar si el establecimiento de una nueva función específica podría conferir a la Unión la posibilidad de expresarse de modo más manifiesto y coherente, con un rostro y una voz más perceptibles»; cómo reafirmar la identidad europea en materia de seguridad y de defensa, con una definición más clara de su relación con la Unión Europea Occidental», la «mejora de la capacidad operativa disponible en la Unión» y «si el Tratado debe fomentar una cooperación más estrecha en el ámbito de los armamentos»[26].

3. El trabajo del Grupo de Reflexión y el desarrollo de la CIG'96

Los doce Estados miembros, en su declaración adjunta al compromiso de Ioannina, acordaron —como ya se ha indicado— que el Consejo Europeo de Corfú crearía un Grupo de reflexión formado por representantes de los Ministros de Asuntos Exteriores de los Estados miembros, que trabajarían en asociación con el Parlamento Europeo y la Comisión.

---

fueran competencia, como regla general, de la Comisión, configurando a ésta como el verdadero Ejecutivo comunitario, en detrimento de las atribuciones de esta naturaleza que el artículo 145 TCE (actual 202 TCE) concede al Consejo. Un estudio de la suerte de estas propuestas puede encontrarse en ELORZA CAVENGT, J.: «La Comisión: su composición, sus prerrogativas y su funcionamiento», en *España y la negociación del Tratado de Amsterdam*, Política Exterior (Biblioteca Nueva), Madrid, 1998, pp. 281-282 y en OREJA AGUIRRE, M. (Dir.): *El Tratado de Amsterdam de la Unión Europea. Análisis y comentarios*, vol. I, McGraw-Hill, Madrid, 1998, pp. 482 y ss.

[26]   Idem, punto nº 1.6.

Invitaron al Parlamento Europeo, al Consejo y a la Comisión a que elaboraran informes sobre el funcionamiento del Tratado de la Unión Europea que sirvieran de base al trabajo del Grupo de reflexión, que sería presidido por el español Carlos Westendorp[27]. El citado grupo de reflexión estaría formado, además de por los mencionados representantes ministeriales de los Estados, por el Presidente de la Comisión —que delegó en el Comisario para Asuntos Institucionales, el español Marcelino Oreja—, y con la participación en los trabajos de dos representantes del Parlamento Europeo, el alemán Elmar Brok por el Partido Popular Europeo y la francesa Elisabeth Guigou, por el Partido Socialista Europeo. El trabajo del Grupo de reflexión debería hacerse intercambiando impresiones con las demás instituciones y órganos de la Unión Europea. Su trabajo comenzaría en junio de 1995 y finalizaría con

---

[27]   DOCE, nº C 105, de 13 de abril de 1994, ya citado. Así, se elaboraron los siguientes informes:
– Consejo de la Unión: *Informe del Consejo sobre el funcionamiento del Tratado de la Unión Europea*, de 6 de abril de 1995. *Bulletin de l'Union Européenne*, 4/95, punto I.9.1. Ver el texto completo en *Revue Trimestrielle de Droit Européen*, 1995, pp. 343 y siguientes.
– Comisión Europea: *Informe sobre el funcionamiento del Tratado de la Unión Europea*, SEC (95) 731, Bruselas, 10 de mayo de 1995;
– Parlamento Europeo: *Informe del Parlamento Europeo sobre el funcionamiento del Tratado de la Unión Europea en la perspectiva de la Conferencia Intergubernamental de 1996*, Ponentes, Jean-Louis Bourlanges (PPE-F) y David Martin (PSE-UK), 17 de mayo de 1995, DOC A 4-0102/95, 21 pp. Publicado en el DOCE C 151, 19 de junio de 1995.
– Tribunal de Justicia de las Comunidades Europeas: *Informe del Tribunal de Justicia sobre ciertos aspectos de la aplicación del Tratado de la Unión Europea*, Luxemburgo, 20 de mayo de 1995.
– Tribunal de Primera Instancia de las Comunidades Europeas: *Contribución del Tribunal de Primera Instancia con vistas a la Conferencia Intergubernamental de 1996*, Luxemburgo, 17 de mayo de 1995.
– Tribunal de Cuentas: Informe del Tribunal de Cuentas sobre el funcionamiento del Tratado de la Unión Europea, *Bulletin de l'Union Européenne*, 6/95, punto I.9.4.
– Comité Económico y Social: *La Conferencia Intergubernamental de 1996. El papel del Comité Económico y Social*, 23 de noviembre de 1995. DOC CES 1312/95.
– Comité de las Regiones: *Dictamen del Comité de las Regiones sobre la revisión del Tratado de la Unión Europea*, 21 de abril de 1995, DOC CDR/136/95.

la presentación de un informe con antelación suficiente a la reunión del Consejo Europeo de Madrid de finales de 1995[28]. El consejo de Cannes fijó las prioridades de la reflexión, compeliendo al Grupo a que estudiara aquellas reformas institucionales que no requiriesen modificación de los Tratados, a fin de que pudieran entrar en vigor sin demora[29].

El Grupo se constituyó en la ciudad italiana de Messina el 2 de junio de 1995, en el cuadragésimo aniversario de la encomienda a Paul-Henri Spaak, en la misma ciudad, del informe que alumbraría al Tratado de Roma, creador de la Comunidad Económica Europea, y motor de la construcción europea[30].

Como se recordará, el Grupo celebró sus sesiones de trabajo a lo largo de los meses de junio y diciembre de 1995, agrupando su labor global por temas de estudio en los que se iban plasmando los diferentes puntos de vista de sus miembros. El 5 de septiembre, antes de la reunión informal del Consejo Europeo en Formentera de los días 22 y 23 de ese mismo mes, su Presidente, Carlos Westendorp hizo público el *Rapport d'étape du Président du Groupe de Réflexion sur la Conférence Intergouvernemental de 1996*[31], en el que hacía balance del estado de la cuestión hasta ese momento y de las posibilidades de negociación abiertas. Posteriormente, y siguiendo el mandato del Consejo de Corfú, entregó al Consejo Europeo de Madrid de diciembre de 1995 su *Rapport Final du Groupe de Réflexion sur la Conférence Intergouvernemental*[32], con los resultados de su labor de prospección y negociación.

No puede por menos de reconocerse el buen balance de la labor del Grupo de Reflexión, pero no resulta aventurado destacar que sus resul-

---

[28] Conclusiones de la Presidencia, Consejo Europeo de Corfú, 24 y 25 de junio de 1994, *Bulletin de l'Union Européenne*, 6/94, p. 20.
[29] Conclusiones de la Presidencia, Consejo Europeo de Cannes, 26 y 27 de junio de 1995, *Bulletin de l'Union Européenne*, 6/95, p. 18, punto I. 28.
[30] Ver *Bulletin de l'Union Européenne*, 6/95, pp. 175-178.
[31] Ver *Agence Europe*, 27 de septiembre de 1995, nº 1.951-1.952, 17 páginas. El texto en español está disponible en *Gaceta Jurídica de la CE y de la competencia*, nº 106, septiembre 1995, pp. 75-89.
[32] Ver *Agence Europe*, 5 de diciembre de 1995. El texto en español está disponible en *Gaceta Jurídica de la CE y de la competencia*, nº 108, noviembre-diciembre 1995, pp. 63-92.

tados habrían sido aún más constructivos si la presencia de los representantes gubernamentales en su seno no hubiera sido tan marcada. Los
resultados del trabajo del Grupo de Reflexión ya anunciaron, por otra
parte, cuál iba a ser el balance global de la Conferencia Intergubernamental
que se iba a abrir: la falta de transparencia en su desarrollo y los parcos
avances que se produjeron[33].

Antes de la reunión de Madrid, el 5 de septiembre se produce la
cumbre franco-alemana de Baden-Baden y, como consecuencia, el Can-
ciller Kohl y el Presidente Chirac elaboran una carta conjunta dirigida al
Consejo Europeo en la que esencialmente solicitaban que la CIG
aprobara la inclusión en el Tratado de una cláusula general de habilita-
ción para que un grupo de Estados decidiera establecer entre sí, siempre
en el marco de la Unión Europea, una cooperación reforzada que fuera
más allá de la prevista por los Tratados, llegando a proponer que no
hubiera derecho de veto para aprobar tales operaciones[34]. En suma, era
el embrión de lo que se conocería como «cooperación reforzada». Su
virtualidad fue objeto de fuertes discusiones por el peligro que veían en
ella algunos Estados (sobre todo los periféricos) de desintegración de la
Unión y del acervo comunitario. Por ello, los países promotores (básicamente Francia, Alemania, los Estados del BENELUX e Italia) tuvieron
que aceptar las condiciones impuestas por sus socios más reticentes. En
concreto, se trataba de la exclusión de esta cooperación de los ámbitos de
competencia exclusiva de las Comunidades y de la ciudadanía; el respeto
absoluto del acervo comunitario; el compromiso de que no falsearía el
mercado interior y sus libertades; su exclusión del ámbito de las políticas

---

[33]   Puede verse al respecto MANGAS MARTÍN, A.: «El Tratado de Amsterdam:
aspectos generales del pilar comunitario», *Gaceta Jurídica de la CE y de la
competencia*, serie D, Madrid, septiembre 1998, p. 10. Específicamente sobre el
Informe del Grupo de Reflexión puede consultarse mi trabajo VICIANO
PASTOR, R.: «Algunas consideraciones sobre el Informe Final del Grupo de
Reflexión de la CIG-96», *Àgora. Revista de Ciencias Sociales*, nº 2, 1996, pp. 61-
73; OREJA AGUIRRE, M. (Dir.*): El Tratado de Amsterdam de la Unión Europea.
Análisis y comentarios*, vol. I, McGraw-Hill, Madrid, 1998, pp. 81-85 y BOIXAREU
CARRERA, A.: «Perspectivas de la Conferencia intergubernamental de 1996.
El informe del grupo de reflexión», *Gaceta Jurídica de la CE*, Serie D, nº 25, julio
19996, pp. 7 y ss.

[34]   Ver *Agence Europe*, nº 6.623, de 9 de diciembre de 1995, p. 2.

comunes, de la Unión Económica y Monetaria, de la cohesión económica y social, del mercado interior y de las acciones y programas comunitarios[35].

Los detalles sobre la Conferencia Intergubernamental de 1996 fueron establecidos en el mismo Consejo Europeo de Madrid. Allí se decidió que la apertura solemne sería el 29 de marzo de 1996 en Turín, y que se realizaría una reunión al mes de Ministros de Asuntos Exteriores para supervisar los trabajos de la Conferencia en su composición de representantes de los Ministros de Asuntos Exteriores y del Presidente de la Comisión. Asimismo se decidió que el Parlamento Europeo estaría estrechamente asociado a los trabajos de la Conferencia Intergubernamental, delegando en el Consejo de Asuntos Exteriores la aprobación de las modalidades de asociación[36]. Asimismo se acordó mantener informados a los países centroeuropeos con acuerdos de asociación, a Malta y a Chipre[37] y a los integrantes del Espacio Económico Europeo y a Suiza.

En el Consejo de Turín se estableció igualmente un plazo de un año aproximadamente para culminar los trabajos de la Conferencia

---

[35]   Ver ELORZA CAVENGT, J.: «El Tratado de Amsterdam: una evaluación española», en *España y la negociación del Tratado de Amsterdam*, Política Exterior (Biblioteca Nueva), Madrid, 1998, pp. 50-51.

[36]   El acuerdo de los Ministros de Asuntos Exteriores se tomó el 26 de marzo de 1996 y fue ratificado en el Consejo Europeo de Turín. Allí se decidió que las reuniones del Consejo Europeo en las que se tratara el tema de la CIG comenzarían con un cambio de impresiones con el Presidente del Parlamento Europeo sobre los temas del orden del día, que las sesiones ministeriales de la CIG contarían con un cambio de impresiones con el Presidente del Parlamento Europeo acompañado de representantes de dicha institución y que al menos una vez al mes, con motivo de una reunión de los representantes de los Ministros, éstos se reunirían con los representantes del Parlamento Europeo. Además, la Presidencia de la Conferencia informaría periódicamente al Parlamento Europeo verbalmente o por escrito. Ver las Conclusiones del Consejo Europeo de Turín, *Bulletin de l'Union Européenne*, 3/96, p. 11-12, punto 1.8 y p. 26, punto 1.48.

[37]   De hecho se acordó que éstos se reunieran cada dos meses con la Presidencia de la Unión Europea para exponer sus puntos de vista sobre los trabajos de la Conferencia Intergubernamental (Consejo de Madrid, 15 y 16 de diciembre de 1995, *Bulletin de l'Union Européenne*, 12/95, p. 26, punto I.48.6).

Intergubernamental, que el Consejo Europeo de Florencia de junio de 1996 alargó, señalando que la Conferencia Intergubernamental debería acabar para mediados de 1997[38] y que el Consejo de Dublín señaló inequívocamente que debía culminar en Amsterdam en junio de 1997[39], esperando sin duda a que se celebraran las elecciones británicas del mes de mayo, que darían el triunfo al Partido Laborista de Tony Blair.

El desarrollo de la Conferencia marcó sus hitos con las reuniones de Jefes de Estado y de Gobierno. Así, en el Consejo Europeo de Florencia se presentó un primer documento italiano sobre el estado de los trabajos de la Conferencia intergubernamental[40] que va acompañado de un anexo que incluye proyectos de textos[41]. Los Jefes de Estado y de Gobierno acordaron también allí que la Presidencia irlandesa presentaría un proyecto de revisión de los Tratados en la reunión de Dublín, señalando expresamente los puntos que debían incluirse[42].

Efectivamente, en el Consejo Europeo de Dublín se presentó un informe de la presidencia irlandesa que incluye, tal y como solicitó el Consejo, un proyecto de Tratado articulado de tal manera[43].

En las Conclusiones de la Presidencia irlandesa se puede leer: «las cuestiones institucionales ocuparán una posición central a lo largo de la próxima fase de negociación. La Unión debe mejorar su capacidad de decisión y de acción. (...) La Unión debe dotarse de procedimientos democráticos, transparentes y comprensibles, así como de instituciones

---

[38] SN/300/96 ES, p. 8.
[39] Conclusiones de la Presidencia, Consejo Europeo de Dublín, *Bulletin de l'Union Européenne*, 12/96, p. 12, punto 1.7.
[40] CONF/3860/1/96 REV 1, de 17 de junio de 1996. El documento de la Presidencia italiana se dividía en los siguientes capítulos: I. La Unión más próxima del ciudadano. II. Las instituciones en una Unión más democrática y más eficaz. III. Una capacidad de acción exterior fortalecida. Ver *Bulletin de l'Union Européenne*, 6/96, pp. 48-64.
[41] CONF/3860/1/96 REV. 1 ADD. 1.
[42] Conclusiones de la Presidencia, Consejo Europeo de Florencia, *Bulletin de l'Union Européenne*, 6/96, p. 13-14, punto I.7.
[43] CONF/2500/96. Informe de la Presidencia irlandesa, conocido como «Dublín II». Ver *Bulletin de l'Union Européenne*, 12/96, p. 13, punto 1.7 y p. 38, punto II.2.

eficaces y sólidas que disfruten de la legitimidad necesaria a los ojos de los ciudadanos»[44].

La presidencia holandesa, en un primer momento, seguirá la estructura del documento presentado en Dublín y presentará un Adendum al documento «Dublín II»[45], que posteriormente será sustituido por el documento definitivo que se presentaría al Consejo de Amsterdam[46]. Unos textos, por otra parte, prisioneros de múltiples y contradictorios compromisos, a lo que se añadía el hecho de que reflejaban en buena medida el interés de los pequeños Estados, sobre todo en lo referente a la reforma institucional, de preservar a cualquier precio su *statu quo*. Esta falta de coherencia endureció aún más las sesiones del Consejo Europeo de Amsterdam de los días 16 y 17 de junio de 1997[47].

4. Balance global de la reforma institucional en la Conferencia Intergubernamental

En las conclusiones del Consejo Europeo de Dublín se afirmaba que «el Consejo Europeo subraya con insistencia que el futuro de la Unión y el éxito de la ampliación que se ha comprometido a realizar dependerán de las soluciones satisfactorias que puedan ser aportadas sobre todas estas cuestiones»[48].

Pues bien, la valoración final de la Conferencia Intergubernamental de 1996 y del Tratado de Amsterdam resultante de la misma debe ser

---

[44]   Idem.

[45]   Reunión informal del Consejo Europeo en Noordwijk (Países Bajos), el 23 de mayo de 1997. Documento del 30 de ese mismo mes. Ver ELORZA CAVENGT, J.: «El Consejo: la ponderación de votos, la mayoría cualificada y mejoras de funcionamiento», en *España y la negociación del Tratado de Amsterdam*, Política Exterior (Biblioteca Nueva), Madrid, 1998, p. 256.

[46]   CONF/4001/97, de 12 de junio de 1997. *Bulletin de l'Union Européenne*, 6/97, p. 8, punto I.3.

[47]   ELORZA CAVENGT, J., *op. cit.*, p. 55.

[48]   Conclusiones de la Presidencia, Consejo Europeo de Dublín, *Bulletin de l'Union Européenne*, 12/96, p. 14, punto I.7.

rotundamente negativa[49]. Y debe afirmarse claramente esta conclusión para contrarrestar las múltiples voces provenientes de las instituciones comunitarias, nacionales y de las fuerzas políticas europeas mayoritarias que intentan minimizar los fracasos y colocar la lente de aumento en los escasos campos en los que se ha avanzado. Por otra parte, ésta es una práctica poco novedosa, pues ya se utilizó tras la elaboración del Acta Única Europea y del Tratado de la Unión Europea. Todos esos actores tienen sus razones[50].

Por parte de las fuerzas políticas nacionales y de los gobiernos de los Estados miembros, aceptar el fracaso de la Conferencia Intergubernamental supondría reconocer su incapacidad política para llegar a acuerdos en favor de la integración europea.

Por parte de las instituciones comunitarias no intergubernamentales porque, en gran medida, reconocer el frustrante resultado es poner de relieve la nula incidencia que tienen las opiniones supranacionales de la Comisión y del Parlamento Europeo frente a los foros de decisión intergubernamentales. Pero además porque, errónea pero bienintencionadamente, piensan que transmitir a la ciudadanía una visión real del congelamiento de la integración política europea contribuiría a reforzar una visión pesimista de la construcción europea que en el fondo tan sólo sirve para generar euroescépticos. Pero sobre todo, porque Comisión y Parlamento no tienen ni la fuerza ni la voluntad de tomar una posición activa no sólo de denuncia del parón sino de propuesta de una serie de medidas de presión política a adoptar. Es decir, no tienen propuesta consecutiva a la denuncia ante los ciudadanos de la tarea obstruccionista

---

[49]   Se ha llegado a afirmar con razón que el Tratado de Amsterdam supone «una reforma de escaso perfil político y mediocre nivel técnico», MANGAS MARTÍN, A.: «La reforma institucional en el Tratado de Amsterdam», *Revista de Derecho Comunitario Europeo*, nº 3, enero-junio 1998, p. 8.

[50]   Un análisis completo del nuevo Tratado de Amsterdam puede encontrarse en las siguientes obras: OREJA AGUIRRE, M., FONSECA MORILLO, F.: *El Tratado de Amsterdam de la Unión Europea: análisis y comentarios*, McGraw-Hill, Madrid, 1998; BLANCHET, T.; BLUMANN, C.; CONSTANTINESCO, V.; GOSALBO BONO, R.; JACQUÉ, J.-P.; LABAYLE, H.; WACHSMANN, P.: *Le Traité d'Amsterdam*, Dalloz, París, 1998; OLESTI RAYO, A.: *Los principios del Tratado de la Unión Europea: del Tratado de Maastricht al Tratado de Amsterdam*, Ariel, Barcelona, 1998.

de los gobiernos nacionales y de las perniciosas consecuencias que eso tiene para sus intereses políticos y económicos. En el caso de la Comisión porque no tiene legitimidad suficiente ante los ciudadanos para enfrentarse a los gobiernos nacionales. En ambos casos porque carecen de un aparato burocrático de apoyo en los Estados para defender su posición y porque no tienen el valor político de enfrentarse a los dirigentes de las dos fuerzas políticas mayoritarias, que gestionan los gobiernos nacionales y que les nombran comisarios o les sitúan en las listas electorales para el Parlamento Europeo.

El balance negativo sobre los resultados del Tratado de Amsterdam referentes a la reforma institucional no es producto de la opinión subjetiva de quien esto escribe. Hemos expuesto los datos sobre lo que se pretendía y a continuación se analizará lo que se ha conseguido. El maquillaje dialéctico no puede contradecir los hechos. Y no puede ponerse el acento en lo que se ha conseguido pues la valoración de los logros debe hacerse sobre los objetivos que se proponían. De otra manera siempre cabe considerar un gran avance cualquier acuerdo que se adopte donde no existía nada pactado. El problema no es lo que se ha conseguido, sino qué era imprescindible conseguir según las propias metas fijadas por los responsables políticos[51].

Los resultados limitados de la Conferencia han sido reconocidos por el propio Presidente de la Comisión, quien ha manifestado que la Conferencia «ha aportado una primera respuesta pero nosotros sabemos

---

[51]   Y no puede argumentarse que el Protocolo al Tratado de Amsterdam que prevé que, en relación con la reforma institucional, ésta se aplazará hasta que la Unión no supere la veintena de Estados miembros, evita la sensación de fracaso, ya que es negar que la reforma institucional —la profundización en la integración— era una de las cuestiones capitales de la Conferencia Intergubernamental de 1996; una cuestión a la que el Grupo de Reflexión dedicó buena parte de sus esfuerzos. De hecho, quienes no quieren apreciar en este hecho una sensación de fracaso no pueden por menos de reconocer que «es cierto que durante la Conferencia se dio gran prioridad al capítulo institucional, afirmándose que en los resultados que se obtuvieran en este ámbito residiría en gran parte el éxito o el fracaso de la Conferencia». Ver DE MIGUEL Y EGEA, R.: «Valoración global del Tratado de Amsterdam», en *España y la negociación del Tratado de Amsterdam*, Política Exterior (Biblioteca Nueva), Madrid, 1998, p. 21.

ya que con ella no basta (…); debemos aceptar ir más lejos en la reforma de las instituciones y de los procedimientos de decisión. (…) Conviene pues convocar una nueva conferencia intergubernamental tan pronto como sea posible después del año 2000»[52].

Resulta dramático tener que confesar, una vez terminada la revisión de los Tratados, que la enorme ilusión y todo el esfuerzo que la Conferencia Intergubernamental de 1996 habían conseguido catalizar a través de las más variadas y entusiastas iniciativas, se han diluido ante la inquebrantable voluntad de nuestros gobernantes nacionales de seguir controlando el proceso de integración europeo. De ahí que se pueda afirmar acertadamente que el esfuerzo previo y simultáneo a la Conferencia fue tan formidable como, a la postre, inútil, a la vista de los pobres resultados alcanzados en el Consejo Europeo de Amsterdam de junio de 1997. Sin duda, se echa en falta el proyecto político europeo que el Tratado de Maastricht había empezado a esbozar[53].

Pero más importante que afirmar este nuevo fracaso en la aspiración de dotar a la Unión de las instituciones y procedimientos de decisión que necesita es analizar qué pone de relieve este nuevo freno. Se trata, en definitiva, de comprobar si el único interés que movía a los Estados al abrir esta Conferencia Intergubernamental era dar cumplimiento al mandato del artículo N. 2 TUE —que imponía su convocatoria— para elaborar, al margen de las necesidades de la Unión, un nuevo Tratado de mínimos que pase sin apuros, a diferencia del Tratado de Maastricht, la ratificación parlamentaria en los Estados miembros. Si realizamos este ejercicio de análisis, quizá en lugar de autocompadecernos y resignarnos, encontremos la vía para desbloquear la situación.

En primer lugar, los reiterados aplazamientos de las reformas que ya fueron planteadas por el Parlamento Europeo en el año 1984 demuestran claramente la voluntad de los gobiernos nacionales de negar las reformas necesarias, restando eficacia y protagonismo internacionales a la Unión para conseguir mantener el control del proceso a través de una vía

---

[52]   Entrevista a Jacques Santer, *Commission en Direct*, julio de 1997, pp. 1 y 2.
[53]   MANGAS MARTÍN, A.: «El Tratado de Amsterdam: aspectos generales del pilar comunitario», *Gaceta Jurídica de la CE y de la competencia*, serie D, Madrid, septiembre 1998, p. 11.

intergubernamental que saben sobradamente agotada. Es de una mez-
quindad sin límites sacrificar el destino colectivo de los europeos por el
afán de retener el poder y seguir disfrutando de una notoriedad personal
que una estructura verdaderamente integrada les negaría.

Pero no sólo los gobiernos nacionales (y con ellos las fuerzas políticas
mayoritarias europeas) son los principales responsables de la imposibilidad de acometer las reformas más urgentes, sino que conocedores de la
inevitabilidad de afrontar dichas modificaciones, llevan un decenio
alargando su agonía, sabiendo que se corresponde con la agonía de los
intereses europeos, con el solo objetivo de conseguir retener el poder y
su propia razón de ser. Y que no se nos diga que cuando los gobiernos
nacionales o las fuerzas políticas europeas adoptan esa política es porque
es la política deseada por los europeos. Después del referéndum italiano
sobre el otorgamiento al Parlamento Europeo de poderes constituyentes en
1990, o los resultados de Dinamarca o Francia en 1992 no se puede seguir
manteniendo en Europa el silogismo de que la voluntad de los representantes coincide a grandes rasgos con la opinión de los representados.

Pero lo que resulta más preocupante es el peligroso doble juego que
han adoptado desde hace tres quinquenios las fuerzas políticas europeas
mayoritarias y, consiguientemente, los gobiernos nacionales. Por un lado
denuncian el incorrecto funcionamiento de las Comunidades Europeas
y anuncian a la ciudadanía la necesidad de enmendar dichas deficiencias.
Por otro bloquean la resolución de dichos problemas en las mesas de
negociación. El ejemplo más reciente lo encontramos en la posición
oficial adoptada por el Partido Popular Europeo y los autodenominados
partidos socialdemócratas europeos, por las posiciones de los gobiernos
nacionales ante la Conferencia Intergubernamental y los resultados
obtenidos. Veamos:

El Partido Popular Europeo, en su Congreso celebrado en Madrid los
días 6 y 7 de noviembre de 1995 bajo el lema «Capacidad de acción,
democracia y transparencia —La Unión Europea en marcha hacia la
Europa unida—», concluyó que la Conferencia Intergubernamental
debía conducir a una reforma a fondo de las estructuras de la Unión
Europea y señaló como exigencias ineludibles, entre otras, las siguientes:
una catálogo de derechos y libertades y la adhesión de la Unión al
Convenio Europeo de Derechos Humanos; un Parlamento Europeo en
igualdad de derechos con el Consejo en materia legislativa, con un único

procedimiento de codecisión simplificado; modificación del procedimiento de reforma de los Tratados para que incluyera la necesidad de un dictamen conforme del Parlamento sobre el contenido de cada reforma; deliberaciones del Consejo realizadas públicamente cuando actúe como legislador y toma de decisiones por mayoría cualificada salvo, y tan sólo durante un período transitorio, para modificar los Tratados; ampliar la Unión o aumentar los recursos propios; la propuesta de Presidente de la Comisión, a realizar por el Consejo Europeo tras consulta con el Parlamento Europeo; capacidad de rechazo por el Parlamento Europeo del nombramiento de un comisario; simplificación de los Tratados, incluyendo la refundición en un Tratado único; situar Europol bajo la autoridad de la Comisión; adopción de decisiones en política exterior por mayoría reforzada; integración de la UEO en la Unión Europea[54].

A este se podría añadir el documento elaborado por la CDU alemana en julio de 1995, en el que defendía que los poderes del Parlamento Europeo debían extenderse de tal modo que éste llegara a ser un actor legislativo en pie de igualdad con el Consejo de la Unión[55].

El Grupo Socialista del Parlamento Europeo, por su parte, aprobó de forma abrumadora[56] un documento presentado por la diputada Pauline Green en el que se reclamaba de la Conferencia Intergubernamental, entre otras acciones: colocar en igualdad de derechos al Parlamento Europeo con el Consejo en materia legislativa; legitimación de los parlamentos nacionales para presentar recursos de anulación ante el Tribunal de Justicia cuando consideren que las normas comunitarias exceden el ámbito de competencias de las Comunidades; mayor poder de ejecución a la Comisión, eliminando la comitología; extensión generalizada para la mayoría cualificada, reservando la unanimidad para lo que afecte a los fundamentos de la Unión[57].

---

54 *Agence Europe*, n° 6.600, 8 de noviembre de 1995, p. 3 y 4.
55 Ver la referencia y el resumen del documento en *Agence Europe*, n° 6.515, 5 de julio de 1995, p. 3.
56 El documento fue respaldado por 96 votos a favor, 17 en contra y 7 abstenciones. Los votos no correspondieron principalmente a los diputados italianos, belgas y franceses que lo consideraron insuficiente (*Agence Europe*, n° 6452, 31 de marzo de 1995, p. 2).
57 *Agence Europe*, n° 6.452, 31 de marzo de 1995, p. 2.

Como puede observarse, lo exigido por los partidos conservadores y progresistas europeos que respaldan a los quince gobiernos nacionales de la Unión coincide punto por punto con lo que éstos acordaron en el Tratado de Amsterdam. El doble lenguaje entre lo que se dice y lo que se hace es especialmente llamativo en la política europea[58].

Esta perversa práctica política, además de corroer la credibilidad del sistema democrático, provoca consecuencias indeseables para los intereses de los ciudadanos europeos.

En primer lugar, que Europa, en lo exterior, sea incapaz de mantener una política exterior coherente y uniforme, diferenciada de la de los Estados Unidos, lo cual repercute no sólo en el plano político internacional sino que provoca un deterioro de nuestra política comercial internacional. En lo interior, que el poder político se encuentre fragmentado en quince parcelas frente a la libre acción de los grupos financieros en el mercado unificado provoca que la voluntad democrática acabe subordinada a la voluntad de los poderes fácticos económicos; que no se puedan adoptar con la rapidez requerida medidas para proteger los intereses económicos europeos y para garantizar un funcionamiento sin distorsiones del mercado interior; o que no exista la capacidad real de tomar medidas para combatir eficazmente la delincuencia internacional o el terrorismo.

En segundo lugar que, como consecuencia del inadecuado funcionamiento de las instituciones europeas que provoca que deban afrontarse con retraso medidas y políticas que los ciudadanos reclaman hace años (empleo, medio ambiente, seguridad interior), e impiden corregir los desajustes sociales que provoca el crecimiento económico (política fiscal para recaudar fondos igual y proporcionalmente, y política social para redistribuirlos) se está fomentando que los ciudadanos europeos se

---

[58]   La discusión acerca del modo de votación en el seno del Consejo y la necesidad de reducir los casos de unanimidad no se ha cerrado ni mucho menos con la CIG. El Parlamento Europeo ha aprobado recientemente el polémico Informe elaborado por Jean-Louis Bourlanges (PPE-F) sobre «el proceso decisional en el seno del Consejo en una Europa ampliada», en el que combate duramente la parálisis a la que está conduciendo el actual sistema y la falta de respeto por la regla de Derecho en sus actuaciones. Ver *Agence Europe*, 11 de febrero de 1999, nº 7.402, pp. 3-4.

cuestionen la utilidad del esfuerzo integrador, es decir, se está fomentando el euroescepticismo. No se puede seguir matando al mensajero. Los responsables del euroescepticismo, del reforzamiento del nacionalismo en Europa, no son las fuerzas políticas que lo defienden. Éstas existieron siempre y durante años no han contado con el respaldo electoral y social de los europeos. Los responsables del vuelco de esta situación son los gobernantes que generan el clima social, que impiden que se visualice el proyecto europeo, haciendo que éste se identifique exclusivamente con recortes sociales y políticas de ajuste. Los demás tan sólo instrumentalizan de forma populista los sentimientos de desasosiego de una parte importante de la opinión pública europea.

Es tal la frustración existente entre la ciudadanía, es tan absurda la maniobra de los gobiernos nacionales de recubrir su interés personal en interés nacional, que corremos el riesgo de que todo el esfuerzo se diluya cuando más cerca nos encontramos de su culminación y cuando más urgente es finalizar la tarea emprendida hace casi cincuenta años.

LA REFORMA DEL PARLAMENTO EUROPEO. CIUDADANÍA. CLAVE DE REPRESENTACIÓN Y ELECCIÓN EUROPEA

DR. MANUEL MARTÍNEZ SOSPEDRA
Profesor Titular de Derecho Constitucional
Universitat de València
P. Ordinario de Derecho Constitucional CUEJ-CEU

1. Introducción

El déficit democrático de la Unión Europea viene constituyendo uno de los argumentos usualmente empleados tanto para negar o menoscabar la legitimidad de las decisiones comunitarias, como para argumentar en favor de una drástica reducción de la competencia de la Unión, como para sostener la conveniencia de una minoración de las facultades efectivamente ejercidas por los órganos comunes, como, en fin, para defender una concepción de la Unión que pivota antes sobre el momento intergubernamental que sobre el propiamente comunitario. En no pocas ocasiones el argumento del déficit democrático es usado en términos estrictamente instrumentales, como revela el significativo hecho de que frecuentemente los mismos actores o sujetos que esgrimen frente al progreso de la integración el citado déficit sean quienes con mayor empeño se oponen a la comunitarización de los supuestos jurídico-políticos sobre los que se asienta toda representación democrática o se resisten a una regulación del proceso de adopción de decisiones en la materia que no pase por la mas estricta unanimidad en el Consejo[1]. Tal hostilidad tiene como acompaña-

---

[1]   Art. 190.4 TCE: «El Parlamento Europeo elaborará *proyectos* encaminados a hacer posible su elección por sufragio universal directo, de acuerdo con un procedimiento uniforme en todos los Estados miembros.

El Consejo establecerá, *por unanimidad*, previo dictamen conforme del Parlamento Europeo, que se pronunciará por mayoría de sus miembros, las disposi-

miento la reserva sino del control democrático si al menos de la legitimidad democrática en el sistema comunitario a los Parlamentos nacionales, bien sea a titulo principal bien sea a título exclusivo. Aunque ello pueda parecer criticable desde una óptica no ya integracionista sino meramente no nacionalista no empece para que debamos plantearnos el problema en términos algo diferentes a los habituales.

En general la literatura crítica que ha generado el concepto mismo de «déficit democrático» lo que ha venido a señalar es esencialmente una doble realidad: que el sistema de gobierno que organiza las instituciones comunitarias no es congruente con los criterios organizativos propios de la democracia constitucional y, sobre todo, los menguados poderes que hasta el Tratado de la Unión, y aun después, se atribuyen al Parlamento Europeo. El documento preparatorio del Ministerio español de Asuntos Exteriores expone la estrecha relación que existe entre remedio del déficit democrático, ampliación de poderes del PE y divergencia sobre la legitimidad democrática en términos que, por su claridad, no me resisto a reproducir:

> Todo parece indicar, por las diferentes tomas de posición hechas públicas últimamente sobre la reforma institucional, que la cuestión del reforzamiento de los poderes del Parlamento Europeo va a ser crucial y una de las más polémicas durante la conferencia. En efecto, frente a la escuela que podríamos identificar como «alemana», secundada por los más integracionistas —y, en cierto sentido, también por la Comisión y, como es lógico, por el propio PE—, partidarios todos de dotar de mayor legitimidad democrática al sistema a base de aumentar las responsabilidades del PE, la posición británica, danesa y de una parte de la mayoría gubernamental francesa irá más bien en la dirección de limitarlas o, si acaso, contenerlas en su nivel actual, y a que para todos ellos la verdadera legitimidad radica en los Parlamentos Nacionales[2].

La cuestión, no obstante no puede reducirse al esquema maniqueo de la confrontación integracionistas *versus* nacionalistas (que vendría a encubrir una divergencia de fondo sobre la naturaleza de la Unión), porque no cabe ocultar que, efectivamente, el sistema de gobierno prescrito por los Trata-

---

ciones pertinentes y *recomendará* a los Estados su adopción, de conformidad con sus respectivas normas constitucionales» (las itálicas son del autor).

[2] *La Conferencia Intergubernamental de 1996. Bases para una reflexión*, Madrid, 1995, p. 64.

dos ni respeta fielmente el principio de división de poderes, ni es fácilmente conciliable con el principio democrático mismo[3], lo que en alguna medida trae causa del hecho de que la coherencia con tales principios de la fundamentación, estructura y elección del Parlamento Europeo mismo no se hallan ciertamente exentos de crítica fundada.

En rigor el Parlamento Europeo mismo viene a adolecer de una deficiente determinación del sujeto mismo de la representación, que arrastra una estructura de la representación acerca de cuya pertinencia y adecuación cabe formular serios reparos, lo que conduce a una clave de representación y a un modo de elección discutibles que, en conjunto vienen a viciar la legitimidad democrática del propio Parlamento y a cuestionar la titularidad y ejercicio de los poderes que le atribuyen los Tratados. En consecuencia si se hace necesario debatir el déficit democrático del gobierno de la Unión en ese debate debe incluir la no escasa parte de ese déficit democrático que corresponde a la propia Eurocámara.

Porque no cabe ocultar, insisto, que el Parlamento es vulnerable a críticas fundadas emitidas desde la perspectiva de la legitimidad democrática, como lo es a aquellas que vienen a cuestionar de algún modo su estructura actual[4].

2. Los problemas

La puesta en cuestión de la legitimación democrática del Parlamento tiene como condición de posibilidad la separación entre Parlamentos nacionales y Parlamento Europeo por razón del origen, en consecuencia es un problema unido estrechamente al acuerdo de Bruselas y a su

---

[3] *Ad exem vid.* PLIAKOS, A.: «L'Union européenne et le Parlement européen: y a-t-il vraiment un déficit démocratique?», *RDP*, nº 3, 1995, pp. 749 y ss., especialmente pp. 753 y ss.

[4] No está de más advertir que mientras las críticas del primer grupo pueden provenir y provienen de sostenedores de las posiciones de fondo encontradas, proceden mayoritariamente de aquellos que vienen a sostener posiciones nacionalistas proclives al predominio de la intergubernamentalidad, en tanto que las segundas proceden muy mayoritariamente de origen integracionistas.

consecuencia la elección por sufragio universal del PE. Dicha elección viene a poner en primer plano el problema del sujeto de la representación, y a formular en términos propios las cuestiones subsiguientes de sistema electoral (legislación aplicable, clave de representación, fórmula o fórmulas electorales, etc.) y a plantear implícitamente a medio plazo en términos nuevos no solo la relación PE/Parlamentos Nacionales, sino también la misma estructura de la Eurocámara.

a) El pueblo de la Unión

La cuestión de principio primordial es indudablemente la primera: ¿a quién representa el PE? Hasta la primera elección directa, la de 1979, esta cuestión no era en modo alguno problemática. Al estar integrada la Asamblea por delegaciones de los Parlamentos de los Estados miembros y carecer la Eurocámara de procedimiento propio de elección aquella era una mera reunión interparlamentaria de parlamentarios nacionales, legitimados democráticamente por el voto de sus conciudadanos y designados por su pares, los restantes miembros de cada Parlamento nacional. La Asamblea en su configuración primitiva era una institución de naturaleza estrictamente interestatal, tanto jurídica como sociológicamente, sólo diferenciada por matices secundarios de otros órganos interestatales similares (como la Asamblea de la UEO o la del Consejo de Europa). Designados por órganos constitucionales de los Estados miembros los miembros de la Asamblea y esta misma representaban a los Parlamentos de los Estados miembros y por esta mediación a los Estados mismos.

La reforma consistente en la elección directa de los miembros del PE vino a alterar los términos de la cuestión cuanto menos en términos políticos. Los enunciados de los arts. 137 y 138 TCE (actuales 189 a 195 TCE) pasaban a tener una lectura diferente. La elección directa no alteraba *prima facie* la naturaleza jurídica de la Cámara, simplemente venía a establecer una vinculación directa entre los miembros de cada una de las delegaciones de los Estados miembros y los electores nacionales de esos mismos Estados, la inmediación democrática convertía en realidad política el texto legal:

> art. 189 (ex. art. 137): El Parlamento Europeo, compuesto por *representantes de los pueblos de los Estados reunidos en la Comunidad...*

art. 190.1 (ex art. 138.1): Los *representantes en el Parlamento Europeo de los pueblos de los Estados* reunidos en la Comunidad serán elegidos por sufragio universal[5].

Los enunciados transcritos parecían resolver claramente la cuestión: el sujeto político sujeto de la representación es el mismo que en el caso del Parlamento nacional[6], en ambos supuestos es el pueblo de cada uno de los Estados miembros, considerado no sólo como un cuerpo electoral independiente, sino como una comunidad política diferenciada, el sujeto y el productor de la representación de la correspondiente delegación nacional en la Eurocámara.

De ello se seguían necesariamente cuatro consecuencias fundamentales: en primer lugar que el PE seguía siendo una institución —no un órgano— de naturaleza interestatal; en segundo lugar el sujeto representado no era el inexistente pueblo de la Comunidad mediante la acción política de unos ciudadanos de la Comunidad no menos inexistentes, sino el pueblo de cada uno de los Estados; en tercer lugar la representatividad de cada delegación nacional en el PE sólo sería semejante a la del Parlamento nacional correspondiente en el caso de que la representación se configurara conforme a unas pautas estrictamente democráticas, a fin de dar efectividad plena al principio «un hombre-un voto», en otro caso nos hallaríamos ante una elección directa por todos los ciudadanos, pero no estrictamente ante una elección por sufragio universal, con las consecuencias correspondientes; finalmente el PE como tal institución no representaba estrictamente a nadie, en otras palabras, era una Asamblea integrada por delegaciones representativas, pero no era un Parlamento. De lo que, como lógica consecuencia, se siguen extremas dificultades para atribuir a dicha Asamblea

---

[5]   Itálicas del autor.

[6]   En rigor habría que decir «la Cámara Baja del Parlamento Nacional» porque las regulaciones nacionales de la Segunda Cámara en aquellos Estados miembros que cuentan con un Parlamento bicameral (en el momento actual Reino Unido, Eire, Países Bajos, Bélgica, Alemania, Austria, Francia, Italia y España) difieren considerablemente de los de las primeras y entre sí, de tal modo que mientras hay una clara representación democrática en algunas Segundas Cámaras (p. ej. el Senado italiano) electas por sufragio universal, dicha representación no está tan clara en otros casos (piénsese en la representación corporativa del Senado irlandés o en la designación gubernamental del Bundesrat germano) y en algún caso no lo está en absoluto (*House of Lords* británica).

los poderes típicos de cualquier Parlamento (potestad legislativa y poder financiero pleno sobre ingresos y gastos).

Naturaleza interestatal derivada de los sujetos representados en la Asamblea, pero que viene reforzada jurídicamente por tres rasgos definitorios del PE: la elección en circunscripciones determinadas por la legislación nacional, mediante tipo de voto nacionalmente determinado, según un tipo de escrutinio nacionalmente fijado. No obstante desde una perspectiva jurídico-constitucional tal régimen era punto menos que inevitable en el momento de la entrada en vigor de la elección directa del PE porque faltaba a la construcción un elemento clave para que las cosas pudieran ser ordenadas de otro modo: faltaba el pueblo de la Comunidad.

En efecto, con anterioridad al TUE las invocaciones a una «Europa de los ciudadanos»[7] adolecían de un vicio radical: la Comunidad carecía de nacionalidad y, consiguientemente, de ciudadanía[8], en consecuencia no existía un vínculo jurídico de pertenencia de los ciudadanos de los Estados miembros a la Comunidad, ésta no era una comunidad de personas, sino de Estados, y en ella no había otra nacionalidad ni otra ciudadanía que la de los Estados miembros. En consecuencia ni había ni podía haber un sujeto comunitario susceptible de formar por sí una voluntad política ni de ser productor de representación política alguna.

En el escenario anterior al TUE el PE venía a aparecer como un actor en busca de un papel definido en la representación del drama europeo. Desde 1979 la antigua Asamblea, que abandona primero *de facto* y después *de iure* esa denominación para pasar a autodenominarse primero, y a ser designada por los Tratados después, como Parlamento se halla en esa situación de esencial indeterminación que, al parecer, es consustancial al proceso de construcción europea, debida, según opinión autorizada, a una dinámica evolutiva que hace fáciles los cambios pequeños y dificulta

---

[7]   *Vid.* los Informes del Comité Adonnino *L'Europe des citoyens. Rapports du comité ad hoc.* (Doc. CCE S.7/85).

[8]   A los efectos que aquí interesan entendemos por nacionalidad el vínculo de pertenencia que liga a una persona física o jurídica con un Estado y por ciudadanía la condición plena del nacional al que se reconocen derechos políticos en cuanto miembro de la comunidad a fin de participar en la formación de la voluntad común. Es decir, sustancialmente el sostenido tradicionalmente en nuestro Derecho y que viene a recoger la Constitución de 1978.

enormemente la adopción de decisiones constitucionales claras[9]. Dicha indeterminación arranca precisamente de su elección por sufragio directo: ya no es una pura reunión de delegados de los Parlamentos Nacionales, en consecuencia ya no es en el sentido «fuerte» de la expresión una institución interestatal *optimo iure*, la elección directa y simultánea de cada delegación nacional por sufragio universal[10] lo impide, la representación del Estado-comunidad desplaza a la del Estado-aparato. Pero tampoco es un Parlamento en sentido propio, la ausencia de una nacionalidad/ciudadanía común, y de unas reglas comunes de elección, lo impiden. Parafraseando una conocida ironía el PE se convierte en una Institución Política no Identificada.

Las carencias apuntadas minan, como no podría menos que suceder, la posición política de la Eurocámara al debilitar seriamente la vinculación de las delegaciones nacionales con sus propios Parlamentos y Gobiernos, sin por ello conceder a la Asamblea la posición institucional indispensable para poder reclamar la resolución del «déficit democrático» mediante el expediente de incrementar tanto su esfera de competencia (yendo más allá del «primer pilar») como las facultades que le puedan ir concediendo los tratados. Pese a la elección directa el PE sigue siendo jurídicamente una institución interestatal, no habilitada por lo demás para modificar su propio status[11], que no sabe muy bien a quién representa. El flanco a la crítica de los partidarios de una definición no comunitaria de la Comunidad[12] resulta clamoroso, y la objeción del sujeto representado no es fácilmente solventable[13].

---

[9]   *Vid.* MANGAS MARTÍN, A.: «La dinámica de los tratados y los déficits estructurales de la Unión Europea: Reflexiones generales críticas», en VV.AA.: *Hacia un nuevo orden internacional y europeo*, Tecnos, Madrid, 1993, pp. 1055 y ss., especialmente pp. 1056-61.

[10]   Ese y no otro es el significado real de la elección. Esta sólo puede entenderse como efectuada por sufragio universal en el marco de cada Estado miembro por separado, la ausencia del «pueblo de la Comunidad» y algunos rasgos capitales de la elección así lo acreditan.

[11]   PLIAKOS, por ejemplo, escribe: «Il n'en reste pas moins que, si positif que soit ce renforcement des pouvoir du PE, il reste impuissant à modifier sa nature, que continue à etre marquée par sa composition inter-étatique», en *L'Union..., op. cit.*, p. 750.

[12]   Que es la cobertura de una posición nacional-estatal a la que sirve a título de combate de retaguardia.

[13]   En las palabras de un inteligente euroescéptico español: Por tanto, no se afecta al principio fundamental del art. 1.2. de nuestra Constitución, puesto que el

Y es aquí donde viene a insertarse la Sentencia del Tribunal Constitucional Federal Alemán de 12 de octubre de 1993[14]. Esta viene de un lado a afirmar la necesidad de la legitimación democrática del poder en seno de la Unión:

> 2. El principio democrático no impide a la República Federal de Alemania formar parte de una comunidad interestatal organizada a nivel supranacional. No obstante, es requisito para esa participación que la legitimación y la influencia emanada del pueblo que de asegurada también dentro de una unión de Estados.

Ahora bien, en opinión del Tribunal el instrumento primario de dicha legitimación democrática viene dado por los Parlamentos nacionales y consiguientemente por la conexión entre estos y las instituciones comunitarias, en ese contexto, señala muy educadamente el Tribunal, el papel del PE no pasa de ser subsidiario. Véase:

> Así pues, la legitimación democrática tiene lugar por la conexión de la actuación de los órganos europeos con los parlamentos de los Estados miembros: a estos se añade —cada vez más a medida que va progresando la unión de las naciones europeas— dentro del entramado institucional de la Unión Europea la mediación de la legitimación democrática por el Parlamento Europeo, elegido por los ciudadanos de los Estados miembros. 3 a).

A la vista de lo señalado merece detener la atención sobre una cuestión cuya trascendencia se puede establecer a estas alturas: a juicio del Tribunal el Parlamento es instrumento de legitimación democrática no tanto porque

---

pueblo sigue siendo el titular de la soberanía nacional, del cual, si «emanan los poderes del Estado» 9 art. 1.2), entre otros las Cortes como su representante (art. 66.1), emana también la delegación en las instituciones internacionales. Ello no deja de plantear la cuestión de a quién representa el Parlamento Europeo, cualquiera que sus competencias pudieran ser. HERRERO DE MIÑÓN, M.: «Constitución española y Unión Europea. Comentarios al artículo 93 de la Constitución española», *Revista de las Cortes Generales*, nº 26, 1992, pp. 10-11.

[14]   Se cita según ALONSO GARCÍA, R.: *Tratado de la Unión Europea*, 4º ed., Civitas, Madrid, 1995, pp. 15-16. Un comentario extenso de la misma en ALÁEZ CORRAL, B.: «Comentario a la sentencia del Tribunal Constitucional Federal Alemán de 12 de octubre de 1993», *Revista Española de Derecho Constitucional*, nº 45, 1995. *Vid.* asimismo AUXETIER, C. *et alii*: «La Cour Constitutionnelle fédéral, l'ordre constitutionnelle allemand et le Traité de Maastricht», *Revue Française de Droit Constitutionnel*, nº 18, 1994, pp. 421 y ss.

su elección, que no se hace por los ciudadanos europeos, sino por los que lo son de los Estados miembros, sino en cuanto la Unión de las naciones europeas sea más estrecha, solo la profundización de la Unión puede sacar al PE del lugar secundario que a juicio del Tribunal le corresponde. El sentido propio de la resolución, que viene a proclamar la desnudez del rey, lo precisa uno de los magistrados del Tribunal, el profesor Böckenförde, que en una entrevista académica reciente[15] contesta a la pregunta relacionada con la cuestión explicando la decisión del Tribunal como fundada tanto en motivos jurídico-constitucionales, como en otros de índole sociológica. Por lo que a los primeros toca afirma al magistrado:

> A mi entender esa Sentencia tiene un doble significado. Por una parte, en la sentencia se dice que, en el camino de la unidad europea —...— hay que preservar la democracia. La Sentencia parte de la idea de que en el actual nivel de integración la legitimación democrática de los órganos europeos proviene todavía básicamente de los Estados nacionales, es decir, de sus respectivos pueblos, a través de sus Parlamentos y Gobiernos, que están democráticamente legitimados y controlados. El Parlamento europeo aporta a su vez una cierta legitimación, pero, en el momento actual, esta no puede sustituir aún a la legitimación que aportan los pueblos de los diferentes Estados, porque al nivel de Europa no se dan todavía los presupuestos para una formación democrática y unitaria de la voluntad política. El Parlamento europeo es algo muy distinto a un Parlamento nacional. Los diputados son elegidos por los diferentes pueblos, de acuerdo con un sistema proporcional de cuotas, de modo que en el seno de la Unión Europea no rige el principio «one man-one vote».

por lo que a los segundos afecta el profesor responde

> Ello sería, además, completamente ilusorio. No existe todavía una opinión pública europea, ni existen todavía partidos políticos europeos. Faltan todavía, por consiguiente, cosas que serían necesarias para que pudiese existir un proceso europeo global de formación de la voluntad política, el cual es, a su vez, un subestructura imprescindible para un Parlamento que ha de actuar como órgano representativo de un pueblo.

El texto, casi una interpretación auténtica, me parece cualquier cosa menos oscuro: el PE no puede ser homologado a un Parlamento nacio-

---

[15] GONZÁLEZ ENCINAR, J. J.: «Sobre el Derecho y el Estado. Conversación con el profesor E.-W. Böckenförde», *ADCP*, nº 7, 1995, pp. 7 y ss., en especial p. 17.

nal, es decir a un Parlamento auténtico por una razón esencial y varias secundarias ligadas a la primera. La razón esencial «porque al nivel de Europa no se dan todavía los presupuestos para una formación democrática y unitaria de la voluntad política», esto es, no existe un pueblo de la Unión porque, a diferencia de lo que sucede en el caso de un Parlamento nacional, no hay ciudadanos y, en consecuencia, el presupuesto de la voluntad política unitaria del pueblo no se da al no existir éste. Por eso, los diputados del PE son elegidos por los diferentes pueblos, es más, como no hay un sujeto político unitario la representación está configurada de manera que excluye el sufragio universal[16], lo que hace difícil producir una legitimación democrática.

Si ello es así desde la perspectiva jurídica, tal visión viene corroborada desde la perspectiva sociológica, no existe un pueblo europeo, y por eso no hay opinión pública europea, ni partidos europeos, con lo que viene a recoger, en parte una opinión extendida incluso en los medios politistas académicos[17].

Desde la perspectiva jurídica el TUE mismo viene a introducir en la materia una innovación radical al crear la ciudadanía de la Unión. Como culminación de un lento y largo proceso de construcción de una «Europa de los ciudadanos» y de conformidad con un texto propuesto por el gobierno español[18], el TUE viene a introducir una novedad que de un solo golpe saca a la Unión Europea del marco tradicional de la Unión de Estados para introducirla en el mundo de la estatalidad más o menos federal: a partir del art. 8 TUE (actualmente art. 17 a 22 TUE) la Unión tiene ciudadanos propios al existir un *status civitatis* propio de la misma Unión, la Unión tiene

---

[16] Aparece aquí el problema de la clave de representación que veremos más adelante.

[17] Para el PE como Cámara europea por su funcionamiento, pero estatal, conjunto de miniparlamentos nacionales, desde la perspectiva de la elección. vid. LIJPHART, .A.: *Sistemas electorales y sistemas de partidos*, Madrid, CEC, 1995, pp. 32-33. De elecciones nacionales de segundo orden viene a calificarlas Santamaría y sus colaboradores, vid. SANTAMARÍA OSSORIO, J. *et alii*: «Los debates sobre el procedimiento electoral uniforme y las características diferenciales de las elecciones europeas», *Revista de Estudios Políticos*, nº 90, 1995, pp. 11 y ss.

[18] Informes del Comité Adonnino *L'Europe des citoyens. Rapports du comité ad hoc.* (Doc. CCE. S. 7/85). La propuesta española en *Revista de Instituciones Europeas*, nº 1, 1991, pp. 333 y ss.

a partir de 1993 un rasgo esencial del régimen de Estado: su propia población y, en consecuencia, sus propios ciudadanos. Es cierto que, de conformidad con una técnica común en los federalismo *in statu nascendi*, la ciudadanía de la Unión se determina *per remisionem:* la titularidad del estatuto de ciudadano se atribuye por el TUE a las personas que ostenten la nacionalidad de cualquiera de los países miembros de la Unión por ese sólo hecho, pero no es menos cierto que las reglas del art. 8 TUE crean un conjunto de derechos y obligaciones propios de las personas de las que se predica un vínculo de pertenencia con la misma Unión, que es precisamente la configuración tradicional de la nacionalidad: la adscripción de una persona a un Estado como parte de la comunidad política que se organiza mediante aquél, a la que se acompaña la titularidad de los derechos propios de la condición de miembro de tal comunidad política. La exposición del gobierno español es al respecto iluminadora:

> un estatuto personal e inseparable de los nacionales de los Estados miembros, que por su pertenencia a la Unión, son sujetos de derechos y deberes especiales propios del ámbito de la Unión, y que se ejercen y tutelan específicamente dentro de las fronteras de estas, sin perjuicio de que tal condición de ciudadano europeo se proyecte también fuera de esas fronteras[19].

especialmente si se considera que la misma es fiel reflejo de la regulación establecida por el propio Tratado:

> art. 17 (ex art. 8): *1. Se crea una ciudadanía de la Unión.*
> Será ciudadano de la Unión toda persona que ostente la nacionalidad de un Estado miembro.
> *2. Los ciudadanos de la Unión serán titulares de los derechos y sujetos de los deberes previstos en el presente Tratado.*
> art. 19 (ex. art. 8): *2. Sin perjuicio de lo dispuesto en el apartado 3 del art. 138 y en las normas adoptadas para su aplicación, todo ciudadano de la Unión que resida en un Estado miembro del que no sea nacional tendrá derecho a ser elector y elegible en las elecciones al Parlamento Europeo en el Estado miembro en el que resida, en las mismas condiciones que los nacionales del dicho Estado. Este derecho se ejercerá sin perjuicio de las modalidades que el Consejo deberá adoptar antes del 31 de diciembre de*

---

[19]   Cit. en LIÑÁN NOGUERAS, D. J.: «La ciudadanía de la Unión Europea», en VV.AA., *El Derecho Comunitario Europeo y su aplicación judicial*, Civitas, Madrid, 1993, p. 276.

1993, por unanimidad, a propuesta de la Comisión y previa consulta al Parlamento Europeo; dichas modalidades podrán establecer excepciones cuando así lo justifiquen problemas específicos de un Estado miembro.

Entiéndase bien, el umbral diferencial no radica en la mayor o menor extensión e importancia del haz de derechos que configuran el status de «ciudadano de la Unión»[20], sino en la mera existencia de ese status y esa ciudadanía, abstracción hecha de su contenido. La cuestión es jurídicamente decisiva en la materia que tratamos porque viene a introducir en el sistema de la Unión un elemento de estatalidad decisivo: a partir del TUE hay un pueblo de la Unión. Como escribe con razón Pérez Vera:

En abierto contraste con la situación descrita, la ciudadanía europea, y más en concreto el derecho de sufragio activo y pasivo en el país de residencia, apunta a la existencia legal de *un pueblo*, como sustrato de la Unión Europea[21].

lo que, en lógica consecuencia, conlleva la aparición de un sustrato nuevo para el fenómeno de la representación política a escala de la Unión, y a la modificación radical de los supuestos constitutivos del propio PE. A partir de la entrada en vigor el TUE se abre un espacio europeo propio de legitimación jurídico-política:

y adentrarse en los terrenos de la creación de un «espacio público europeo». Un espacio de legitimación político-jurídica diferente que se

---

[20]   Catálogo que, por lo demás, está condenado a crecer si se tiene en cuenta la vieja cuestión de la garantía de los derechos fundamentales en la Unión. En este sentido el documento de la presidencia irlandesa viene a proponer la incorporación a los tratados de la CEDH proponiendo al efecto una modificación del artículo F del TUE del tenor siguiente: «La Unión respeta los derechos fundamentales, tal como son garantizados por la Convención Europea de los Derechos del Hombre y de las Libertades Fundamentales, hecho en Roma el 4 de noviembre de 1950, así como aquellos que resulten de las tradiciones constitucionales comunes a los Estados miembros».
No obstante lo cual, la polémica no cesa por cuanto se trata de una propuesta sin consenso. *Vid.* pp. 11 y 12 del Doc. Conf. 2500/96. Al final la propuesta ha tenido un moderado éxito, traducido en la reforma del art. F del TUE en el sentido apuntado y dando lugar al actual art. 6 del TUE.

[21]   PÉREZ VERA, E.: «La ciudadanía europea en el Tratado de Maastricht», en VV.AA.: *Hacia un nuevo orden internacional y europeo*, Tecnos, Madrid, 1993, p. 1141.

predica del nacional de los Estados miembros como ciudadano de la Unión y no como destinatario de la norma de Derecho comunitario[22].

En consecuencia, al crear un «pueblo de la Unión» el TUE viene a modificar la base sobre la cual se sustenta el Parlamento Europeo; desde la entrada en vigor de los arts. 17 a 22 TUE hay que entender que han perdido vigencia, han sido derogados por la norma convencional posterior, los enunciados de los artículos 189 y 190 TCE que configuran al PE como una asamblea integrada por

> «los representantes de los pueblos de los Estado reunidos en la Comunidad»

el sujeto de la representación expresada en el PE pasa a ser el conjunto de los ciudadanos de la Unión, y precisamente por ello sí es congruente la redacción del art. 191 TCE en cuanto viene a encomendar a los partidos políticos el que contribuyan a la formación y expresión de

> «la voluntad política de los ciudadanos de la Unión».

ya que de eso es de lo que se trata cuando de representación en el PE hablamos. Ahora bien, si eso es así la propia configuración del Parlamento actualmente en vigor cae plenamente bajo el peso del juicio derogatorio que emite el profesor Böckenförde en el texto antecitado: la configuración actual de la Eurocámara no se ajusta a los parámetros de la representación democrática en razón de su clave de representación. En consecuencia el remedio del déficit democrático no puede buscarse sin más en la extensión de la competencia del PE más allá del «primer pilar» ni en el refuerzo de su posición a través del incremento de sus facultades, exige como condición indispensable —que puede razonablemente ser tenida como previa— una alteración radical de su configuración.

Ciertamente puede alegarse que, desde una perspectiva material, el impacto político real de la recién estrenada ciudadanía europea es reducido difícilmente podría ser de otro modo a la vista del breve lapso de tiempo transcurrido desde su creación, que apenas si ha dado tiempo a los expertos para asimilar la dimensión constitucional de unos cambios

---

[22]   LIÑÁN NOGUERAS, D. J.: «La ciudadanía…», *op. cit.*, p. 276.

que, a no dudarlo, exceden en buena medida de las intenciones de no pocos actores políticos relevantes. Al respecto resulta de interés tomar nota y tener en cuenta el magro impacto que las nuevas reglas de la ciudadanía europea tuvieron en la penúltima convocatoria electoral al PE (la de 1994). Según los datos que aporta en Informe de la Comisión a la CIG' 96 el balance es como sigue:

CUADRO I
Elecciones al PE de junio de 1994: Participación de electores no nacionales

Estados	Electores potenciales residentes no nac.	Electores no nacionales inscritos.	
Alemania	1.369.863	80.000	5.84%
Bélgica	471.000	24.000	5.10%
Dinamarca	27.042	6.719	24.85%
España	172.466	24.227	14.05%
Francia	1.100.000	47.632	4.35%
Grecia	40.000	628	1.57%
Irlanda	17.000 (1)	6.000	35.29%
Italia	99.100	2.000	2.02%
Luxemburgo	105.000	6.907	6.58%
Países Bajos	160.000	15.000	9.37%
Portugal	30.519	715	2.34%
Reino Unido	400.000 (2)	7.755	1.94%

NOTAS (1) No incluye a los ciudadanos del Reino Unido. (2) No incluye ciudadanos de la República de Irlanda.
Elaboración propia[23].

Como se ve, el grado de participación es más bien bajo, si bien hay que hacer la salvedad, que el Informe de la Comisión no efectúa, que los Estados miembros tienen muy escaso interés en la inscripción en el censo de los ciudadanos de la UE residentes en su territorio entre otras razones

---

[23]   Informe de la Comisión para el Grupo de Reflexión, OPOCE, Bruselas, 1995, Anexo 1, p. 75.

por la dificultad de prever su comportamiento electoral no tanto en las elecciones al PE, cuanto en las municipales. A tan bajo grado de inscripción —que arrastra uno bajísimo de participación efectiva— se une la reticencia de los partidos a incluir en sus listas nacionales a ciudadanos de la Unión que lo sean de otros Estados miembros. De conformidad con la citada fuente el balance de la primera aplicación a las elecciones al PE es desolador:

CUADRO II

Elecciones al PE de junio de 1994: candidatos no nacionales en listas o candidaturas nacionales

Estados	Candidatos no nac.	C. no nac. electos
Alemania	12	1
Bélgica	18	-
Dinamarca	1	-
España	1	-
Francia	5	-
Grecia	5	-
Irlanda	1	-
Italia	2	-
Luxemburgo	8	-
Países Bajos	2	-
Portugal	-	-
Reino Unido	2	-

No obstante la parquedad de los resultados (tan solo un diputado al PE ha sido elegido en listas nacionales de país distinto al de origen) hay que advertir que la exigencia de lo que la legislación electoral histórica española denominaba gráficamente «arraigo» es práctica usual en aquellos países que usan el método de la circunscripción múltiple en sus elecciones nacionales.

El problema de la legitimación democrática del PE no es, desde luego, algo reducible a, resoluble mediante, las meras reglas de Derecho. El pueblo de la Unión no existe como realidad sociológica por el mero hecho de su creación legal mediante el TUE, pero, en contra de la concepción etnicista de la nación que transpira la sentencia del Tribunal

Constitucional Federal alemán antecitada, que ve en el pueblo una entidad anterior, lógica y cronológicamente, al Estado en el que se organiza, el proceso de construcción europea, que se inspira en la concepción «política» (francesa) de la Nación, registra el fenómeno que la escuela del «nation building» ha subrayado: la comunidad política como grupo formado en razón de un proyecto político e identificado mediante su pertenencia a un mismo Estado Nacional, cuya definición como «Estado de ciudadanos» no comprende el uso de factores étnicos para la atribución de la condición de miembro pleno de esa misma comunidad y del consiguiente reconocimiento pleno de la ciudadanía[24].

Ahora bien, la determinación del sujeto de la representación en los términos que determina los arts. 17 a 22 TCE, es decir no como los pueblos de los Estados, sino como el Pueblo de la Unión, tiene un correlato necesario: exige que para que se pueda sostener que el PE es electo por sufragio universal los escaños en la Eurocámara se fijen mediante una clave de representación en la que desaparezcan las cuotas y en la que el número de escaños asignados a cada Estado se determine en razón del peso que su población tienen en el conjunto de la Unión exclusivamente, ya que sólo una clave de representación así tiene capacidad para satisfacer el principio de igualdad de voto que es inherente a la noción misma de sufragio universal[25], y que constituye uno de los presupuestos necesarios de la legitimación democrática plena del PE. Al no hacerlo así el actual régimen del PE genera un déficit democrático del propio Parlamento, como la antecitada sentencia del Tribunal Constitucional Federal alemán señala, con las consecuencias que son de rigor.

Que es un sistema de cuotas el que determina la composición del PE lo muestra claramente la evolución de la Cámara, ya que la composición base de la actual (la de 1979) se formó aceptando la sugerencia del Informe Patjin en el sentido de tomar como base de cálculo las delega-

[24] Por lo demás lleva razón SÉBASTIEN cuando señala el surgimiento de una comunidad sociológica europea a partir de la conciencia incipiente de pertenencia a la Comunidad, vid. SÉBASTIEN, G.: «La citoyenneté de l'Union Européenne», *Revue de Droit Public*, nº 5, 1993, pp. 1263 y ss.

[25] Como señala PLIAKOS, «sa conception initial,…, reste toujours valable: tout citoyen doit particier avec voix égale au gouvernement de son pays». PLIAKOS, A.: «L'Union…», *op. cit.*, p. 753.

ciones existentes tras la primera ampliación e incrementar el número de puestos, no de manera estrictamente lineal, sino ponderando algo más el tamaño de la población de los Estados, cuya dispersión se había incrementado. La decisión entonces adoptada consistió en dejar igual el número de puestos de Luxemburgo, multiplicar por 1.5 el de los Estados pequeños, por 1.75 el de los medios y por 2.5 el de los grandes.

La composición de la Cámara se basa, pues, no en la población sujeto de representación, sino en un sistema de cuotas estatales ponderada con criterios arbitrarios, cuya consecuencia directa es la desigualdad en la representación, y en el valor del sufragio individual. La razón de fondo de tan singular opción radica en la pretensión de que el PE fuere simultáneamente una asamblea que representare al tiempo a los ciudadanos y a los Estado, por eso el Informe Vedel (JOCE 4/72) precisaba que la distribución de los escaños:

> «no podría evidentemente conducir a una estricta proporcionalidad, si se tiene en cuenta la necesidad de representar no sólo los individuos, sino también las colectividades de la Comunidad».

lo que no puede ser calificado de oscuro ciertamente. Naturalmente ello tiene un precio que hay que satisfacer: en primer lugar no hay igualdad de voto en la elección del PE, el valor inicial del voto varía según la circunscripción en que se emite por cuanto va dirigido a elegir una determinada delegación estatal cuyo tamaño no es fijado según un criterio igualitario; en segundo lugar ello produce una ruptura del principio de igualdad política, consiguientemente no realiza plena y efectivamente una elección plenamente democrática, en consecuencia si bien la elección es directa no lo es mediante un sufragio propiamente universal; en tercer lugar ello genera el correspondiente déficit de legitimidad democrática del PE, y, en la medida en que éste es el único instrumento de legitimación democrática del sistema institucional, de este último[26].

Sentado el principio que, de conformidad con las regla que determinan la distribución de los escaños entre los Estados tienen el efecto desigualitario mencionado habría que pasar a considerar cuales son las dimensiones de

---

[26]   Ese es uno de lo argumentos nucleares de la controvertida sentencia del Tribunal Constitucional federal germano, de 12 de octubre de 1993.

dicha desigualdad, pues si las mismas fueren reducidas el efecto deslegitimador sería consiguientemente muy débil, en el extremo inapreciable.

De conformidad con los datos de Corbett, al inicio de 1995 la situación podía describirse del siguiente modo: en primer lugar, el tamaño medio del escaño en el conjunto de la UE venía a exceder significativamente el medio millón de ciudadanos (1/585.000); en segundo lugar las desviaciones respecto de la media eran al tiempo importantes y significativas:

CUADRO III
Parlamento Europeo. 1995. Tabla d/población

País	esc	ratio
D	99	820.000
UK	87	670.000
F	87	665.000
I	87	655.000
E	64	610.000
PB	31	495.000
Gr	25	415.000
B	25	405.000
P	25	395.000
S	22	390.000
A	21	370.000
DK	16	325.000
SF	16	310.000
Eir.	15	240.000
L	6	65.000
UE	626	585.000

y ello aunque dejemos de lado el caso extremo de Luxemburgo[27].

---

[27] En los parlamentos de los Estados miembros se permiten derogaciones singulares de las reglas que determinan la representación a fin de evitar que partes significativas del territorio queden privadas de representación o la tengan en exceso reducida, así sucede, por ejemplo, con el Val d'Aosta en Italia o con los territorios atlánticos en Dinamarca.

La dispersión no puede calificarse ciertamente de escasa, por eso no tienen nada de particular que el citado Tribunal Constitucional germano, que viene exigiendo en su jurisprudencia que el valor inicial del voto sea rigurosamente igual, al efecto de configurar una representación verdaderamente democrática, e incluso proyecta esa exigencia igualitaria sobre el valor de resultado cuando la elección es proporcional, haya extendido tales requisitos a la elección del PE. Y que éste tenga serias dificultades para satisfacer tan exigente escrutinio. Porque las desigualdades producidas no son ciertamente irrelevantes o poco significativas:

CUADRO IV
Parlamento Europeo. Cuotas y desigualdad en la representación

País	esc	ratio	% ratio	r/r.
D	99	820.000	140,17	3.41
U K	87	670.000	114,53	2.79
F	87	665.000	113.67	2.77
I	87	655.000	111,96	2.73
E	64	610.000	104,27	2.54
media		585.000	100	
PB	31	495.000	84,72	2.06
Gr	25	415.000	70,94	1.73
B	25	405.000	69,23	1.69
P	25	395.000	67,52	1.65
S	22	390.000	66,66	1.63
A	21	370.000	62,18	1.54
D K	16	325.000	55,55	1.35
SF	16	310.000	52,99	1.29
Eir.	15	240.000	41,03	1.00
L	6	65.000	11,11	
U E	626	585.000		

Como se ve, aun haciendo abstracción del caso extremo de Luxemburgo el abanico va de uno a casi tres y medio. Lo que viene a significar que la capacidad de configuración que tiene el voto de un irlandés es, *a priori*, casi tres veces y media mayor que el de un alemán. Y lo que es si se me apura más grave: la dispersión es tan alta que prácticamente nadie se sitúa en el centro de la distribución. Dicha posición es, además, la menos concurrida. Si aceptamos el umbral que admite la jurisprudencia americana a la hora de juzgar la legitimidad constitucional de una distribución de escaños (una desviación del 5% sobre la media) sólo un Estado sobre quince (España) está dentro del mismo, y ello por los pelos, es más, la dispersión puede ser tan grande que mientras que Alemania tiene un prima negativa del cuarenta por ciento (esto es, su representación es el sesenta por ciento de lo que debería ser si se aplicara un criterio de distribución que sólo tenga en cuenta a la población de los Estados a los efecto de fijar la representación en el PE), hay cinco Estados que cuenta con una prima positiva igual o superior a un tercio, y nada menos que nueve en los que la prima de representación es igual o superior a la cuarta parte:

CUADRO V
Equidistribución y primas

País	esc.	ratio esc.	dif.	Prima%	
D	99	820.000	139	-40	-40
U K	87	670.000	100	-13	-15
F	87	665.000	99	-12	-12
I	87	655.000	97	-10	-11
E	64	610.000	67	-3	-5
PB	31	495.000	26	+ 5	+16
G r	25	415.000	18	+ 7	+28
B	25	405.000	17	+ 8	+32
P	25	395.000	17	+ 8	+32
S	22	390.000	15	+ 7	+32
A	21	370.000	13	+ 8	+38
D K	16	325.000	9	+ 7	+44
SF	16	310.000	8	+ 8	+50
Eir.	15	240.000	6	+ 9	+60
L	6	65.000	1	+ 5	+ 83
U E	626	585.000			

Realmente no puede decirse que el cuadro anterior registre una situación mínimamente admisible, desde la perspectiva de la legitimidad democrática cuanto menos. Especialmente si se considera que los Estados grandes, que suponen algo más del ochenta por ciento del sujeto de la representación (los ciudadanos de la Unión) apenas tienen los dos tercios de los escaños, o que el país mas poblado, con un número de ciudadanos mayor que el conjunto de los Estados pequeños y medios, tenga una representación que es apenas el cuarenta por ciento de la de estos:

CUADRO VI

Países grandes	293.350	80.10	424	67.73
Países pequeños	72.860	19.90	202	32.37
Alemania	81.180	22.17	99	15.56

Entiéndase bien, no se está diciendo sólo que una situación como la descrita es políticamente inadmisible, entre otras razones porque priva de buena parte de su contenido a la legitimación democrática que el PE está llamado a aportar, se está diciendo asimismo, que al menos desde la entrada en vigor del TUE tal situación es, además, jurídicamente inadmisible porque la composición que el art. 190 TCE da al PE hace imposible la adecuada representación del sujeto que debe ser objeto de esta última.

La plena legitimación democrática del propio PE pasa pues, de un lado, por la ampliación y profundización de la ciudadanía de la Unión, y del otro por una configuración conforme al principio de igualdad política de la composición del propio Parlamento. Claro está que la configuración de la clave de representación en los términos transcritos arrastra a su vez otro problema constitucional: el de la representación de los Estados, imprescindible para asegurar el peso indispensable de los pequeños Estados en la Unión. Siendo necesario abandonar el sistema de cuotas por su imposible conciliación con el principio democrático tal requisito de viabilidad de la arquitectura de la Unión conduce a replantearse la estructura del mismo Parlamento.

b) La integración de los Parlamentos nacionales

En una Unión de Estados que evoluciona lentamente hacia una organización más integrada los Parlamentos nacionales tienen un papel importante en dos campos estrechamente relacionados entre sí: de un lado la producción de legitimidad, del otro el correcto desenvolvimiento de las instituciones de la Unión y la mejor aplicación del derecho derivado de los Tratados. Por lo que toca a la primera cuestión resulta innegable que, más allá de las declaraciones integracionistas más o menos auténtica, a los ojos de una parte sustancial de los ciudadanos de la Unión la legitimidad democrática de las instituciones comunes es siempre mediata y proviene en lo esencial de la intervención de los Parlamentos nacionales. Como en su lugar se vio, ello se recoge incluso en la citada sentencia del Tribunal Constitucional germano, en la que se señala *expresis verbis* [ap. 3 a)]

> «Así pues, la legitimación democrática tiene lugar por la conexión de la actuación de los órganos europeos con los parlamentos de los Estados miembros».

Ello no carece de lógica al menos por tres razones distintas: en primer lugar porque el Parlamento de cada Estado miembro, en cuanto expresión del pueblo de ese Estado, del Estado-comunidad aparece como la instancia legitimada y legitimadora esencial[28] de la actuación del Estado mismo; en segundo lugar porque el Estado nacional sigue siendo, si ya no el único, sí desde luego el escenario político principal en todos y cada uno de los Estados miembros, y la política de dicho estado se define esencialmente en las elecciones al Parlamento nacional, que aparece así como el centro de cristalización de la voluntad política del pueblo del Estado; finalmente porque el Parlamento nacional es la instancia ante la cual responden los gobiernos nacionales, incluso por las actitudes adoptadas y las decisiones coparticipadas en el seno de las instituciones europeas. Dada la configuración de éstas en la débil legitimación democrática de las decisiones vinculantes comunes, que es una legitimación mediata en tercer grado (órgano de la Unión-gobierno nacional-Parlamento nacional) se halla la fundamentación en la que puede otorgar el Parlamento del Estado.

Resulta obvio que en un escenario así configurado la posición política consistente en considerar a los Parlamentos nacionales como la fuente —

---

28   Prácticamente única en el caso de que la forma de gobierno del Estado en cuestión sea parlamentaria, como es la regla en los países de la Unión.

única por definición— de la legitimidad democrática no solo de las instituciones nacionales, sino también de las europeas cuenta con un entorno favorable en el que las reticencias de corte nacionalista puede cobijarse bajo la veste respetable de la legitimidad democrática[29]. Mas, yendo más allá del uso ideológico de legitimidad democrático-nacional, resulta indudable que aquí, en el papel de los Parlamentos Nacionales, afloran problemas constitucionales muy relevantes. Sin ánimo de agotar la cuestión pueden apuntarse como los más relevantes tres:

Primero. La necesidad de integrar la legitimación democrático-nacional en el proceso de construcción europea, que viene exigida por la tradición política y la realidad sociológica de los países de la Unión, integración que no se satisface meramente con los contactos sugeridos por el párrafo tercero de la Declaración relativa a los Parlamentos nacionales, aun cuando éstos tuvieran la entidad que la misma postula, integración que sólo se puede satisfacer configurando una vía de acceso de los Parlamentos nacionales al proceso de adopción de las decisiones comunes. La integración de la legitimidad democrático-nacional, que es políticamente indispensable para robustecer la legitimación de las instituciones comunes, y, sobre todo, para evitar el mantenimiento y profundización de una dinámica de enfrentamiento entre legitimidad nacional y legitimidad de la Unión, visualizada en términos de conflicto Parlamentos nacionales *versus* PE.

Segundo. Resolver el problema crónico de la posición marginal de los Parlamentos nacionales del proceso de toma de decisiones comunes y de construcción europea, ya que una de las raíces del déficit democrático de la Unión radica en la cuasi inexistencia de un control eficaz de sus propios gobiernos por los Parlamentos nacionales[30], debida en buena medida a la ausencia de éstos en el procedimiento de toma de decisiones comunes, ausencia que posibilita la falta de información suficiente en tiempo

---

[29]   En el documento español de que se ha hecho mención se lee: «La posición británica, danesa, y de una parte de la mayoría gubernamental francesa irá más bien en la dirección de limitarlas o, si acaso, contenerlas en su nivel actual, ya que para todos ellos la verdadera legitimidad radica en los Parlamentos nacionales», *La Conferencia... op. cit.,* p. 64.

[30]   *Vid.* FERNÁNDEZ-CASTAÑO, E.: «En torno al tratado de la Unión Europea», *PE*, vol. VI, n° 29, 1992, p. 164.

políticamente hábil, que es la causa primaria de aquella ausencia de control. En efecto, fuera de las tópicas excepciones de los Comunes británicos y el Folketing danés, la capacidad efectiva de control sobre la política europea de los respectivos gobiernos es muy baja[31]. Ciertamente cubrir esa deficiencia es una de las razones que impulsan la demanda de la asiduidad de las reuniones conjuntas PE/PN, pero los *Assises*, de operatividad escasísima por lo demás, no pueden pasar de ser una solución provisional y de emergencia, como órgano permanente están llamadas a fracasar porque, dada la naturaleza de las cosas, constituyen un escenario en el que *de facto* los Parlamentos nacionales, dotados de una mayor fuerza política e infradotados frente al PE, van a recibir graciosamente de éste último la información y la asistencia de que éste disponga (o que este esté dispuesto a compartir). Un escenario más favorable a la producción de roces, recelos y conflictos es difícilmente pensable[32]. No me parece precisamente una casualidad que ante la propuesta francesa de estudiar la creación de una asamblea integrada por los delegados de los Parlamentos nacionales la práctica totalidad de los gobiernos hayan comunicado a la CIG su posición contraria, suavizando la negativa mediante la invocación de puras técnicas de relación, con marcada preferencia por las conferencias de órganos parlamentarios especializados (COSAC), de dudosa utilidad y que a poco comprometen.

No obstante, como los hechos son tozudos el problema sigue ahí, y viene a aflorar incluso en la reciente carta franco-alemana a la presidencia irlandesa (cuyo documento desconoce completamente el problema)[33].

---

[31]   Por ello puede subrayar enérgicamente Lodge que el déficit democrático, de legitimación, es doble. *Vid.* LODGE, J.: «Legitimidad democrática y Parlamento Europeo», *Revista de Estudios Políticos*, nº 90, 1995, pp. 221 y ss., sobre el doble déficit democrático: nacional y europeo, vid. pp. 222-223; y sobre la necesidad de trabajo coordinado entre el PE y los Parlamentos nacionales para transparencia y control, vid. pp. 229-230.

[32]   De hecho la Declaración se presta a una lectura maquiavélica: los posibles controlados evitan el control enviando a sus posibles controladores a dedicarse a un trabajo de dudosa rentabilidad en un escenario proclive a producir las condiciones de un conflicto entre custodios. Que es lo que mejor conviene a los intereses de los custodiados. Por lo demás ver el comentario que hacen los autores del documento español, *La Conferencia... op. cit.*, pp. 68-69.

[33]   La carta propone la creación de un órgano mixto PE/Parlamentos Nacionales mas allá de los COSAC, en los siguientes términos: «También habrá que ver si

Tercero. Uno de los problemas de la producción normativa de la Unión radica en que una parte de los instrumentos normativos comunitarios recurren a la técnica de la normación incompleta, que debe ser completada por el Parlamento nacional. Pero estos últimos no tienen ninguna participación —y frecuentemente ninguna información previa relevante— sobre la producción de la normación mínima común. Es difícil pensar un método de producción normativa más proclive a los enfrentamientos innecesarios que éste.

En estas condiciones no me parece una exageración afirmar que lo señalado conduce a una conclusión: la conveniencia de replantearse la estructura del Parlamento Europeo, y, en consecuencia, hacer que, a imagen y semejanza de lo que sucede en la mayoría de los Parlamentos nacionales, y en todos los Parlamentos nacionales correspondientes a Estados complejos, la institución parlamentaria se dote de una estructura bicameral.

c) La estructura del Parlamento

La modificación de la estructura del Parlamento Europeo, a fin de introducir alguna clase de bicameralismo se halla sobre el tapete desde hace bastante tiempo, pero como suele suceder con frecuencia en estas materias no todos los bicameralismo propuestos son iguales. En resumen, las propuestas se agrupan en torno a tres modelos distintos:

Primero. La creación de una Cámara de las Regiones, de la cual vendría a ser un sustitutivo el Comité creado por el art. 263 TCE. Resulta obvio que ésta podría ser una opción a considerar si el estatuto de las regiones fuere uniforme, o al menos fuertemente similar, en todos los Estados de la Unión, que es el presupuesto necesario para que dichos entes territoriales fueren titulares en condiciones similares de potestades

---

la creación de una comisión común que comprendiera un número igual de miembros del Parlamento Europeo y de los parlamentos nacionales no constituiría una solución adecuada para la finalidad de "mejorar el anclaje democrático de la Unión Europea", lo que, más allá de su viabilidad tiene la virtud de que, por primera vez, dos grandes Estados apadrinan la idea de crear una figura interparlamentaria sospechosamente semejante a una institución».

a ejercer en materias que han ingresado en la esfera de la competencia de la Unión. Tal presupuesto no concurre[34]. No obstante esa no es la principal objeción que cabe hacer a tal tipo de segunda cámara europea, a mi juicio la objeción clave radica en lo siguiente: la razón de ser de una eventual Segunda Cámara del Parlamento Europeo radica fundamentalmente en constituir un vehículo mediante el cual las instancias nacionales de gobierno alcancen una participación autónoma en el proceso de toma de decisiones de la Unión, y tal propósito no resulta de posible satisfacción mediante un Senado Europeo/Cámara de las regiones[35].

Segundo. La creación de un «Consejo Federal» junto al Parlamento Europeo, mediante el expediente de convertir al Consejo en la Segunda Cámara, es decir, la «Bundesratización» del Consejo, que fue propuesta por el Informe Weidenfeld-Bertelsmann, y, a la postre es la tesis adoptada por el Proyecto de Constitución Europea adoptado por el Parlamento[36]que aunque formalmente mantiene al Consejo como un órgano distinto en realidad convierte al mismo en la institución mediante la cual los gobiernos de los Estados concurren con el Parlamento en la formación de las leyes comunitarias, es decir, una solución formalmente muy similar a la configurada por la LFB a la hora de articular el Consejo Federal con la Dieta.

A diferencia de la anterior la presente es una alternativa que tiene capacidad para resolver la cuestión de la participación de los Estados en un proceso rediseñado de producción de normas de la Unión en el que

---

[34] Razón por la cual el Comité no lo es sólo de las regiones, sino también de los entes locales, como por demás deja claro el párrafo primero del art. 263 TCE.

[35] Por lo demás las propuestas del Comité no buscan alterar la posición del mismo como órgano consultivo. Ver al respecto el Dictamen del Comité de las Regiones sobre la Revisión del Tratado de la Unión Europea y del Tratado Constitutivo de la Comunidad Europea, Doc. CDR/136/95 ES-cf/mb, Bruselas, 1995.

[36] *Vid.* GOUAUD, C.: «Le projet de constitution européennne», *Revue Française de Droit Constitutionnel*, nº 22, 1995, pp. 287 y ss.; DE CARRERAS SERRA, F.: «Por una constitución europea», *Revista de Estudios Políticos*, nº 90, 1995, pp. 193 y ss.; o MANGAS MARTÍN, A.: «Reflexiones sobre el proyecto de Constitución Europea ante la perspectiva de la reforma de 1996», *Revista Española de Derecho Constitucional*, nº 45, 1995, pp. 135 y ss.; GARCÍA DE ENTERRÍA, E.: «El proyecto de Constitución Europea»,*Revista Española de Derecho Constitucional,* nº 45, 1995, pp. 9 y ss., en especial pp. 23 y ss.

la Comisión y los Consejos pierden la potestad legislativa en beneficio exclusivo de un Parlamento remodelado integrado por el PE y el Consejo. No obstante, la solución propuesta presenta dos flancos potenciales a la crítica desde la perspectiva del «déficit democrático» de la Unión: de un lado el proyecto de Constitución no resuelve la cuestión del déficit democrático del propio PE; al desconstitucionalizar completamente la composición y elección de la Cámara (cuestiones que se remiten *in integrum* a una ley orgánica) permite no sólo una composición del PE según un rígido sistema de cuotas nacionales, sino también la reproducción del método actual que establece una clave de representación mixta de cuota fija por Estado y ponderación de la población, cuya consecuencia inevitable y directa es el déficit democrático de que se ha hecho mención; del otro no contempla ninguna respuesta al problema arriba señalado de integrar en el proceso de toma de decisiones de la Unión a la fuente primaria de legitimación democrática que siguen siendo los Parlamentos nacionales. Lo que, a la postre, y por las razones ya vistas mina la legitimidad del Consejo/Bundesrat cuyas delegaciones estatales seguirán manteniendo en lo esencial el déficit de control parlamentario al que se ha hecho mención[37].

Tercero. La creación de un Senado Europeo integrado por delegaciones de los Parlamentos nacionales de los Estados de la Unión, propuesta avanzada por el *European Policy Forum*[38]. La propuesta en cuestión presupone el mantenimiento de la posición institucional del Consejo y la Comisión, y se traduce esencialmente en la reforma del PE creando junto a la Cámara actual una Asamblea de los Parlamentos de los Estados de la Unión, una suerte de Senado Europeo concebido para canalizar la participación de los Parlamentos nacionales en el proceso de toma de decisiones comunes. La propuesta en cuestión, que por lo demás no precisa si la delegación de cada Parlamento nacional debe ser paritaria

---

[37]   Ello sin mencionar un defecto político-constitucional: el esquema del Proyecto de Constitución reposa sobre una transposición mecánica del modelo del Estado federal a la reordenación de la Unión Europea, lo que constituye una importante desventaja comparativa: los Estados hostiles al federalismo puede acabar accediendo a un vínculo federal, pero con la condición de que no revele tan clara y evidentemente su condición de tal.

[38]   *Vid. La Conferencia... op. cit.*, p. 69.

o, por el contrario, debe contemplar alguna clase de representación ponderada, y en su caso mediante qué criterios, viene a postular que el ejercicio de las facultades que los Tratados atribuyen al PE se encomiende a un órgano parlamentario en el que, bajo la cobertura de una doble representación: de los ciudadanos y de los Estados, se opera una doble deliberación: la de los representantes electos por sufragio directo en elecciones europeas y la de los designados por los distintos Parlamentos nacionales. Naturalmente una propuesta exigiría la liquidación de la ponderación en la clave de representación del PE y la configuración de ésta en estricta razón de la población de cada Estado miembro[39].

La tercera propuesta me parece la más adecuada a la hora de afrontar los problemas actuales que el déficit democrático plantea ya que configura un diseño del Parlamento que permite, en primer lugar, la existencia de una asamblea electa por los ciudadanos de la Unión mediante sufragio directo e igual, haciendo efectivo de modo pleno el principio del sufragio universal y resolviendo definitivamente la cuestión del déficit democrático del Parlamento ya que posibilita trasladar la ponderación de la estatalidad del actual PE al propuesto Senado Europeo; en segundo lugar un Senado integrado por delegaciones de los Parlamentos nacionales permite resolver la cuestión de la participación directa de estos en la formación de las decisiones de la Unión y contribuye a eliminar la cuestión del déficit democrático del sistema institucional de la misma; finalmente permite que los Parlamentos Nacionales tengan una información directa de la acción de sus gobiernos, tanto desde la perspectiva nacional como desde la comunitaria, incrementando con ello notablemente las posibilidades de control parlamentario efectivo de la acción de los gobiernos nacionales.

Naturalmente la resolución del déficit democrático en los términos globales apuntados se obtiene a cambio de un precio: una mayor complejidad estructural del proceso de toma de decisiones que es inherente a la

---

[39] Población cuyo cómputo debería incluir, en buena lógica, a los nacionales del Estado en cuestión y a los nacionales de los otros Estados de la Unión residentes en el primero, y excluir a los residentes del Estado afectado en otros Estados de la Unión.

doble deliberación parlamentaria que el bicameralismo supone, y el riesgo de una cierta renacionalización del debate europeo[40].

d) La clave de representación

Como ya hemos visto el vicio capital que, desde la óptica de la legitimación democrática, cabe hacer al actual PE radica primariamente en la clave de representación que, recurriendo a un sistema de cuotas, viene a establecer el art. 190.2 TCE. Las razones a estas alturas deben resultar obvias: al establecer una representación de la población de cada uno de los Estados que no resulta estrictamente proporcionada a la población misma introduce una fuerte desigualdad en el valor inicial del voto que depende esencialmente del país en el que el sufragio se emite[41], la elección del PE se caracteriza en consecuencia por la existencia estructural de un reparto de la representación arbitrario que se traduce en un voto desigual al generalizar el voto reforzado por razón de residencia. A la producción de tal efecto coadyuva el que en la presente disciplina de la elección al PE no exista mecanismo o sistema alguno de igualación, de tal modo que la elección se celebra siempre en el marco nacional, y mayoritariamente en circunscripción asimismo nacional, con lo que las posibilidades de mitigación del problema en cuestión que

---

[40] Peligro que fundamenta, por ejemplo, la posición crítica de Remiro Brotons, vid. REMIRO BROTONS, A.: «Consideraciones sobre la Conferencia intergubernamental de 1996», en VV.AA.: *Reflexiones sobre la Conferencia Intergubernamental 1996*, Secretaría de Estado para las Comunidades Europeas, Ministerio de Asuntos Exteriores, Madrid, 1996, pp. 57 y ss. Rechaza una segunda cámara integrada por Parlamentos Nacionales o la hibridación del PE en pp. 68-69, manifestado recelo ante éstos como debilitadores potenciales de la Unión.

[41] Del país y no ya de la nacionalidad, pues *ex* art. 17 TUE el nacional de un país miembro puede votar en la elección del PE en el país de su residencia, aun cuando éste sea distinto del de su nacionalidad. Debe advertirse, pues, que la desigualdad en la representación que el sistema de cuotas comporta afecta no a «los pueblos de los estados», sino a sus poblaciones, aparece aquí nuevamente el problema arriba apuntado de la derogación implícita de los arts. 189 y 190 TCE por el art. 8 TUE.

pueden ofertar otros elementos del sistema electoral no pueden ser instrumentadas[42].

La razón última de una clave de representación que combina la representación en razón de la población con cuotas estatales se halla en la estructura misma del Parlamento. En un supuesto como el presente la unicidad de Cámaras del PE impide desglosar la representación de los ciudadanos de la representación de los entes públicos territoriales en los que los mismos ciudadanos se encuadran. Siendo la UE una unión de Estados la representación de éstos resulta imperativa, consiguientemente la inexistencia de la «Cámara de los Estados» obliga a configurar una clave de representación no basada exclusivamente en los ciudadanos, pues de seguirse tal pauta de conducta el predominio de los Estados más poblados resultaría determinante y la posibilidad de los Estados peque-ños de tener la suficiente «voz» para defender eficientemente sus intereses se desvanecería. El recurso bien a la ponderación, bien a cuotas mas o menos arbitrarias, bien a cualquier procedimiento intermedio deviene una necesidad ineludible.

Pero esa necesidad conlleva un doble precio inevitable: la exclusión de uno de los órganos constitucionales fundamentales (Parlamento o Go-bierno) de la participación en las instituciones europeas (que se ha traducido en la ausencia de los Parlamentos nacionales) y la imposibilidad de satisfacer el principio de sufragio universal en la elección del PE, con las consecuencias que son de rigor y con anterioridad se han señalado. La resolución de la cuestión (que las reglas constitucionales de algunos Estados miembros, y no sólo el alemán, hacen imperativa si se desea avanzar en el proceso de integración, y aun si se desea sencillamente estabilizar el *statu quo*) exige una representación en el PE determinada en razón de la población exclusivamente, la naturaleza misma de la Unión lo impide. La única salida al dilema es la alteración de la estructura del Parlamento en sentido bicameral, descomponiendo al PE en dos asam-bleas: una integrada por representantes distribuidos en razón de la población destinada a representar al pueblo de la Unión creado por el art.

---

[42]   Un Cuadro resumen de los procedimientos nacionales de elección en SANTAMARÍA *et alii: Los debates..., op. cit.*, p. 20.

17 TUE y otra destinada a representar a los Estados. Exige pues dos claves de representación diferentes para dos asambleas distintas.

En lo que afectaría a la Cámara Baja del nuevo PE la asignación de los escaños no plantearía problemas especiales en punto al principio: la representación de cada uno de los Estados debe estar relacionada únicamente con el número de ciudadanos de la Unión residentes en su territorio[43]. Otra cosa es el problema técnico de la fórmula a emplear para la asignación proporcional de los escaños correspondientes a cada Estado miembro, sea éste un método de cuota y fracción o una distribución proporcional ora según el método de los cocientes, ora según el de la lista de divisores.

Naturalmente los problemas evitados de este modo en la Cámara baja del PE resurgirían con toda su fuerza en el caso de la representación de los Estados en el Senado, si bien en unas condiciones diferentes. Configurada como una Asamblea destinada a representar a los Estados (preferiblemente mediante sus Parlamentos según veremos) de inmediato se plantea la cuestión de si la representación debe ser igual (todos los Estados miembros lo son y es esa naturaleza la que da presencia en la Cámara), o si la representación debe establecerse de modo que consienta alguna clase de ponderación. Va de suyo que la primera será la apuesta de los países pequeños y medios (mayoritarios hoy, ampliamente mayoritarios tras la integración de los países del grupo de Visegrad, lo que se verá reforzado a largo plazo en cuanto se plantee la posibilidad de incorporación de la mayor cantidad posible de repúblicas balcánicas)[44], en tanto

---

[43]   En la configuración de la «Cámara Popular» no sería conceptualmente necesario distribuir nacionalmente los escaños, no obstante la naturaleza de la Unión conduce a una distribución de los mismos entre los Estados miembros, cosa que, por lo demás, es de regla en el caso de las «Cámaras de la Federación» en los Estados Federales.

[44]   Piénsese que en la ampliación al Este en la primera fase el contraste actual no se verá precisamente dulcificado: en la Unión a 15 hay cinco Estados situados por encima de los 20/25 millones de habitantes: Reino Unido, Francia, RFA, Italia y España, y prácticamente no hay ninguno en la franja que va de los quince millones a los cuarenta del grande más pequeño (España), tras la posible inclusión de los candidatos más probables de la ampliación al Este sólo un Estado vendría a situarse en una posición medio/alta (Polonia), los restantes acrecerán

que la segunda será la apuesta de los Estados grandes[45], obviamente la cuestión es cualquier cosa menos técnica y dependerá, en su caso, de los compromisos políticos, no obstante me parece que en el caso de escoger la representación ponderada una buena base de compromiso[46] podría venir dada por la composición de la parte correspondientes de la Asamblea Parlamentaria del Consejo de Europa

e) El/Los procedimiento(s) de elección

La última cuestión a plantear es lógicamente la ligada a los procedimientos de elección del PE, y al cumplimiento, en su caso, del mandato del art. 190.4 TCE. Vaya por delante que la cuestión de los procedimientos de elección no afecta para nada a la legitimación democrática constitucional del PE y, Eurocámara mediante, de las instituciones de la Unión. En línea de principio no es más democrático, ni tiene mayor capacidad para generar tal legitimación un escrutinio mayoritario que otro proporcional (o viceversa), ni otorga mayor legitimación el sistema electoral en función del número de circunscripciones electorales, etc.; tales cuestiones pueden ser política y constitucionalmente muy importantes por otras razones, pero no desde la perspectiva de la legitimación legal-constitucional. Para ésta sólo es indispensable la elección (a ser posible directa) por sufragio universal, esto es, con voto igual.

No sucede lo mismo desde una perspectiva sociológica. Si el proceso de traducir en una comunidad *de facto* la comunidad *de iure* que la ciudadanía de la Unión crea es relevante, y no creo que nadie en su sano

---

el grupo de Estados pequeños, si se contempla el conjunto de las ampliaciones posibles solo Rumanía cuenta con un tamaño intermedio, los restantes candidatos posibles son pequeños, o muy pequeños (Malta o Chipre). En el horizonte la única integración posible de tamaño mayor sería la hoy por hoy improbable de Turquía.

45   Aquí reaparece, junto con la cuestión de la representación en sí, una segunda edición, bien que minorada, de los problemas de determinación del número de votos en el Consejo.

46   Cabe pensar que la presión de los Estados medios y grandes en favor de una representación ponderada que les atribuya cuanto menos una posición de veto en cuestiones constitucionales y en la PESC será tanto mayor cuanto mayor sea asimismo el número de Estados miembros.

juicio puede discutir seriamente que lo es, proceso que aun cuando ya se haya iniciado se halla muy lejos no ya de culminar, sino incluso de alcanzar un grado de desarrollo mínimo admisible, la cuestión del procedimiento de elección del PE reviste un singular trascendencia. Si se optara, como opina ser necesario el autor, por proceder a la integración de los Parlamentos nacionales mediante la creación de un Senado europeo junto al actual PE surgiría el problema adicional de la designación de sus miembros.

Primero. La elección del PE. Como ya se ha señalado la cuestión se ha dejado al arbitrio de los legisladores nacionales, lo que arrastra tres consecuencias: en primer lugar posibilita grandes diferencias de regulación; en segundo lugar impide la existencia de elecciones en circunscripciones que comprendan dos o más de dos Estados, con mayor motivo toda la Unión; finalmente la dispersión normativa hace opaca la elección y facilita su fragmentación en una pluralidad de elecciones nacionales de segundo orden.

Es cierto que la dispersión no puede calificarse de extrema, pero no es menos cierto que no hay ni un solo elemento esencial común al conjunto de las regulaciones nacionales fuera de la elección directa por sufragio universal de cada delegación nacional, como puede verse para el caso de la penúltima elección simultánea:

CUADRO VII

Circunscripciones		Forma de voto		Barrera		Tipo de escrutinio	
Unica	7	adhesión	6	Si	3	proporcional	11
Regiones	3	preferencia	5	No	9	proporcional/	
Est./Regio.	1	adhesión/				mayoritario	1.
D. Uninom./	1	preferencia	1				
D. Plurinom.							

NOTA: La solución mixta en todos los casos corresponde al Reino Unido: elección mediante escrutinio uninominal mayoritario a una vuelta como regla, elección plurinominal con listas abiertas y escrutinio proporcional (VUT) en el Ulster.

Plantearse siquiera la posibilidad de que una elección tan fragmentada tenga capacidad para dar visibilidad social a la recién creada ciudadanía de la Unión es intento vano. Como la única alternativa posibilista pasa precisamente por el establecimiento de un procedimiento único, aunque no necesariamente uniforme, se hace necesario preguntarse por su posible configuración[47].

Hasta la fecha la única cuestión en torno a la cual hay un principio de acuerdo en la materia es la del tamaño. Conscientes de que una asamblea en crecimiento constante puede convertirse en un órgano al que su tamaño torna inmanejable se ha formado un cierto consenso: el PE no debe exceder en tamaño a los mayores parlamentos nacionales[48], barajándose como cifra tope la de setecientos escaños[49]. No obstante el acuerdo sobre el tamaño está incidiendo de hecho en el sentido de reforzar las tendencias a la cuotificación, camino seguro para destruir la legitimidad de la institución y hacer imposible la legitimación democrática del sistema institucional común[50].

Empero no es la cuestión del tamaño la más relevante, al margen de las opciones concretas que pueda adoptarse parece lo más probable que en el caso de llegarse a un procedimiento que repose sobre un conjunto normativo mínimo común éste pasará por el voto de lista en circunscrip-

---

[47]   Para nadie es un secreto que el obstáculo principal con el que se enfrenta el procedimiento electoral uniforme radica en el recelo de los partidos ante el fenómeno de que una notable divergencia de resultados entre elecciones europeas y nacionales acabe impulsando un movimiento de «contaminación» de las segundas por las primeras y pueda plantear interrogantes enojosos acerca de la legislación electoral nacional.

[48]   Los mayores son los Comunes británicos y la Cámara de los Diputados italiana, que exceden de los seiscientos escaños, la Asamblea Nacional francesa y el Bundestag germano se sitúan en la franja de los 500/600 escaños, las demás Cámaras son considerablemente inferiores, ya que el *Riksdag* sueco y el Congreso español se sitúa en el entorno de los 350 escaños. La única asamblea europea mayor de 700 escaños es la *House of Lords* británica, que excede de los 1.200, si bien puede funcionar gracias a un elevadísimo absentismo.

[49]   Que es la apuesta del propio PE, de la mayoría de los Estados (Holanda admite hasta 750), y, finalmente, la asumida por el documento de la presidencia irlandesa (*Vid.* Conf. 2500/96, p. 100).

[50]   A modo de ejemplo el documento español antes citado señala que dado que los países candidatos al futuro ingreso son todos pequeños se hará necesario el reforzamiento del sistema de cuotas, vid. *La Conferencia..., op. cit.*, p. 66.

ciones plurinominales medias o grandes, de preferencia de ámbito estatal, recurriéndose para la elección a un tipo de escrutinio proporcional[51], pareciendo como cuestiones más probables de permanecer en la competencia nacional el tipo de voto (y grado de preferencia consiguiente), la determinación concreta de la circunscripción y la regulación de la emisión del voto y del escrutinio. Ahora bien, desde la perspectiva de la legitimación democrática y, sobre todo, de la visualización de la ciudadanía de la Unión resultaría particularmente recomendable que al menos una parte de los diputados del PE fueran elegidos en listas de la Unión por el voto directo de los ciudadanos de la misma, bien sea mediante un procedimiento de federación de listas al modo del sistema electoral alemán, bien ante alguna clase de mecanismo de igualación definido mediante un reparto de determinados escaños (los restos no atribuidos en las circunscripciones nacionales) o de una determinada cuota de la representación electa por todos los ciudadanos mediante votación separada.

Segundo. La elección del Senado europeo. Sentado el principio de que una segunda Cámara en el PE sólo tiene sentido si la misma es el medio de integración en el sistema institucional de la Unión de los Parlamentos nacionales, los problemas referentes a la elección no revisten mucha entidad, pues la cuestión crucial, quién elige, se desprende necesariamente del presupuesto. Indudablemente la solución de mayor idoneidad es la combinación entre la exigencia de que los electos a la Cámara europea mantengan sus escaños en la Cámara nacional de origen y el apoderamiento a la legislación nacional para distribuir los escaños entre las dos cámaras del Parlamento nacional (en el caso de que éstas existan claro)[52], para fijar su período de mandato (que obviamente debe

---

[51] Si hay que guiarse por la estadística, a la vista de las regulaciones nacionales vigentes en la elección de las delegaciones nacionales en el PE y las propias legislaciones electorales nacionales, las mayores oportunidades las tiene un método de la media mayor que use la técnica de la lista de divisores, con mayor probabilidad para alguna variante del método d'Hondt.

[52] En la Unión a quince cuentan con un Parlamento unicameral Finlandia, Suecia, Dinamarca, Luxemburgo, Portugal y Grecia, tienen dos Cámaras los Parlamentos de Alemania, Países Bajos, Bélgica, Francia, Austria, Italia, España, Eire y Reino Unido. De los países candidatos de ingreso previsible el predominio de unicameralismo es aplastante, tan sólo Polonia y Rumanía constituyen excepciones de nota.

estar ligado al del Parlamento nacional) y para determinar el procedimiento o procedimientos de elección.

3. Acerca de la posición del Parlamento

La posición que en el seno de la Unión tiene el Parlamento puede ser contemplada al menos desde cuatro puntos de vista: en primer lugar, desde la óptica de la materialización y visualización de la ciudadanía europea; en segundo lugar, desde la correspondiente a la legitimación democrática tanto propia como del sistema institucional; en tercer lugar, como vehículo de integración; finalmente, como pieza del sistema institucional. Inevitablemente cualquier reforma sobre la estructura, composición y elección del PE repercutirá inevitable y directamente sobre la posición de la institución parlamentaria en el seno de la Unión, y sobre la Unión misma. Mas vayamos por partes:

Primero. El Parlamento y la ciudadanía europea. Como ya se ha señalado la entrada en vigor del TUE viene, a introducir una variación sustancial en la naturaleza del Parlamento. Éste deja de ser el representante de los pueblos de los Estados, de los Estados-comunidad miembros de la Unión, para pasar a ser representante de los ciudadanos de la Unión, del pueblo de la misma Unión. En consecuencia deja de ser una institución de naturaleza interestatal para devenir una institución de la Unión, en el sentido fuerte de la expresión, una institución integrada, rigurosamente supranacional en razón del cambio experimentado en el sujeto representado. Ello debe robustecer la legitimidad democrática de la Cámara, en tanto en cuanto deja de ser el representante de un agregado constitucionalmente informe para pasar a serlo del pueblo de una comunidad política. La mutación, no obstante, produce una Cámara en situación incongruente: procede del sufragio de un cuerpo de ciudadanos, pero no existe una regulación de su elección que se corresponda a la mutación que la Cámara ha sufrido. Ello hace imperativo el cumplimiento del mandato del art. 190 (ex art. 138 TCE) de poner en planta un método uniforme de elección, ya que dicho método es la proyección debida de la mutación sufrida por la Cámara, y su empleo una condición necesaria para convertir en una realidad sociológica plena la regulación jurídica contenida en los Tratados. En caso contrario es de esperar el mantenimiento, sino el incremento del «gap» existente entre el régimen jurídico y la realidad política, situación indeseable para ambos.

La mutación de la naturaleza del Parlamento hace imperativos cambios en su composición y elección. Viene a exigir la supresión del déficit democrático, inherente a las cuotas de representación, que aqueja al propio PE y que opera ya, según hemos visto, como un obstáculo para el funcionamiento adecuado de la Unión, y a postular un método de elección en el que resulta altamente recomendable que exista alguna vía mediante la cual todos los electores, es decir todos los ciudadanos de la Unión, concurran a la elección de al menos algunos de los diputados del Parlamento[53]. Del mismo modo requiere la solución de un problema que sólo es secundario aparentemente: el del estatuto de los miembros del PE. En efecto, a los casi veinte años de elección directa del PE el estatuto de sus miembros mantiene el sistema mixto propio de una Asamblea interparlamentaria. En rigor no existe un estatuto del Parlamentario Europeo concebido como un conjunto unitario y coherente. En la situación actual el estatuto del miembro del PE se rige por disposiciones comunitarias (en esencia el Acta de Bruselas de 1976 y el Protocolo de Privilegios e Inmunidades de 1965), por el reglamento de la Cámara y por el derecho nacional del país en el que el parlamentario ha resultado electo. En consecuencia el estatuto de los parlamentarios (y su retribución) varía según el Estado de elección, razón mas que suficiente para que el PE haya demandado el establecimiento de reglas que permitan dar un perfil unitario al estatuto de sus miembros.

Segundo. El Parlamento como instrumento de legitimación. Que no es en buena medida sino el reflejo de la condición representativa de la Cámara en el terreno de la producción de legitimidad[54]. En el seno de la Unión el PE tiene al efecto un papel capital por la buena y sencilla razón de que es la única de las instituciones que trae causa del sufragio directo y, en consecuencia, es la única que tiene la posibilidad de labrarse

---

53   Adicionalmente debería configurarse un estatuto uniforme del diputado europeo que hoy, en lógica correspondencia, tampoco existe, como ha señalado en su informe a la CIG el propio PE, que sitúa su producción entre las propuestas.

54   Porque en este plano el problema que afronta hoy la Unión es el que afrontaron los Estados nacionales a partir de su invención hace doscientos años: cómo crear la legitimidad de una estructura política naciente.

por sí misma una posición al abrigo de la deslegitimación, y la única que puede otorgar legitimación democrática a las demás. La introducción de la investidura y la posibilidad de la censura a la Comisión son la consecuencia ya extraída y el reconocimiento paladino de que las instituciones comunes no pueden legitimarse (o no pueden legitimarse ya, tanto da) sobre la base de la lógica de la soberanía nacional y de los acuerdos que éstas instrumentan. En este sentido el complejo integrado por la elección directa, la investidura y le censura comportan el traspaso de un umbral diferencial en el que la interestatalidad y su lógica (la concordancia de las soberanías nacionales) han sido sustituidas por la integración y la suya (la legitimación democrática). Naturalmente el PE esta sujeto a una regla de hierro «*Nemo dat quod non habet*», el Parlamento no puede otorgar la legitimidad de que carece, y consiguientemente, aquejado él mismo del déficit democrático correspondiente no puede exigir, ni puede exigírsele, que legitime completa y satisfactoriamente las instituciones y poderes de la Unión simplemente mediante la expansión de su esfera de competencia.

El prerrequisito de cualquier ulterior parlamentarización del sistema institucional y de los poderes derivados de los Tratados radica en un incremento de la capacidad de producción de legitimidad de la Eurocámara, lo que exige unos cambios que se han señalado ya. Sin ese requisito la expansión del área parlamentarizada será inevitablemente problemática, entre otras razones porque el Parlamento no se halla en una posición particularmente indicada para operar como un legitimador eficiente. En este sentido la llamada de atención del Tribunal Constitucional Federal germano es pertinente al menos tanto como es ilustrativa.

Tercero. El Parlamento como vehículo de integración. No puede ser calificado precisamente de casual que el Parlamento opere en el seno de la Unión como la institución de mayor vocación integradora, la particular facilidad y la especial propensión que todas las instituciones representativas muestran para operar como instrumentos de integración así lo abonan. Es precisamente su naturaleza de cuerpo representativo lo que produce esa especial capacidad y propensión, pues, en tanto que tal, las instituciones de esa naturaleza aparecen como singularmente adecuadas para acoger en su seno la pluralidad de intereses y la disidencia de posiciones, así como para operar de instrumentos mediante los cuales se otorga «voz» a unos y otras y se les reconoce participación mediante ella en el sistema de toma de decisiones. Todo cuerpo representativo está dotado de una vocación pluralista y aparece, con ello, como un vehículo de integración política de singular efectividad. Precisamente por ello el PE tiene el papel capital en la legitimación que ostenta y en razón de ello tiene la Cámara un positivo interés colectivo en el progreso del proceso de unión.

En consecuencia el escenario parlamentario es el que proporciona el entorno más indicado para dar voz e incorporar con ello al proceso de decisión a otras instancias, en particular si éstas se hallan dotada asimismo de carácter representativo. En estas circunstancias nada tiene de sorprendente que el proyecto de Constitución de 1994 trate de convertir al Consejo en el homólogo europeo del *Bundesrat*, que se haya barajado la posibilidad de integrar en el sistema a las regiones y poderes locales mediante la parlamentarización del Comité de las Regiones, o que se haya propuesto la institución parlamentaria como sede idónea para integrar en el sistema de los Tratados a los Parlamentos nacionales.

Como de las instituciones nacionales dotadas de poderes efectivos de gobierno los ejecutivos tienen su participación propia en los Consejos parece que la integración de los Parlamentos nacionales, que constituye uno de los problemas estructurales pendientes de la definición de las instituciones definitivas de la Unión, tiene su *locus* propio en el Parlamento, con el valor añadido suplementario de que, de este modo, convergerían en un Parlamento Europeo bicameral la legitimidad nacional-democrática expresada por los Parlamentos de los Estados miembros y la legitimidad democrática común propia de una asamblea elegida por sufragio igual y directo por el conjunto de los ciudadanos de la Unión.

Pero, a más de ello, la configuración del PE propuesta tendría dos ventajas adicionales que no parecen precisamente desdeñables: de un lado permitirían una articulación estable entre las instituciones representativas de toda la Unión de tal modo que los Parlamentos nacionales tendrían una participación en la adopción de las normas que luego deben desarrollar y aplicar las instituciones estatales, en lugar destacado los propios Parlamentos nacionales, y esa participación y la información que de ella se sigue facilitaría el remedio para la otra cara del déficit democrático realmente existente: la falta de control parlamentario efectivo respecto de la política europea seguida por los gobiernos nacionales[55].

---

[55]   Que, adicionalmente, la integración en un Senado europeo de los parlamentos nacionales reforzaría la posición del Parlamento a la hora de expandir el ámbito

Cuarto. El Parlamento en el sistema institucional. En todo caso la reducción o supresión del déficit democrático que afecta al Parlamento, tanto si se conserva la estructura actual, bien que democratizada, como si ésta se sustituye por una estructura bicameral en el sentido apuntado produciría un cambio no desdeñable en la posición del Parlamento mismo en el sistema de gobierno de la Unión, de tal modo que produciría una evidente potenciación de su capacidad política y por ende de la influencia que la institución se hallaría en condiciones de ejercer. La cuestión me parece relevante porque la Unión cuenta hoy con un sistema de gobierno en curso de definición que, si se analiza con cuidado parece orientarse en un sentido bastante menos extraño de lo que a primera vista suele parecer. Y que para un profesor de Derecho Constitucional recuerda extrañamente la formación progresiva de un sistema de gobierno parlamentario en algunos países europeos a lo largo de la segunda mitad del XVIII y la primera mitad del XIX.

De partida el sistema institucional de la Unión se comenzó de definir en términos que permiten ser descritos mediante la analogía con el «principio monárquico»: una concentración del poder de decisión en los ejecutivos por la vía del Consejo, que designa a la Comisión y mediante ella dirige el aparato comunitario en presencia de una asamblea carente de la legitimación que da el sufragio directo e integrada por representantes de los Estados, un paralelo no insatisfactorio de las asambleas estamentales donde se reúne la *maior ac melior pars regni*. Progresivamente el escenario ha ido cambiando bajo la continuidad de la preeminencia de ese monarca colectivo que es el Consejo. Este se ha desdoblado en una entidad propiamente regia (el Consejo Europeo) y otra meramente ministerial (el Consejo de Ministros), en tanto que los miembros de la Comisión ha ido ganado progresivamente la condición de Secretarios de Estado y del Despacho. Por su parte la Asamblea ha evolucionado poco a poco en Parlamento, conquistando la elección directa y reclamando parcelas crecientes de poder legislativo y financiero, cuya adquisición progresiva le permite ejercitar la potestad de control sobre la Comisión. El punto de encuentro entre la parlamentarización de la Asamblea y la gubernamentalización de la Comisión se produce con el TUE: éste

---

de aplicación de los procedimientos de decisión que exigen el acuerdo del propio Parlamento no me parece un inconveniente precisamente.

consagra formalmente como parte de los Tratados la investidura (art. 214, ex. art. 158.2), y cuyo correlato necesario, como expresión del principio de confianza que es, la censura. A lo largo el proceso el monarca ha cedido progresivamente partes de sus poderes al Parlamento y a la Comisión, que ha ganado autonomía hasta convertirse en un garante de los intereses generales en Derecho, y en buena medida de los intereses de los Estados pequeños y medios en los hechos, pero esa cesión ha dado lugar a una configuración del sistema institucional en el que el Consejo sigue siendo el titular de la potestad normativa, pero ésta viene condicionada en su ejercicio cada vez más estrechamente por la Comisión y el Parlamento, la Comisión ha asumido el papel propio de un Ejecutivo común, de la Unión, en tanto que el Parlamento ha alcanzado en numerosos asuntos, tanto estrictamente normativos como financieros un poder de veto que le hace cotitular efectivo de los poderes consiguientes.

El resultado que poco a poco se va perfilando ante nuestro ojos es la configuración de un sistema comunitario de gobierno que se aproxima progresivamente al modelo orleanista de un parlamento de doble confianza en el que el papel del Gobierno de Su Majestad recae en la Comisión, en tanto que el del Monarca recae en el Consejo Europeo del que el de Ministros deviene progresivamente una estructura auxiliar. La Comisión requiere ya, en estricto Derecho, de la confianza del Consejo, que le propone, y de la confianza del Parlamento, que le inviste, a mayor abundamiento la Comisión necesita del apoyo simultáneo de ambos para poder ejercer adecuadamente sus funciones, es una pura cuestión de tiempo el que la retirada unilateral o bilateral de la confianza se produzca y la Comisión venga obligada a la dimisión.

Ahora bien, el sistema de gobierno que se insinúa es vulnerable al riesgo de bloqueo. De un lado el Consejo no puede ser desplazado legalmente —como el Rey— del otro el Parlamento es elegido para un mandato fijo y determinado y, por cierto, no breve[56], si se produce un

---

[56]   La duración del mandato del PE excede a la media legal de la de sus homólogos nacionales en la Unión. La divergencia es aún mayor en la práctica dado que salvo en el caso de la RFA, en la que la disolución es excepcional, la norma estadística es que ninguna asamblea electa complete su mandato, siendo disuelta con anterioridad.

conflicto entre el Parlamento y la Comisión el Consejo se ve privado del principal medio de intervención: si el Consejo respalda a la Comisión el bloqueo está asegurado porque el Consejo —a diferencia del Rey— no puede disolver el Parlamento y convocar elecciones anticipadas a fin de los que los electores arbitren, porque los tratados no contemplan para nada la opción de las elecciones anticipadas. Un conflicto institucional persistente entre la Comisión y el Parlamento carece de salida en el contexto de los Tratados, con el agravante de que la posible disolución no puede ejercer la función disuasoria de potenciar la voluntad de acuerdo de los diputados que arriesgan su mandato.

En conclusión, el Parlamento ha adquirido ya, *de facto*, pero también *de iure*, una posición que hace inviable el gobierno de la Unión sin el apoyo de los diputados, pero no existe ningún resorte que fuerce a los diputados encastillados en sus cinco años de mandato inamovible al acuerdo, aun cuando el mismo sea necesario. Urge prever, como complemento de la democratización, de la creciente parlamentarización, y de las nuevas funciones del PE, los supuestos de disolución anticipada y eventual convocatoria de nuevas elecciones.

4. El Parlamento Europeo tras el Tratado de Amsterdam

Haciendo buena la fábula latina acerca del parto de los montes la CIG ha sido incapaz de ofrecer al Consejo, y éste de adoptar en el Consejo Europeo de Amsterdam, la redefinición del sistema institucional que la Unión necesita perentoriamente a la vista de la próxima ampliación. El Tratado se limita a establecer ajustes menores en el sistema institucional, siguiendo la acreditada política de los pequeños casos. A más de otras reformas, como la simplificación del procedimiento de codecisión, o la ampliación de los supuestos en los que resultan de aplicación dicho procedimiento, o el de cooperación, el texto acordado en los Países Bajos contiene pequeñas reformas que afectan a la institución parlamentaria, tanto en la Unión como en los Estados. Sintéticamente la reformas introducidas pueden resumirse del siguiente modo:

a) La composición del PE: El art. 137 TCE recibe una nueva redacción (además de pasar a ser el art. 189), que si bien mantiene el anacronismo según el cual la Cámara ésta integrada por representantes de los pueblos de los Estados, viene a acoger la propuesta neerlandesa respecto del tamaño estableciendo en nuevo párrafo que el número de escaños no excederá de setecientos, cifra que permite no alterar sustancialmente la representación actualmente existente, toda vez que los países candidatos a la próxima ampliación son de un tamaño tal que permite otorgarles representación simplemente recurriendo a los escaños sin adjudicar que la nueva regla establece.

No obstante, el Tratado incluye una previsión destinada tanto a rectificar el Acta de Bruselas como el art. 138.2 TCE fijando el principio de la «representación adecuada» de los pueblos de los Estados en la Cámara en el supuesto en el que el statu quo presente haya de sufrir alteración. Principio que, por su conveniente vaguedad, sirve para no tener que afrontar el problema estructural de la clave de representación y su inevitable consecuencia que es la Cámara de los Estados, según hemos visto.

b) La adopción del procedimiento uniforme: Amsterdam no ha resuelto el problema crónico del procedimiento de elección del PE. No obstante el Tratado prevé una reforma del art. 138.3 TCE (actual 190.4) que pasa a establecer:

> «El Parlamento Europeo formulará una propuesta de elecciones por sufragio universal de conformidad con el procedimiento uniforme en todos los Estados miembros o según principios comunes a todos los Estados miembros».

Dejando de lado que se mantiene la heteronomía del PE en punto a su propia elección, el nuevo precepto tiene una trascendencia mas bien escasa, toda vez que se limita a establecer que el procedimiento uniforme no tiene que ser necesario único, y que muy bien puede consistir o bien en una regulación común parcial o bien en una normativa básica a desarrollar por los Estados miembros, como la interpretación que ha venido haciéndose de la anterior redacción del precepto aceptaba tanto la primera como la segunda posibilidad, y de hecho, como hemos visto, todas las propuestas aceptadas por el PE dejaban un espacio a las legislaciones nacionales, la única innovación, más bien parca, es admitir expresamente esa posibilidad, adjuntándole la posibilidad de regulación común mediante una norma básica, se supone que una directiva.

c) El estatuto de los parlamentarios europeos: En este punto sí ha habido un reforma de principio importante: al efecto el Tratado incorpora un nuevo apartado, el quinto, al nuevo art. 190 del siguiente tenor:

«El Parlamento Europeo establecerá el reglamento y las condiciones generales de ejercicio de las funciones de sus miembros, previo dictamen de la Comisión y con la aprobación del Consejo por unanimidad[57]».

El precepto se presta a al menos dos interpretaciones distintas: de conformidad con la primera el nuevo art. 190.5 vendría a destruir la autonomía reglamentaria de la Cámara, exigiendo que el reglamento del PE sea sometido a dictamen de la Comisión y a la aprobación del Consejo; de conformidad con la segunda el reglamento de referencia estaría limitado a fijar las condiciones generales de admisión, estatuto y ejercicio de funciones de los diputados según un régimen común, acabando con la actual fragmentación del estatuto de los parlamentarios europeos. Los precedentes y la ubicación sistemática del precepto abonan esta segunda interpretación, que viene a establecer para la determinación del estatuto común condiciones y procedimiento de aprobación muy similares a los exigidos para el procedimiento uniforme de elección.

d) El Protocolo sobre la función de los Parlamentos Nacionales en la UE: Cuestión políticamente crucial por las razones expuestas, las relaciones entre la UE y los Parlamentos nacionales y, en particular, entre éstos y el PE no han merecido regulación en los Tratados, la presencia de los Parlamentos Nacionales en éstos sigue desprendiendo un suave perfume federalizante molesto para las pituitarias más nacionalistas. La cuestión, en consecuencia, se ha remitido a un Protocolo ad hoc, que va más allá de los píos deseos del correspondiente del TUE, pero sólo un

---

[57]   El texto anterior rezaba: 3. El Parlamento Europeo elaborará proyectos encaminados a hacer posible su elección por sufragio universal directo, de acuerdo con un procedimiento uniforme en todos los Estados miembros.
«El Consejo establecerá, por unanimidad, previo dictamen conforme del Parlamento Europeo, que se pronunciará por mayoría de sus miembros, las disposiciones pertinentes y recomendará a los estados miembros su adopción, de conformidad con sus respectivas normas constitucionales».

poco más allá. Sustancialmente el proyecto de protocolo trata dos cuestiones: la modificación de los procedimientos para permitir el conocimiento previo de los proyectos normativos por los Parlamentos Nacionales y la regulación formal del papel del COSAC.

d.1. La información previa. El proyecto de Protocolo prevé tres instrumentos de información. En primer lugar establece el deber de la Comisión de comunicar a los Parlamentos Nacionales todos los documentos de consulta de la misma a fin de que éstos puedan tener información actual del estado de la cuestión y puedan hacerse una idea de la orientación del órgano comunitario que tiene el monopolio de la iniciativa. Es de notar que en el presente supuesto la comunicación Comisión-PN es directa e inmediata. En segundo lugar, por lo que toca a los proyectos normativos la relación directa Comisión-PN desaparece y es sustituida por la mediación necesaria de los Gobiernos nacionales, el texto es meridianamente claro:

> «Las propuestas legislativas de la Comisión, definidas por el Consejo de conformidad con el art. 151 del Tratado constitutivo de la Comunidad Europea, estarán disponibles con la suficiente antelación para que el Gobierno de cada Estado miembro pueda velar por que su parlamento nacional las reciba en forma adecuada».

Como se ve, de lo que se trata es de mantener a los Parlamentos Nacionales lo más lejos posible de la influencia en la legislación comunitaria. De otro modo no se entiende que el precepto no venga a establecer lo obvio: que la Comisión transmite sus iniciativas en tiempo hábil a los Parlamentos Nacionales. Pero si lo hiciere el Parlamento nacional tendría la capacidad de control sobre su Gobierno que hoy no tiene por déficit de información, y, correlativamente, la capacidad de maniobra (y la comodidad) del Gobierno nacional se vería drásticamente reducida: no se podrían imputar tan fácilmente decisiones impopulares a los malvados burócratas de Bruselas. Si la hipocresía es el homenaje que el vicio rinde a la virtud se convendrá que el apartado 2 del art. I del proyecto de Protocolo no es mal homenaje.

d.2. El papel del COSAC. El proyecto de Protocolo trata de articular la atribución de una facultad de impulso a la conferencia de órganos especializados en asuntos comunitarios, a tal efecto el Protocolo habilita a la conferencia para que presente al PE, al Consejo y a la Comisión

> «cualquier contribución que juzgue conveniente sobre las actividades legislativas de la Unión»

sin que dicha contribución sea propiamente una iniciativa ni comprometa para nada a los Parlamentos nacionales, la «contribución» podrá efectuarse de oficio o a iniciativa del COREPER. Ahora bien, el Protocolo subraya, y por tres veces, que esa «contribución» tiene como escenario preferencial los asuntos que afecten a los derechos fundamentales, justicia y seguridad.

En sí misma considerada la formalización de la intervención del COSAC y la atribución al mismo de una función de impulso es bien poco relevante. Pero, vista en perspectiva, la parte II del Protocolo es interesante porque viene a romper un tabú y sentar un precedente: a romper el tabú de la ausencia de los Parlamentos nacionales en la adopción de las decisiones comunitarias, y a sentar el precedente de que los Parlamentos pueden estar presentes en el proceso y que esa presencia puede resultar funcional. Algo es algo.

UNA REVIVISCENCIA DE LA ESTRATEGIA DE PENÉLOPE: EL TRATADO DE AMSTERDAM Y LA REFORMA DEL CONSEJO EUROPEO, DEL CONSEJO DE LA UNIÓN Y DE LA COMISIÓN

CLAUDIA STORINI
Profesora Ayudante de Derecho Constitucional
Universitat de València

I. Introducción

De cara a la que era la futura cuarta ampliación de las Comunidades[1], el Consejo Europeo de Bruselas, que cerró en diciembre de 1993 el semestre belga de Presidencia de la Unión, afrontó —o más bien retomó el tema de— la necesaria adecuación institucional de la Europa comunitaria ante el reto de las nuevas adhesiones[2].

El compromiso alcanzado entonces, y perfeccionado en Ioannina durante el semestre griego de Presidencia[3], consentía el ingreso inmediato de Austria, Suecia y Finlandia, y a la vez ampliaba las competencias de la Conferencia Intergubernamental (CIG), atribuyéndole, además de las

---

[1] Como es sabido, a los seis Estados fundadores se añadieron, en una primera ampliación, el Reino Unido, Dinamarca e Irlanda en 1973. Con la segunda y tercera, Grecia en 1981, y España y Portugal en 1986; la cuarta permitió el ingreso de Austria, Suecia y Finlandia, en enero de 1995.

[2] La mejora de la eficacia de las instituciones fue uno de los ejes principales de los debates en la Conferencia Intergubernamental para la Unión Política que precedió al Tratado de Maastricht.

[3] Decisión del Consejo de la Unión Europea de 29 de marzo de 1994 (DOCE, C 105, de 13 de abril de 1994).

previstas en el antiguo art. N, apartado 2 del TUE[4], el estudio de la cuestión de la reforma de las instituciones. Una vez incluida en la agenda de la Conferencia la cuestión institucional, el Informe elaborado por el Grupo de Reflexión[5] puso de manifiesto cómo la perspectiva de la próxima ampliación, dado el número y la variedad de países implicados, hacía inaplazables cambios en la estructura y funcionamiento de las instituciones[6].

Habida cuenta de las dificultades que semejante reto planteaba, se consideró que la reflexión debía centrarse, una vez más en algunas

---

[4] Según el cual «en 1996 se convocará una Conferencia de los representantes de los Gobiernos de los Estados miembros para que examine, de conformidad con los objetivos establecidos en los artículos A y B de las disposiciones comunes, las disposiciones del presente Tratado para las que se prevea una modificación». A su vez, los objetivos de la Unión, que se hallan en los mencionados arts. A y B, son: la creación de una Unión cada vez más estrecha entre los pueblos de Europa, en la cual las decisiones serán tomadas de la forma más próxima posible a los ciudadanos; promover un progreso económico y social equilibrado y sostenible; reforzar la protección de los derechos e intereses de los nacionales de sus Estados miembros; y desarrollar una cooperación estrecha en el ámbito de la justicia y los asuntos de interior.

[5] Conformado, originariamente, según lo acordado en el Consejo Europeo de Corfú (24 y 25 de junio de 1994), por representantes de los Ministros de Asuntos Exteriores de los Estados miembros de la Unión Europea y del Presidente de la Comisión. A este Grupo posteriormente se incorporaron dos miembros del Parlamento. Dicho Grupo comenzó sus trabajos en junio de 1995 y presentó su informe al Consejo Europeo de Madrid durante la presidencia española, en el segundo semestre de 1995. Sobre el informe final del Grupo de Reflexión, ver VICIANO PASTOR, R.: «Algunas consideraciones sobre el informe final del grupo de reflexión preparatorio de la CIG-96» en *Àgora. Revista de Ciencias Sociales*, n° 2, 1996, pp. 61-73.

[6] Informe del Grupo de reflexión, Bruselas, 5 de diciembre de 1995, (Doc. SN/520/95 reflex. 21), Primera Parte. En doctrina ver FAGIOLO, S.: «L'Unione Europea e la revisione del Trattato di Maastricht», *Affari Esteri*, Roma, n° 3, 1996, pp. 501-507; PADOA-SCHIOPPA, T.: «Verso la Costituzione europea», *Il Mulino Europa*, Bolonia, n° 2, 1995, pp. 8-25 y «L'Europa di domani: una nuova dimensione istituzionale», *Mulino Europa*, Bolonia, n° 1, 1996, pp. 5-11, HERMAN, F.: «En marche vers un nouveau départ», en CRUZ VILACA, J. L., HERMAN, F.: L'*Europe a-t-elle besoin d'une Constitution?*, Bruselas, 1996, pp. 18-27.

prioridades que podían reconducirse a la consecución de unas instituciones más democráticas, eficientes y transparentes[7]. Es por esta razón por la que el análisis, tanto de las distintas problemáticas que planteaban las propuestas de reforma de las instituciones comunitarias objeto de este trabajo, como de los resultados alcanzados con el Tratado de Amsterdam, será llevado a cabo utilizando como parámetros estos tres conceptos informadores, a fin de formular un juicio crítico sobre el alcance que estas últimas reformas han tenido después de dos años de intenso trabajo.

En primer lugar, la exigencia de una Unión más democrática conllevaría la necesidad de aclarar la naturaleza jurídica del Consejo Europeo, de establecer un nuevo método para la ponderación de los votos en el Consejo, así como la determinación de un nuevo umbral para la consecución de una mayoría cualificada en el mismo y la revisión del sistema de nombramiento y control de la Comisión.

En segundo lugar, en el concepto de eficacia se podría incluir, en lo que aquí concierne, la necesidad del paso de la unanimidad a la mayoría cualificada en la toma de decisiones del Consejo; la modificación del sistema de rotación en su Presidencia, así como la determinación del número máximo de comisarios.

Por último, una mayor transparencia, a falta de una impracticable reformulación global de los Tratados, se podría conseguir: simplificando los textos básicos sobre el funcionamiento de los órganos de la Unión;

---

[7]   Ya en el Consejo Europeo reunido en Dublín el 28 de abril de 1990, se afirmaba la necesidad de introducir modificaciones en los Tratados constitutivos de las Comunidades Europeas, con vistas al reforzamiento de la legitimidad democrática de la Unión, así como de su eficacia. En cambio, el concepto de transparencia se introdujo más tarde; provocando la modificación de la praxis de las instituciones después de la firma del TUE, como demuestran tanto las conclusiones adoptadas en el segundo semestre de 1992 por el Consejo Europeo, como las medidas tomadas a fin de ponerlas en práctica. El desarrollo de estos tres principios y sus efectivas aplicaciones es el objeto del estudio realizado por PIRIS, J. C.: «Dopo Maastricht, le istituzioni comunitarie sono divenute piú efficaci, piú democratiche, piú trasparenti?», *Rivista di Diritto Europeo*, n° 1, 1994, pp. 3-42. Véase también al respecto las Conclusiones de la Presidencia del Consejo Europeo de Cannes, 26 y 27 de junio de 1995, y del Consejo Europeo de Turín, 29 marzo de 1996.

haciendo públicos los debates del Consejo; incluyendo en el Tratado un principio general de acceso a los documentos de la Unión; o, en fin, consiguiendo una más diáfana gestión de la Comisión.

II. El Consejo Europeo

A partir de 1974, es decir, el año en que, en la Cumbre de París, los Jefes de Estado o de Gobierno de los países comunitarios decidieron crear el denominado Consejo Europeo a fin de institucionalizar las Cumbres que, desde 1969, venían teniendo lugar sin periodicidad determinada, y a pesar de su formalización jurídico-convencional llevada a cabo por primera vez con el Acta Unica Europea y posteriormente con el Tratado de la Unión Europea[8], tanto el proceso de configuración jurídica del Consejo Europeo como la determinación de su naturaleza dentro de la arquitectura comunitaria han sido cuestionados unánimemente en doctrina[9].

---

[8] Art. 2 del AUE y art. 4 (antiguo art. D) del TUE.

[9] Aunque al Consejo Europeo no se le pueda reconocer como una institución comunitaria, la inserción de este órgano, cuyos métodos de trabajo son de tipo intergubernamental, en el ámbito comunitario ha tenido una considerable relevancia por diferentes razones: el Consejo de Ministros ha dejado de ser el órgano supremo de decisión; la Comisión se ve relegada cada vez más a un papel de segundo plano respecto de un organismo que toma las iniciativas políticas más relevantes y al que por lo general no somete propuestas formales sino que se limita a presentar memorias, informes y comunicaciones; el Parlamento Europeo ve gravemente disminuidos tanto su poder de control político sobre la Comisión como el alcance de su diálogo con el Consejo, ya que la última instancia de apelación es prácticamente inaccesible para él. Entres los múltiples trabajos que se ocupan de esta cuestión, pueden destacarse, ISAAC, G.: *Manual de Derecho Comunitario,* Ariel, Barcelona, 1995, pp. 98-99, y MOLINA DEL POZO, C.: *Manual de Derecho de la Comunidad Europea,* Trivium, Madrid, 1997, p. 122. Ver, también, MANGAS MARTÍN, A., LIÑÁN NOGUERAS, D. J.: *Instituciones y Derecho de la Unión Europea,* McGraw-Hill, Madrid, 1996, pp. 58-64; GLAESNER, H. J.: «The European Council», en *Essays in Honour of Henry G. Schermers,* Deventer, 1994, vol. II, pp. 101-132; CONSTANTINESCO, V.: «Conseil Européen», *Encyclopédie Dalloz, Répertoire de Droit communautaire,* París, 1992, pp., 1-36.

Es ésta la razón por la que el principal asunto institucional relacionado con el Consejo Europeo y con la escasa y poco precisa regulación del mismo contenida en el articulo 4 (antiguo art. D) del TUE, era el relativo a una más exacta concreción y delimitación de sus poderes, problema al que la CIG debería haber buscado una solución. Además, entre las ulteriores cuestiones a resolver quedaban la posible institucionalización del Presidente del Consejo Europeo y la atribución a dicho órgano del control político sobre la Comisión. Sin embargo, en el texto del Tratado de Amsterdam no se hace referencia alguna a ninguno de estos temas.

Sin duda, ya desde un principio las propuestas de reforma presentadas, tanto por los Estados miembros como por las instituciones comunitarias[10], hacían predecibles semejantes resultados ya que tan sólo algunas de ellas se referían específicamente al Consejo Europeo, mientras que la mayoría parecía olvidarse de las reservas a las que sigue estando sometido el proceso de institucionalización de las «Cumbres». Además, todos los planteamientos de reforma en relación con la Presidencia del Consejo Europeo venían formulados conjuntamente con los de revisión del actual sistema de Presidencia de la Unión, sin hacer una referencia por separado al primero, y los que se proponían atribuir al Consejo Europeo el control político de la Comisión solían introducir el tema indirectamente, al debatir los mecanismos de nombramiento de esta última.

También ante un posible trasvase de algunas materias desde el segundo y el tercer pilar hacia el primero, se planteaba la duda de qué ocurriría con las competencias que el Consejo Europeo tenía, hasta entonces, en dichas materias, dado que ninguna de las propuestas hacía referencia a esta cuestión. Tan sólo el gobierno finlandés, en su primer memorándum, destacó brevemente el importante papel político y de orientación que el Consejo Europeo desempeña, aun sin ser actualmente

---

[10]   Las posiciones de los Estados miembros de la UE ante la CIG se hallan en *Libro Blanco sobre la Conferencia Intergubernamental de 1996,* vol. II, «Relación de posiciones de los Estados Miembros de la Unión Europea ante la Conferencia Intergubernamental de 1996», Parlamento Europeo, Luxemburgo, 1996. Mientras, las posiciones de las instituciones comunitarias se hallan recogidas en *Libro Blanco sobre la Conferencia Intergubernamental de 1996,* vol. I, «Textos oficiales de las Instituciones de la Unión Europea», Parlamento Europeo, Luxemburgo, 1996.

una institución de la Unión, sugiriendo que se estudiara convenientemente, por parte de la CIG, la posibilidad de introducir los cambios necesarios para que el Consejo pudiera desarrollar en el futuro, de manera más eficaz, su función de guía en el seno de las Comunidades[11].

A la luz de las modificaciones aportadas por el Tratado de Amsterdam al TUE y al TCE, cabe preguntarse si, ante la atribución de nuevas funciones al «Consejo reunido en su composición de Jefes de Estado o de Gobierno»[12] o directamente al Consejo Europeo[13], o ante la ampliación de las competencias de la Unión a materias como derechos fundamentales, empleo, política social, medio ambiente etc., no habría tenido que preverse algo más que aquella escueta fórmula contenida en el art. 4 del TUE, es decir, si no habría sido ésta una buena ocasión para reubicar al Consejo Europeo dentro de la organización institucional comunitaria, sometiéndolo al sistema de pesos y contrapesos establecido en los tratados constitutivos para las demás instituciones[14].

Todo ello, principalmente, a la vista de que sus competencias específicas no están todavía recogidas en el Tratado y, por tanto, esto permite que se produzca una usurpación de funciones propias del Consejo de la Unión por parte del Consejo Europeo, lo cual, sin duda alguna, manifiesta un fuerte problema de déficit democrático ya que, como es sabido, en el Consejo Europeo los acuerdos que se toman por estricta unanimidad, una vez alcanzados, no están sometidos a ningún tipo de control. Además, la necesidad de delimitar la esfera de actuación del Consejo Europeo se justificaba también en aplicación del principio de transparencia, ya que difícilmente la búsqueda de la misma puede concordar con la dualidad funcional que dicha institución ostenta respecto del ámbito comunitario y del de cooperación, funciones asentadas incluso sobre distintas legitimidades.

---

[11] Memorándum del Ministerio de Asuntos Exteriores del 18 septiembre de 1995 sobre los puntos de vista del Gobierno finlandés en relación con la Conferencia Intergubernamental de 1996, en *Libro Blanco sobre la Conferencia Intergubernamental de 1996,* vol. II, *op. cit.*, p. 146.

[12] Nuevo Art. 7 del TUE.

[13] Art. 128 (antiguo art. 109 Q) del nuevo Titulo VIII del TCE relativo al empleo, arts. 13 (J 3), 17 (J 7), 40 (K 12), de los nuevos Títulos V y VI del TUE.

[14] Véase al respecto, el trabajo de WEILER, J. H. H.: «European Citizenship and Human Rights» en *Reforming the Teatry on European Union: The Legal Debate,* De Witte, Kluwer, 1996, pp. 57-86.

El perjuicio que puede provocar la no delimitación de la esfera de actuación de este órgano en el ya de por sí inestable equilibrio de las instituciones comunitarias, se refleja principalmente en la contradicción que el Consejo Europeo encarna dentro de una construcción europea tendente a crear un ordenamiento jurídico supranacional que presupone la búsqueda y la defensa de un interés común y que, sin embargo, sigue despreocupándose de las consecuencias de la existencia de un órgano de cooperación intergubernamental que tan sólo representa la suma de intereses nacionales.

III. El Consejo de la Unión

El Consejo de la Unión, como es sabido, constituye sin duda la institución comunitaria más importante y representa los intereses nacionales de los Estados miembros en el seno de las Comunidades.

En abierta contradicción con los planteamientos dirigidos a reducir el «déficit democrático» de la Unión, imputado a la excesiva expansión de los poderes del Consejo y a la limitada participación del Parlamento en los procedimientos de toma de decisiones comunitarias[15], desde que comenzaron los trabajos preparatorios para la elaboración del Tratado de Amsterdam[16] todo parecía apuntar a que el Consejo de la Unión, no sólo seguiría manteniendo en el futuro todas sus prerrogativas, sino que, incluso, podría verlas ampliadas[17].

---

[15] Acerca del llamado «déficit democrático» de la Unión Europea véase, entre otros, CHRYSSOCHOOU, D.: «European Union and the dynamics of confederal consociation: problems an prospects for a democratic future» *Revue d'Integration européene,* 1995, XVIII, nº 2-3, pp. 279-305.

[16] Se hace referencia tanto al citado Informe del Grupo de Reflexión como a los documentos elaborados por las instituciones comunitarias y por los Estados miembros, y al documento «Bases para una reflexión» preparado por la Secretaría de Estado para las Comunidades Europeas del Ministerio de Asuntos Exteriores español, texto al que se conoce como «Documento Westendorp».

[17] Apartados 96 y 98 del Informe del Grupo de reflexión, *cit.*

En el abanico, ya de por sí poco amplio, de propuestas de reforma presentadas respecto de las competencias legislativas del Consejo, tan sólo una las reducía, al plantear la posibilidad de convertir al Consejo, en el seno del pilar comunitario, en una segunda Cámara de los Estados, que compartiría sus poderes legislativos con el Parlamento Europeo[18]. Dicha propuesta, evidentemente, careció desde el principio de toda posibilidad de éxito.

En todos los demás casos se prefería reforzar el papel legislativo del Consejo, aunque indirectamente, delimitando o congelando, por ejemplo, los poderes del Parlamento Europeo y atribuyendo mayor relieve a los Parlamentos nacionales[19]. Todas estas modificaciones, planteadas al principio de los trabajos para la reforma de los Tratados constitutivos, desaparecieron de los documentos posteriores que, por lo general, se limitaron a auspiciar un genérico reforzamiento de la capacidad de actuación del Consejo[20]. Aunque también en el plano del control político se presentaron varias propuestas de reforma, todas ellas serán tomadas en consideración al hablar de la Comisión ya que apuntaban en la línea de hacer políticamente responsable a esta última ante el Consejo y no, como ocurre en la actualidad, sólo frente al Parlamento.

Lo que desde un principio se viene apuntando por lo general no era difícil de pronosticar ya que, siendo los miembros del Consejo los protagonistas de la Conferencia Intergubernamental, se podía fácilmente imaginar que dicha institución por lo menos iba a mantener intactas sus competencias. Incluso hubiese podido conseguir alguna competencia adicional como, por ejemplo, el control político de la Comisión o el derecho de fijar los límites del programa base de las propuestas de esta última, consiguiendo interferir de este modo en su derecho exclusivo de iniciativa. Un pronóstico, por tanto, tan sencillo de predecir —el de la

---

[18]   Documento de reflexión «Más Estado de Derecho a nivel europeo», de 13 de junio de 1995, del Comité Director del Grupo Parlamentario CDU/CSU en el Bundestag, en *Libro Blanco sobre la Conferencia Intergubernamental de 1996,* vol. II, *op. cit.* p. 50.

[19]   Libro Blanco del Reino Unido sobre la CIG, de 12 de marzo de 1996: «Una asociación de Naciones» en *Libro Blanco sobre la CIG de 1996,* vol. II, *op. cit.,* p. 168.

[20]   Apartado 98 del Informe del Grupo de Reflexión, *cit.*

ampliación de las competencias de la institución intergubernamental de la Unión— como, desde luego, difícil de conciliar con la defensa del incremento de la democracia en el seno de la propia Unión.

Por otra parte, uno de los problemas más delicados, y al mismo tiempo inaplazable ya que su solución parecía ser perentoria en función de la próxima ampliación, era el relativo al procedimiento de toma de decisiones en el seno del Consejo[21]. En general, las cuestiones relativas al sistema de votación en este órgano podrían dividirse en tres bloques: la extensión de la aplicación de la regla de la mayoría en detrimento de la de la unanimidad, la problemática de fijar el umbral para la consecución de una mayoría cualificada y/o de la minoría de bloqueo, y, por último, la ponderación de votos[22].

Parece evidente que, en una Europa ampliada que pretenda responder al criterio de eficacia[23], la unanimidad no puede exigirse de forma tan

---

[21]   FAGIOLO, S.: «L'Unione Europea e la revisione del Trattato di Maastricht», *op. cit.*, p. 506; BARTAK, K.: «Querelles de procédure et enjeux stratégiques», en *Monde Diplomatique,* año 43, nº 511, octubre de 1996, pp., 12 y 13; YTURRIAGA BARBERÁN, J. A.: «La quinta ampliación de la UE y sus condicionamientos institucionales», *Gaceta Jurídica de la CE,* serie D, nº 25, julio de 1996, p. 184, ELORZA CAVENGT, J.: El Consejo: La ponderación de votos, la mayoría cualificada y mejoras de funcionamiento, en *España y la negociación del Tratado de Amsterdam,* Editorial Biblioteca Nueva, Madrid, 1998, pp. 251-273.

[22]   Hay que poner de relieve, en este sentido, que la propuesta de extensión de la regla de la mayoría cualificada fue avanzada ya en el Informe del Comité Doge de 1985. Según éste, el AUE habría debido introducir «un nuevo principio general conforme al cual las decisiones deberán ser adoptadas por mayoría cualificada o simple», quedando reducida la unanimidad a casos excepcionales. A su vez, la Comisión sostenía en 1990, en su Dictamen de 21 de octubre y ante la convocatoria de la Conferencia Intergubernamental para la Unión Política, que «la mejora en el funcionamiento de las instituciones con vistas a una mayor eficacia, descansa en gran parte… en la extensión de la mayoría cualificada, que debería aplicarse en principio al conjunto de competencias comunitarias».

[23]   La Comisión Europea afirmó, en *Conferencia Intergubernamental 1996. Informe de la Comisión para el Grupo de Reflexión,* Bruselas, 1995, p. 30, que «la votación por mayoría cualificada en el Consejo es fuente indiscutible de eficacia». En la misma línea, el Comisario Marcelino Oreja ha sostenido que «evidentemente un procedimiento de voto por mayoría, es incomparablemente más eficaz que un

generalizada como en la actualidad. Baste pensar, por ejemplo, en la exigencia de unanimidad para la adopción, perfeccionamiento y entrada en vigor de las enmiendas a los tratados, hecho que de por sí asegura, de cara a un futuro con 27 o más Estados miembros, el bloqueo de la Unión Europea[24]. Sin embargo, el mantenimiento de la toma de decisiones por unanimidad en numerosos ámbitos, aun pareciendo racionalmente insostenible, fue apoyado por algunos países a lo largo de los trabajos preparatorios de la reforma, argumentando que la generalización del uso de la mayoría no siempre es condición necesaria, ni suficiente, para lograr una mayor eficacia[25]. Es evidente que la defensa de semejante posición no respondía a la aplicación del criterio de eficacia, sino más bien a la voluntad de mantener la regla del consenso entre todos los Estados, evitando así la posible potenciación del elemento comunitario en la toma de decisiones en el Consejo. Lo cierto es que aunque se hubiese conseguido llegar a un acuerdo sobre la necesidad, no ya de eliminar la unanimidad —pues puede ser considerada como una garantía del respecto a la identidad y personalidad de los Estados[26]—, sino de reducirla a unos pocos ámbitos, en su mayoría no legislativos, se habría planteado una problemática añadida: la de conseguir un acuerdo sobre cuáles tendrían que ser dichos ámbitos, acuerdo que, a la vista de las propuestas,

---

procedimiento por unanimidad», así en «Un pacto constitucional para Europa», en *Ceremonial para la investidura como doctor «honoris causa» por la Universidad de Zaragoza del prof. Dr. D. Marcelino Oreja Aguirre,* 27 de noviembre de 1995, p. 34.

[24] Grupo de Reflexión, Consejo Europeo y Consejo de la Unión, Informe de 5 diciembre de 1995, en *Libro Blanco sobre la Conferencia Intergubernamental de 1996,* vol. I, *op. cit.,* p. 154. En la misma línea en doctrina puede verse, MANGAS MARTÍN, A.: «Democracia y eficacia en la Unión Europea ampliada: el restablecimiento de los equilibrios globales en el sistema de votación del Consejo» en *Reflexiones sobre la Conferencia Intergubernamental 1996,* Ministerio de Asuntos Exteriores, Secretaría de Estado para las Comunidades Europeas, Madrid, 1995, pp. 117 y 118.

[25] Libro Blanco del Reino Unido sobre la CIG de 12 de marzo de 1996, «Una asociación de Naciones», en *Libro Blanco sobre la Conferencia Intergubernamental de 1996,* vol. II, *op. cit.,* p. 169.

[26] Memorándum del Gobierno griego de 24 enero de 1996 sobre la Conferencia Intergubernamental: posiciones y reflexiones de Grecia, en *Libro Blanco sobre la Conferencia Intergubernamental de 1996,* vol. II, *op. cit.,* p. 57.

no era en absoluto fácil de obtener[27]. También existía la posibilidad de buscar alternativas diferentes a la unanimidad que, por una parte, fuesen tan efectivas como el paso al criterio de la mayoría y que, por otro lado, tuvieran más posibilidades de triunfar. Una de ellas, quizás la más interesante, era la transformación de la unanimidad en una mayoría supercualificada, alcanzable en atención a los votos y/o a la población de cada Estado; mientras, las otras opciones eran: la abstención positiva, la mayoría cualificada con dispensa de minoría y el consenso no unánime.

En realidad, todas estas propuestas no fueron en ningún momento tomadas en consideración por los artífices de Tratado de Amsterdam y, con el fin de demostrar la veracidad de tal afirmación, tal vez pueda resultar útil traer a colación el Informe del Grupo de Reflexión, en el que se pone de manifiesto cómo en dicho Grupo había un amplio consenso a la hora de mantener la unanimidad en las decisiones de Derecho primario, y cómo, a pesar de que se hayan «barajado formas innovadoras, intermedias entre la unanimidad y la mayoría cualificada», ninguna de ellas «ha sido objeto de detenido análisis»[28].

Las propuestas de una más amplia utilización del voto por mayoría cualificada reforzaban el ya de por sí importante problema de la vigente ponderación de los votos en el Consejo. Como es sabido, tanto la adhesión de España y Portugal como, posteriormente, y en mayor medida, la de Austria, Finlandia y Suecia, al reforzar el peso decisorio de los países pequeños y medianos sobre los grandes, alteraron los equilibrios preexistentes en la ponderación de votos atribuidos a cada uno de los Estados en el Consejo[29]. A esta situación se intentó hacer frente con un acuerdo de compromiso, de dudoso valor jurídico, alcanzado en

---

[27] Prácticamente no existe coincidencia alguna entre los Estados respecto de los ámbitos en los que se propone la extensión de la regla de la mayoría, y ello a pesar de que muchos de dichos Estados no entran al detalle, limitándose a defender de modo genérico la necesidad del paso de la unanimidad a la mayoría cualificada.

[28] Apartado 101 del Informe del Grupo de Reflexión, *op. cit.*

[29] La ponderación de votos fue establecida en los Tratados de Roma en función de un criterio general, demográfico, político y económico. Respondía a la exigencia del mantenimiento de ciertos equilibrios entre Estados grandes, medianos y pequeños, centrales y periféricos, de agricultura continental o mediterránea, del Norte o del Sur, etc.

marzo de 1994 en la ciudad de Ioannina[30], sin proceder a una nueva ponderación de los votos que tuviese en cuenta los cambios experimentados en el equilibrio político de la Unión[31]. A la decisión del Consejo que plasmaba el llamado «Compromiso de Ioannina» se acompañaba una Declaración en la que se indicaba que «los doce Estados miembros actuales de la Unión Europea han convenido que la cuestión de la reforma de las instituciones, comprendida la ponderación de los votos y el umbral de la mayoría cualificada en el Consejo, serán abordadas cuando tenga lugar la Conferencia de los Representantes de los Gobiernos de los Estados miembros que será convocada en 1996»[32] y que «los diferentes elementos de la presente Declaración permanecerán aplicables hasta la entrada en vigor de una reforma de los Tratados, tras la Conferencia de 1996»[33]. A la circunstancia que hizo necesario adoptar una solución transitoria en relación con uno de los aspectos más importantes del procedimiento de toma de decisiones en el seno del Consejo, se añade el hecho de que en una previsible ampliación a 27 o más países, los Estados grandes permanecerían casi estancados en su cuantía, pues a los actuales sólo se añadiría Polonia, mientras que los Estados medianos y pequeños doblarían su número, con lo cual el desequilibrio se haría

---

[30]   Decisión del Consejo, de 29 de marzo de 1994, sobre la adopción de decisiones por el Consejo por mayoría cualificada, DOCE, C 105, de 13 de abril de 1994, modificada por la Decisión de 1 de enero de 1995, DOCE, C1, de 1 de enero de 1995. El llamado «compromiso de Ioannina» establece que cuando varios Estados que reúnan al menos un total de 23 a 25 votos se abstengan o se opongan a una decisión del Consejo, las discusiones continuarán durante un plazo de tiempo razonable en el que el Consejo tratará de alcanzar el acuerdo con 65 votos, en lugar de los 62 previstos por el Tratado.

[31]   El apartado dos del antiguo artículo 148 TCE (actual art. 205.2 TCE) establecía la siguiente ponderación de votos: Alemania, Francia, Italia y Reino Unido, 10 cada uno; España 8; Bélgica, Grecia, Países Bajos y Portugal, 5 cada uno; Austria y Suecia, 4 cada uno; Dinamarca, Irlanda y Finlandia, 3 cada uno; y Luxemburgo 2. Se requieren 62 votos sobre un total de 87 para adoptar una propuesta de la Comisión, y 62, que representen la posición favorable de diez miembros como mínimo, en los demás casos.

[32]   Apartado a) de la Declaración de los doce miembros de la Unión que acompaña a la Decisión del Consejo de 29 de marzo de 1994, *op. cit.*

[33]   Apartado b) de la citada Declaración.

mucho más fuerte[34]. Dicho esto, no es difícil comprender por qué tanto la reforma del sistema de ponderación de los votos como el establecimiento de nuevas minorías de bloqueo se configuraban como dos de los retos más importantes e inaplazables para la CIG, no sólo para sustituir el compromiso de Ioannina, sino también porque requerían una solución perentoria ante la nueva ampliación.

Con el fin de conseguir una ponderación de los votos más ajustada a la actual y futura conformación de la Unión se planteaban diversas fórmulas. Una de ellas, más que una nueva ponderación, realizaba una adaptación de la actual, aumentando el número de los votos que se conceden a los Estados más grandes —infra-representados—[35], ya fuera manteniendo el cupo actual de los Estados medianos o pequeños —sobrerepresentados—, o ya fuese disminuyéndolo, sin adoptar nunca una exacta proporción entre votos y población. En un sentido similar, otra propuesta planteaba la posibilidad de reducir linealmente el número de votos atribuidos en la actualidad a los Estados miembros (restando uno o dos a cada país). Evidentemente aplicando esta formula la reducción sería igual para todos los Estados, pero perjudicaría más a unos que a otros.

---

[34]   Los países protagonistas de la quinta ampliación podrían ser: Polonia, Hungría, Rumania, Bulgaria, República Checa, Eslovaquia, Lituania, Letonia, Estonia, Eslovenia, Chipre y Malta. A ellos, además, podrían añadirse Turquía, Croacia y, tal vez en un futuro más lejano, Albania, Bosnia, Macedonia y Serbia. El estudio «L'équilibre entre les États membres», llevado a cabo por el Secretariado General del Consejo en 1994, demuestra que: «si se mantiene el actual sistema en una Unión de 28 miembros, un conjunto de países pequeños, que sólo representen el 47% de la población total, podrían, en principio, tomar una decisión por mayoría. Inversamente, un grupo de países con sólo el 12% de la población total podría bloquear una decisión de un grupo de Estados que representan el 88% de los ciudadanos de la Unión».

[35]   Apartado 12 cap. 15, del Proyecto de la Presidencia irlandesa de la CIG, *Adapter l'Union Européenne dans l'interet de ses citoyens et la preparer pour le futur. Cadre Général pour un projet de révision des Traités,* presentado el 5 de diciembre de 1996 en Dublín, (CONF/2500/96) y Nota política del Gobierno al Parlamento belga sobre la CIG de 1996, en *Libro Blanco sobre la Conferencia Intergubernamental de 1996,* vol. II, *op. cit.,* p. 17.

Estas posturas, inicialmente defendidas por numerosos Estados, fueron sustituidas en la mayoría de los casos por otras alternativas, que alcanzaban objetivos análogos gracias a la utilización de una fórmula que tomaba en consideración una doble mayoría calculada tanto respecto del número de votos ponderados como del porcentaje de población de la Unión[36].

Tal sistema preveía dos posibles variantes: o bien la exigencia de una mayoría cualificada de votos ponderados junto a la necesidad de que los votos positivos expresados representasen un determinado porcentaje de población de la Unión, o bien la exigencia de que el Consejo pudiera adoptar una decisión con el apoyo de un número de Estados miembros que representara a un cierto porcentaje de población y, al mismo tiempo, a un número determinado de miembros del Consejo[37].

A estas propuestas aún hay que añadir otra más: la de reformar todo el sistema de ponderación de los votos a fin de establecer una proporcionalidad entre los asignados a cada país y su porcentaje de población dentro del total de la Unión[38]. Dicha solución, que parecía ser la más coherente con el principio de legitimidad democrática, se enfrentaba radicalmente con los intereses de los países menos poblados que, de manera unánime, rechazaban semejante posibilidad[39].

La solución del problema de la ponderación de los votos tomando en consideración el criterio de la población, desde el principio se demostró

---

[36]   Apartado 104 del Informe del Grupo de Reflexión, *op. cit.*; ver además los siguientes documentos contenidos en *Libro Blanco sobre la Conferencia Intergubernamental de 1996,* vol. II, *op. cit.,*: Comunicación del Gobierno italiano de 23 de febrero de 1995 sobre las líneas directrices de su política exterior, p. 100; Memorándum con vistas a la CIG, de los Gobiernos de Bélgica, Luxemburgo y los Países Bajos, de 7 de marzo 1996, p. 30; Documento «Objetivos alemanes para la Conferencia Intergubernamental» de fecha 26 de marzo de 1996, p. 42; Documento «Elementos para una posición española en la Conferencia Intergubernamental de 1996», *op. cit.*, p. 83; Cuarto Memorándum del Gobierno holandés, de 12 de julio de 1995: la Reforma Institucional de la Unión Europea, p. 127.

[37]   Apartado 13, cap. 15, del Proyecto de la Presidencia irlandesa de la CIG, *op. cit.*, Apartado 104 del Informe del Grupo de Reflexión, *op. cit.*

[38]   Apartado 12, cap. 15, del Proyecto de la Presidencia irlandesa de la CIG, *op. cit.*

[39]   Apartado 105 del Informe del Grupo de Reflexión, *op. cit.*

difícilmente alcanzable ya que existían posicionamientos opuestos entre los países de población numerosa y aquellos medianos y pequeños que cuentan con un menor número de habitantes. El Informe elaborado por el Grupo de Reflexión evidenció esta problemática, al señalar, en su apartado 105, que algunos miembros del Grupo «opinan que el presente sistema de votación considera debidamente la población, teniendo en cuenta que, en todo caso, la institución que representa a aquélla es el Parlamento».

Otra alternativa, rechazada por el hecho de suponer la conservación de los privilegios de los Estados medianos y pequeños y por ser la que actualmente se aplica gracias al Compromiso de Ioannina, era la consistente en mantener la actual ponderación, aumentando el umbral de la mayoría cualificada. Es obvio que sus efectos nunca serán tan radicales, si se compara por ejemplo el 75% de los votos ponderados con el 71% de la población; la primera opción resultaría insignificante, pero podría representar una variante que, añadida a otras propuestas, conseguiría un sistema de toma de decisiones más respetuoso con el principio democrático[40]. Sin embargo, tampoco esta propuesta gozó de un amplio respaldo pues a ella se oponían quienes afirmaban que si se desea una Unión eficaz se había de mantener, o incluso rebajar, el actual umbral necesario para la obtención de la mayoría cualificada[41].

Otro punto polémico en la Conferencia Intergubernamental era el referido a la Presidencia del Consejo. No se discutía su importante papel, y en principio eran positivas todas las valoraciones del sistema de turnos semestrales actualmente implantado. Sin embargo, sin olvidar que la mayoría de los Estados —y algunas instituciones— no planteaban cam-

---

[40]   A tal propuesta se opuso explícitamente la Comisión, que sostenía que «en ningún caso deberá superarse el umbral normal de la mayoría cualificada, fijado desde el origen de la Comunidad en torno al 71%», en *Dictamen de la Comisión sobre la Conferencia Intergubernamental de 1996*, Bruselas, 1996, p. 20. En la misma línea Bélgica, Luxemburgo y los Países Bajos defienden que, en una Unión ampliada, la mayoría cualificada debería continuar estando en torno al 70% de los votos, en *Memorándum con vistas a la CIG de los Gobiernos de Bélgica, Luxemburgo y Países Bajos*, de 7 de marzo de 1996, *op. cit.*, p. 31.

[41]   Punto 16, cap. 15, del Proyecto de la Presidencia irlandesa de la CIG, *op. cit.*; apartado 103 del Informe del Grupo de Reflexión, *op. cit.*

bios en el citado sistema de turnos[42], no se pueden dejar de mencionar las consideraciones aportadas por el Grupo de Reflexión a este respecto, ya que, según el citado Grupo, «el actual sistema, aplicado a una Unión de 30 miembros, significaría que cada Estado ejercería la Presidencia sólo cada 15 años»[43].

Este problema, junto con el de la necesidad de una mayor continuidad y reforzamiento de la propia Presidencia, posibilitó la elaboración de diversas fórmulas, entre las cuales merece ser resaltada la que avanzaba la idea de un Presidente elegido por el Consejo de entre los Jefes de Estado y de Gobierno de la Unión Europea, por un período de dos o tres años. Las dificultades de definición y aceptación que suscitaba esta audaz propuesta hicieron que todos los Estados que en principio la defendieron hayan confluido, sucesivamente, en las filas de los que amparaban el mantenimiento del *statu quo*[44].

---

[42] Parlamento Europeo, Resolución sobre el funcionamiento del Tratado de la UE en la perspectiva de la Conferencia Intergubernamental de 1996, de 17 de mayo 1995, en *Libro Blanco sobre la Conferencia Intergubernamental de 1996*, vol. I, *op. cit.*, p. 230; *Dictamen de la Comisión sobre la Conferencia Intergubernamental de 1996*, Bruselas, 1996, p. 20. También la mayoría de los Estados defendió el mantenimiento del actual sistema. Así puede corroborarse en los siguientes documentos contenidos en *Libro Blanco sobre la Conferencia Intergubernamental de 1996*, vol. II, *op. cit.*: Memorándum del Gobierno griego, de 24 de enero de 1996, sobre la CIG; p. 324; Gobierno irlandés, Libro Blanco sobre Política Exterior, de 26 marzo de 1996, p. 95; Posición del Gobierno italiano sobre la Conferencia Intergubernamental para la revisión de los Tratados, de 18 de marzo de 1996, p. 105; Prontuario Memorándum del Gobierno luxemburgués, de 30 de junio de 1995 sobre la CIG de 1996, p. 109 —debe destacarse que el Gobierno luxemburgués no se limita a proponer el mantenimiento del sistema de la Presidencia rotatoria semestral, sino que anticipa que no admitirá ninguna clase de tergiversación de dicho principio—; Posición de principio de Austria sobre la CIG. Documento del Gobierno austríaco, de 26 de marzo de 1996, p. 134; Portugal y la CIG para la revisión del TUE, Documento del Ministerio de Asuntos Exteriores, de marzo de 1996, p. 140; Puntos de partida y objetivos de Finlandia en relación con la CIG de 1996, Informe del Gobierno finlandés, de 27 de febrero de 1996, p. 153.

[43] Apartado 108 del Informe del Grupo de Reflexión, *op. cit.*

[44] Es el caso, por ejemplo, de Italia, que defendió la Presidencia electiva en la Comunicación del Gobierno italiano, de 23 de mayo de 1995, sobre la CIG de

Respecto de dicho tema una ulterior propuesta era la de crear «equipos presidenciales» compuestos por cuatro o cinco Estados miembros que representasen distintas peculiaridades nacionales y un total de aproximadamente 100 millones de habitantes, a fin de garantizar que siempre figurara entre ellos uno de los considerados Estados «grandes». El equipo ejercería la Presidencia durante un período que oscilaría entre doce y dieciocho meses. Esta formación permitiría el reparto de los distintos papeles entre los miembros, de modo que cada uno podría especializarse y presidir distintas formaciones del Consejo. Tal sistema, además, se consideraba especialmente apropiado para el segundo pilar, en el que la presencia, en cada equipo, de uno de los Estados miembros más grandes y con intereses en una política exterior global, conferiría una mayor credibilidad a la representación externa de la Unión[45]. Una variante a este sistema era la propuesta de una presidencia tipo «Troika» (un Estado grande y dos medianos o pequeños), por un período mínimo de dieciocho meses[46]. Esta fórmula, muy cercana al actual sistema, representaba una buena solución para logra una mayor continuidad y, por tanto, una mayor eficacia de la Presidencia; no obstante, dicha solución hubiera podido adoptarse tan sólo provisionalmente, al plantear un notable inconveniente de cara a una futura ampliación, pues en una Unión de 30 Estados miembros la Presidencia volvería a ejercerse cada 15 años.

En el caso de que en el seno de la Conferencia Intergubernamental se hubiese logrado un acuerdo acerca de la necesidad de una modificación

---

revisión del Tratado de Maastricht, para después renunciar a todo tipo de modificaciones en el Documento acerca de la Posición del Gobierno italiano sobre la CIG para la revisión de los Tratados, de 18 de marzo de 1996. Ambos en *Libro Blanco sobre la Conferencia Intergubernamental de 1996,* vol. II, *op. cit.,* respectivamente pp. 102 y 107.

[45]   Libro Blanco del Reino Unido sobre la CIG, de 12 de marzo de 1996, *op. cit.,* p. 170. Esta opción fue la única expresamente recogida en el Informe del Grupo de Reflexión (apartado 108) en la variante consistente en cuatro Estados miembros que ejercieran la Presidencia durante al menos 12 meses.

[46]   Cuarto Memorándum del Gobierno holandés, de 12 de julio de 1995: la reforma institucional de la Unión Europea; Documento «Objetivos alemanes para la Conferencia Intergubernamental», de 26 de marzo de 1996, en *Libro Blanco sobre la Conferencia Intergubernamental de 1996,* vol. II, *op. cit.,* p. 127.

del actual sistema de rotación de la Presidencia, seguramente la opción que habría podido obtener el respaldo de todos los miembros, a pesar de sus limitaciones temporales, hubiera sido la última de las planteadas, pues reforzaba el papel de la propia Presidencia, asegurando que todos los Estados miembros la ejercieran con unos intervalos razonables de tiempo, y mantenía, también, los equilibrios entre los países, aunque probablemente la razón más importante para aceptarla era la de constituir la solución más cercana a la actual, en la que, como es sabido, el orden de los turnos en la Presidencia, acordado por unanimidad en el Consejo, posibilita la participación de un país grande en todas las troikas hasta el final de la primera rotación.

Según el guión elaborado por el Grupo de Reflexión, otro punto a tratar por la Conferencia Intergubernamental era el de la publicidad de los trabajos del Consejo. La única solución que se planteaba a la falta de transparencia en las actuaciones de dicha institución era la que sugería la apertura al público de todos aquellos debates en los cuales el Consejo actúe como instancia legislativa, a menos que el propio Consejo decida lo contrario, y el mantenimiento de la confidencialidad cuando actúe como Ejecutivo[47].

A pesar de que la adopción de esta medida no permitiría, por sí sola, alcanzar el nivel de transparencia necesario para conseguir un verdadero conocimiento del funcionamiento de la Unión por parte de los ciudadanos y, al mismo tiempo, lograr que los trabajos de las instituciones lleguen a ser algo más cercano para esos mismos ciudadanos, los argumentos que llegaron a plantearse en contra de la adopción de dicha medida fueron muy relevantes —como por ejemplo la dificultad de disociar los debates del Consejo en cuanto legislador y aquellos que lleva a cabo en su calidad de ejecutivo—, y sus detractores no lo fueron menos, al punto que tal vez sea necesario plantearse cómo se conseguiría realizar el tan auspiciado incremento de transparencia en la Unión cuando sus miembros no son capaces ni tan siquiera de aceptar una medida como la antes citada.

Por lo que se refiere al Consejo y, lamentablemente, también al resto de las instituciones, el Tratado de Amsterdam ha conseguido que se

---

[47] Apartado 107 del Informe del Grupo de Reflexión, *op. cit.*

vieran superados hasta los pronósticos más nefastos acerca de la incapacidad de la CIG para conseguir una adaptación de la estructura institucional de la Unión a los nuevos retos que se le plantean.

Entre los tres conceptos informadores de la reforma, el de transparencia parece, a primera vista, haber conseguido el desarrollo más extenso. El nuevo artículo 255 del TCE (antiguo art. 191 A) —apartados 1 y 2— establece un principio general de acceso a los documentos del Parlamento Europeo, del Consejo y de la Comisión, y atribuye la regulación de este derecho al Consejo. En el mismo artículo —apartado 3— se prevé además que «cada una de las instituciones mencionadas elaborará en su reglamento interno disposiciones específicas sobre el acceso a sus documentos». En relación con este apartado, la nueva fórmula del art. 207.3 (antiguo 151.3) del TCE indica que el Consejo, en su reglamento interno, fijará «las condiciones en las que el público tendrá acceso a los documentos del mismo. A tal efecto, el Consejo definirá los casos en los que deba considerarse que actúa en el ejercicio de su capacidad legislativa a fin de permitir un mayor acceso a los documentos en estos casos, sin menoscabo de la eficacia de su proceso de adopción de decisiones. En cualquier caso, cuando el Consejo actúe en el ejercicio de su capacidad legislativa, se harán públicos los resultados de las votaciones y las explicaciones de voto, así como las declaraciones en el acta».

Evidentemente, el efectivo alcance del art. 255 TCE podrá ser medido tan sólo después de que el Consejo, por una parte, haya establecido los límites al ejercicio del derecho en cuestión, y, por otra, haya adoptado las modificaciones necesarias de su reglamento a fin de cumplir con la difícil tarea de especificar cuáles son los debates en los que actúa como legislador, permitiendo de este modo la aplicación del art. 255 TCE. Hasta entonces, las modificaciones aportadas al segundo párrafo del art. 1 (antiguo art. A) del TUE serán tan sólo una mera declaración de principios[48]. Además, otro elemento que por el solo hecho de estar previsto disminuye el alcance del derecho de acceso a los documentos de

---

[48]   El nuevo párrafo prevé que: «El presente Tratado constituye una nueva etapa en el proceso creador de una Unión cada vez más estrecha entre los pueblos de Europa, en la cual las decisiones serán tomadas *de la forma más abierta y* próxima a los ciudadanos que sea posible» (la cursiva es de la autora).

la Unión, y que habrá de ser tenido en cuenta a la hora de establecer la efectividad del mismo, es la utilización que los Estados harán de lo dispuesto en la Declaración sobre el apartado 1 del artículo 255 del TCE, contenida en el Tratado de Amsterdam, según la cual «la Conferencia conviene en que los principios y condiciones contempladas en el apartado 1 del artículo 255 permitan a un Estado miembro solicitar a la Comisión o al Consejo que no comunique a terceros un documento originario de dicho Estado sin su consentimiento previo».

El Tratado de Amsterdam también prevé la extensión del voto por mayoría cualificada, una extensión que podría calificarse como raquítica si se compara con las propuestas presentadas, y si se considera que de los aproximadamente sesenta artículos de los Tratados que preveían el voto por unanimidad pierden esta modalidad de voto tan sólo las decisiones en los ámbitos de la coordinación de las disposiciones previstas para un trato especial a los nacionales extranjeros; de investigación y desarrollo tecnológico; y, en tercer lugar, de creación de empresas comunes para la ejecución de programas I+D[49]. A este escaso resultado se le añade, además, que de entre los artículos previstos en los nuevos ámbitos competenciales del Consejo que se incluirán en los Tratados, más de la mitad de ellos vuelven a elegir la unanimidad como sistema de voto en la toma de decisiones[50].

Se podría así concluir que tanto el problema de dotar a la Unión de una mayor eficacia como el del posible bloqueo en el funcionamiento de aquélla, una vez ampliada, parecen haber pasado desapercibidos para los artífices del Tratado de Amsterdam; o puede que, quizás, la exigencia de la unanimidad para la adopción, perfeccionamiento y entrada en vigor de las enmiendas a los tratados esté ya demostrando su capacidad para imposibilitar todo tipo de avances, aun tratándose todavía de una Unión Europea compuesta por quince Estados.

---

[49] Respectivamente, artículos, 46.2 (56.2), 166.1 (130 I.1), 172 (130 O) del TCE.

[50] Ver por ej., arts. 7 (F 1), 34 (K 6), 42 (K 14), todas las decisiones que se rijan por el Titulo V (Política Exterior y de Seguridad Común) del TUE; art. 67 del nuevo Título IV, relativo a los visados, asilo, inmigración, y otras políticas relacionadas con la libre circulación de personas; o los arts. 13 (6 A), 137.3 (118.3), 139.2 (118 B.2) del TCE, etc.

Respecto de todas las demás propuestas de reforma relacionadas con el Consejo, la política de mantenimiento del *statu quo* ha sido sin ninguna duda la triunfadora. En el fondo, ¿por qué tener tanta prisa en modificar el actual sistema de ponderación de los votos o el umbral para alcanzar la mayoría cualificada dentro de un sistema institucional en el que las más importantes decisiones del Consejo se siguen tomando por unanimidad de los representantes estatales que, en su inmensa mayoría, siguen siéndolo de los Gobiernos centrales?

IV. La Comisión

Si el papel fundamental de la Comisión es el de ser la defensora del interés general de las Comunidades y actuar como guardiana de los Tratados, el análisis del desempeño de esta labor pone de manifiesto la existencia de algunos defectos de funcionamiento que, en gran parte, habían sido ya detectados por el llamado «Informe Spierenbürg»[51]. Para solucionar estos defectos, en la mayoría de las ocasiones no parece necesaria una modificación de los Tratados; sin embargo, otros problemas sí tenían que ser, en principio, abordados y resueltos por la CIG. Entre estos últimos, y volviendo a utilizar como referentes los tres conceptos informadores de la reforma de las instituciones comunitarias, dentro de la eficacia se encuentran la composición del Colegio y el número de comisarios; respecto del concepto de trasparencia, una mayor y más rápida publicidad de sus propuestas y, en lo correspondiente a la democratización de las instituciones, el nombramiento de la Comisión, su control y sus prerrogativas.

La modificación del número de comisarios era, sin duda, uno de los puntos más problemáticos en la redefinición del sistema institucional de la Unión al tratarse, además, de una reforma que se encuentra pendiente desde mediados de los años ochenta, coincidiendo con la ampliación a

---

[51]   Como es sabido, se trata de uno de los informes que se elaboraron para preparar el Acta Única Europea.

España y Portugal, lo cual demuestra la verdadera dimensión del problema[52].

Fue en la Declaración aneja al Acta final del Tratado de Maastricht donde, por primera vez, se aplazó expresamente la cuestión relativa al número de comisarios, estableciendo que sería examinada «como muy tarde a finales de 1992». Sin embargo, este propósito no se vio cumplido. En los trabajos preparatorios de la última ampliación, en el seno de la Comisión se estudiaron varias alternativas, y la disminución en el número de miembros fue planteada en el Consejo al comienzo de las negociaciones como uno de los asuntos pendientes pero, al no haber sido posible un acuerdo en la todavía reciente Conferencia Intergubernamental sobre la Unión Política de 1991, se consideró demasiado prematuro realizar una reforma con ocasión de la ampliación. Finalmente el Consejo Europeo de Bruselas, en diciembre de 1993, acordó, a su vez, remitir a la Conferencia Intergubernamental de 1996 la tarea de modificar el número de comisarios.

Actualmente, como es sabido, la Comisión se compone de veinte miembros. No obstante, y según lo dispuesto en el antiguo art. 157.1 TCE (actual art. 213.1 TCE), podría estar compuesta por quince o treinta comisarios ya que cada Estado tiene derecho a tener uno y no más de dos nacionales en la misma. Por acuerdo de los Estados miembros, en este momento hay dos nacionales por cada uno de los cinco Estados con mayor población, es decir, Francia, Alemania, Italia, Gran Bretaña y España.

Dado que la cuestión del número de los comisarios surgió a raíz de la tercera ampliación de la Unión, que añadía a los diez Estados preexistentes, España y Portugal, en estos momentos, y de cara a una futura quinta ampliación —que llevaría a rebasar el número de treinta Estados— no es difícil pensar que, al mantener la regla actual, tal y como ha sido aplicada hasta ahora, la Comisión se convertiría en una institución ingobernable

---

[52]   VIGUERA, E.: «Las reformas institucionales en la Unión Europea tras la ampliación», en *Gaceta Jurídica de la CE*, GJ1440-B100, 1995, pp. 5-18, ELORZA CAVENGT, J.: «La Comisión: su composición, sus prerrogativas y su funcionamiento» en *España y la negociación del Tratado de Amsterdam,* Editorial Biblioteca Nueva, Madrid, 1998, pp. 271-273.

y que, por tanto, sería prioritario buscar una solución que permitiera reducir el número de sus miembros.

Las propuestas para alcanzar dicho fin se alineaban en dos direcciones. Una primera que intentaba mantener el sistema actual, defendiendo una posible disminución del número de miembros mediante la igualación del mismo al de los Estados miembros[53]. Esta solución era defendida por algunos miembros del Grupo de Reflexión como un sistema para «fomentar el sentimiento de pertenencia de los ciudadanos a la Unión». Se ha de apuntar, no obstante, que en tal declaración el problema del número de comisarios era posiblemente tan sólo una cuestión secundaria, pues lo que parecía más significativo era el hecho de concebir la composición de la Comisión en relación con la representación nacional, concepción que, muy a pesar de la proclamación de la independencia de sus componentes (art. 213 TCE), tendría el inconveniente de reproducir el esquema del Consejo, introduciendo una gran dosis de intergubernamentalidad en la que se supone debería ser la institución supranacional por antonomasia. Y por si eso no fuera suficiente, cabría también plantearse, a propósito de la misma, cómo se puede garantizar que la cuantía de carteras siga aumentando en proporción al número de comisarios, sin incurrir en una excesiva división de las materias y teniendo en cuenta que el número de éstas no es ilimitado.

En una misma línea se plantea la posibilidad del mantenimiento del *statu quo* actual, con el que cada país tiene derecho a un comisario, y aquéllos que cuentan con mayor población pueden tener dos. El proble-

---

[53] Apartado 42 del Dictamen de la Comisión sobre «La Conferencia Intergubernamental de 1996: reforzar la unión política y preparar la ampliación», *op. cit.*; Apartado 8, cap. 16, del Proyecto de la Presidencia irlandesa de la CIG, *Adapter l'Union Européenne dans l'interet de ses citoyens et la preparer pour le futur. Cadre Général pour un projet de révision des traités, op. cit.*, p. 99; Memorándum con vista a la CIG, de los Gobiernos de Bélgica, Luxemburgo y los Países Bajos, *op. cit.*, p. 30; Agenda para Europa. La Conferencia Intergubernamental de 1996. Informe del Ministerio de Asuntos Exteriores danés de junio de 1995; Documento «Hacia una Europa de los ciudadanos, democracia y desarrollo». Memorándum para la CIG 1996, de enero de 1995. Ambos en *Libro Blanco sobre la Conferencia Intergubernamental de 1996,* vol. II, *op. cit.*, respectivamente pp. 31 y 53.

ma del exceso de comisarios respecto del número de carteras, en una Unión ampliada, sería resuelto, o bien estableciendo un doble nivel de comisarios —los plenos y los adjuntos, y éstos con voz pero sin voto—, o bien creando varias vicepresidencias[54].

De otro lado, y más coherentemente con el espíritu mismo de la Comisión, se hace depender el número de comisarios de las tareas a desempeñar y, en consecuencia, del número de carteras. Considerando que, en la actualidad, de entre estas últimas, son realmente efectivas unas quince, el número de comisarios que debería fijarse aplicando este criterio resultaría muy inferior al número de Estados miembros[55]. La adopción de esta solución no se limitaría a primar el criterio de eficacia sino que también tendría la enorme ventaja de devolver a la Comisión su colegialidad e independencia. Según los defensores de esta alternativa, la elección de los Comisarios se podría llevar a cabo, o bien a imagen y semejanza de las reglas de nombramiento de los Ejecutivos estatales, dentro de los respectivos regímenes parlamentarios —es decir, en el caso de la Unión, nombramiento por parte del Presidente de la Comisión, elegido éste por el Parlamento a propuesta del Consejo Europeo, y posteriormente investido junto al Colegio de comisarios por el propio Parlamento[56]—, o bien, como segunda opción, con un sistema de rotación en el cargo que consiga garantizar la participación de los representantes de todos los Estados miembros[57]. No obstante el acierto de estas propuestas, ambas tenían un inconveniente que desde un principio las hacía inviables: el de no asegurar la presencia de todos los Estados de la Unión, de manera simultánea, en la Comisión.

---

[54] Comunicación del Gobierno italiano de 23 de mayo de 1995 sobre la Conferencia Intergubernamental de revisión del Tratado de Maastricht, en *Libro Blanco sobre la Conferencia Intergubernamental de 1996, vol. II, op. cit.*, p. 101.

[55] Apartado 116 del Informe del Grupo de Reflexión y Apartado 6, cap. 16, del Proyecto de la Presidencia irlandesa de la CIG, *Adapter l'Union Européenne dans l'interet de ses citoyens et la préparer pour le futur. Cadre Général pour un projet de révision des traités, op. cit.*

[56] Apartado 116 del Informe del Grupo de Reflexión, *op. cit.*

[57] Apartado 7, cap. 16, del Proyecto de la Presidencia irlandesa de la CIG, *Adapter l'Union Européenne dans l'interet de ses citoyens et la preparer pour le futur. Cadre Général para un projet de révision des traités, op. cit.*

En otro ámbito se encontraban quienes defendían que la cuestión del número de comisarios no es el auténtico problema de la Comisión, basándose en el hecho de que muchos Estados miembros de la Unión cuentan con Consejos de Ministros de hasta treinta y seis miembros[58]. Y se insiste en este planteamiento llegando a alegar incluso motivaciones democráticas. Pero posiblemente se olvida que la composición de la Comisión nada tiene que ver con la democracia, porque su legitimación debe encontrarse en las garantías del nombramiento de sus miembros y en el control político ejercido sobre sus actos, mientras que, en cambio, sí es muy importante el respeto de su naturaleza independiente, de su carácter supranacional y de la eficacia de su misión. Posiblemente, en aplicación de los principios informadores de la reforma, los Estados miembros tendrían que renunciar a toda exigencia de nacionalidad que supusiera un riesgo permanente de intergubernamentalización de la Comisión, con la finalidad de conseguir una verdadera defensa del principio democrático.

En el Informe del Grupo de Reflexión se hacía referencia a la revisión del procedimiento de nombramiento de la Comisión en uno de los apartados dedicados al Parlamento Europeo. Con ello se pone de manifiesto que varios miembros del Grupo consideraban que el procedimiento, previsto por el antiguo artículo 158 del TCE, representaba un «equilibrio satisfactorio y no debería ser modificado», y que tan sólo algunos «preferirían que el Parlamento Europeo eligiera al Presidente de la Comisión a partir de una lista propuesta por el Consejo Europeo»[59]. El replanteamiento de la revisión del procedimiento de nombramiento de la Comisión ante la CIG se debe a que el Tratado de Maastricht, aun introduciendo una clara mejoría con relación a la situación anterior en términos de legitimación democrática, no alcanzó a cumplir todos los objetivos perseguidos por los defensores de dicha reforma[60]. A este

---

[58]   Apartado 115 del Informe del Grupo de Reflexión, *op. cit.*

[59]   Apartado 88 del Informe del Grupo de Reflexión, *op. cit.* Dicha cuestión fue planteada además en el Documento presentado por el Gobierno español el 2 de marzo de 1995, «La Conferencia Intergubernamental de 1996. Bases para una Reflexión», *op. cit.*, p. 63.

[60]   J. V. LOUIS señaló que quienes defendían una reforma en este sentido de los Tratados perseguían, además de un incremento de la legitimidad democrática de

respecto, como es sabido, el art. 214 (antiguo art. 158) TCE, en su versión actual, reserva la prerrogativa de la designación del Presidente de la Comisión a los Gobiernos de los Estados miembros, previa consulta al Parlamento Europeo, así como la de los comisarios, previa consulta con el Presidente designado, para luego someter al colegio, así formado, al voto de aprobación del Parlamento, que dará paso a su nombramiento quinquenal por los Gobiernos de los Estados miembros, de común acuerdo[61].

No obstante el limitado alcance de la reforma introducida por el Tratado de Maastricht, la actitud del Grupo de Reflexión indica la absoluta inviabilidad de las propuestas avanzadas por algunos Estados y por la misma Comisión respecto de la revisión del actual sistema de nombramiento de aquélla, ya que plantear una nueva reforma podría significar ir mucho más allá de las actuales previsiones del art. 214 del TCE. Podría suponer, por ejemplo, que el Presidente de la Comisión, o bien fuese elegido, respetando el principio democrático, por el Parlamento Europeo de entre una lista de nombres presentada por el Consejo Europeo, o bien fuera designado por el Consejo Europeo y nombrado por el Parlamento. El Presidente, a su vez, sería el que propusiese a sus candidatos y todo el Colegio se sometería al voto de investidura del Consejo y del Parlamento[62]. Avances, estos últimos, que conllevarían un aumento del peso del Parlamento y del Presidente en prejuicio de las

---

la Comisión, reforzar su autonomía, aumentar tanto la autoridad de su Presidente como la del Parlamento, y dotar a la institución de una mayor cohesión interna y eficacia, objetivos que, desde luego, no se han conseguido con las modificaciones introducidas por el TUE. *Vid.* su trabajo «La désignation de la Commission et ses problemes» en LOUIS, J. V. y WAELBROECK, M.: *La Commission au coeur du système institutionnel des Communautes Européennes,* Univ. Libre de Bruxelles, 1989, p. 14.

[61] Los Tratados constitutivos no preveían la participación del Parlamento Europeo en el nombramiento de la Comisión, que correspondía, a tenor de la antigua fórmula contenida en el art. 158 TCE, a los Gobiernos de los Estados miembros actuando de común acuerdo.

[62] Propuestas incluidas en el apartado 41 del Dictamen de la Comisión sobre «La Conferencia Intergubernamental de 1996: reforzar la unión política y preparar la ampliación», *op. cit.*; y en el documento «Portugal y la CIG para la revisión del TUE», *op. cit.*, p. 142.

atribuciones que en esta materia ostentan, en la actualidad, los Estados miembros. Avances para los que, en definitiva, los propios países miembros todavía no están preparados.

El Informe del Grupo de Reflexión se ocupó, también, del problema del control de la actividad de la Comisión. Es conocido que los Tratados constitutivos configuran a la Comisión, en primer lugar, como la única institución que responde políticamente ante el Parlamento, debiendo presentar anualmente un informe general sobre las actividades de las Comunidades —informe que es discutido por el Parlamento en sesión pública, conforme al art. 200 (antiguo art. 143) TCE—; y, por otra parte, como una institución que está sometida a la posibilidad de sufrir una moción de censura por parte del Parlamento Europeo a causa de su gestión, moción que, en caso de prosperar, obliga los miembros de la Comisión a renunciar colectivamente —y no individualmente— a sus cargos, siempre que venza por una mayoría de 2/3 de los votos emitidos, que representen, a su vez, a la mayoría de los eurodiputados —art. 201 (antiguo art. 1440 TCE—.

El documento del Grupo abordó este tema como objetivo general y con breves palabras: «Incrementar el control de la Comisión por parte del Parlamento Europeo» y/o «establecer procedimientos que faciliten el control de la Comisión por parte del Consejo»[63]. De aquí puede deducirse, con notable esfuerzo, que, tal vez, la voluntad de reforzar y ampliar los actuales sistemas de control de la Comisión, la previsión de la censura individual y la posible disminución de la mayoría necesaria en el Parlamento para remover a la Comisión, así como la eventual extensión de la responsabilidad de la misma ante el Consejo o ante el Consejo Europeo, podrían ser las medidas para conseguir aquel objetivo que, tímidamente, se planteó en el Informe del Grupo de Reflexión. A este propósito cabe preguntarse cuál podría ser la razón que justifique una referencia tan breve a cuestiones que, para ser replanteadas seriamente, necesitarían de una Conferencia Intergubernamental ad hoc, ya que implican la revisión de los equilibrios, o desequilibrios institucionales actualmente existentes en la Unión. Posiblemente la explicación se encuentre en el mismo *modus operandi* que parece inspirar, desde siempre,

---

[63]   Apartado 119 del Informe del Grupo de Reflexión, *op. cit.*

las actuaciones de los protagonistas del juego comunitario, que consiste en identificar y evidenciar los retos a superar, no con el fin de que constituyan un desafío para quien lo afronta, sino tan sólo con la intención de buscar un camino que permita evitar el hacerles frente.

En lo relativo a las competencias de la Comisión, los debates externos al Grupo de Reflexión habían evidenciado dos principales alternativas. Una intenta hacer de ella «el Gobierno de la Unión», incluso con respecto al segundo y al tercer pilar comunitarios; la otra, por el contrario, plantea que las tareas de la Comisión se limiten al ámbito administrativo, llegando a proponer su descomposición en cuatro órganos diferentes —Mercado Único, Tesoro, Comercio y Competencia— dejándole sólo en el primer ámbito el derecho de iniciativa compartido con el Consejo[64].

Parece normal que ninguna de estas dos posturas tuviese posibilidades de prosperar, como puede demostrarse comprobando que en casi ninguno de los documentos oficiales presentados con ocasión de la CIG se planteaban propuestas que pudieran ser reconducidas a una de ellas. Lo más probable era que la Comisión contara con los apoyos suficientes como para conservar el actual «cuasi-monopolio» de la iniciativa en el primer pilar[65] y que, además, dicha función pudiera verse potenciada respecto del segundo y del tercer pilar. En este mismo sentido pareció expresarse el Grupo de Reflexión, al considerar el mantenimiento del

---

[64]   REMIRO BROTONS, A.: «Consideraciones sobre la Conferencia Intergubernamental de 1996» en *Reflexiones sobre la Conferencia Intergubernamental de 1996, op. cit.*, pp. 77 y ss.

[65]   En los Tratados de Roma, el principio vigente es que el Consejo puede decidir tan sólo «a propuesta de la Comisión». No obstante, este fundamental papel que los autores de los Tratados decidieron conferir a la Comisión en el proceso de toma de decisiones se ha visto menoscabado, tanto en la práctica comunitaria, como gracias a los ajustes introducidos por el TUE (Concesión del derecho de iniciativa al Banco Central Europeo y del derecho de iniciativa indirecto al Parlamento). Además, en el procedimiento de codecisión la necesidad para el Consejo de conseguir la unanimidad para apartarse del texto de la propuesta de la Comisión está expresamente descartada cuando el Consejo y el Parlamento se hayan puesto de acuerdo, sobre un proyecto común, en el seno del Comité de Conciliación.

monopolio de iniciativa de la Comisión como aspecto fundamental del equilibrio institucional de la Comunidad, aunque dicho monopolio «se ejercerá sin perjuicio del derecho de evocación previsto en el Tratado y de la inclusión eventual de una obligación de responder a la solicitud»[66]. No obstante estas premisas, con algunos artículos del nuevo Tratado[67] se introduce la posibilidad de que el Consejo pueda decidir, además de a propuesta de la Comisión, a iniciativa de un Estado miembro. Con estas previsiones se limita aún más, tanto formal como sustancialmente, el monopolio de iniciativa de la Comisión y, se da un evidente paso atrás, tanto respecto de las propuestas presentadas, como en cuanto a la persecución de una Unión Europea más democrática.

Las ulteriores modificaciones introducidas por el Tratado de Amsterdam en relación con la Comisión, aunque abarquen el procedimiento de nombramiento del Presidente y de los comisarios, no vencen los pesimistas pronósticos avanzados respecto de este asunto. En efecto, los nuevos párrafos del apartado 2 del art. 214 (antiguo art. 158) TCE señalan: «Los Gobiernos de los Estados miembros designarán de común acuerdo a la personalidad a la que se proponga nombrar presidente de la Comisión; el Parlamento deberá aprobar dicha designación». «Los Gobiernos de los Estados miembros, de común acuerdo con el presidente designado, designarán a las demás personalidades a las que se propongan nombrar miembros de la Comisión».

Gracias a la nueva formulación de los dos preceptos antes citados, en primer lugar se convierte el derecho de los Gobiernos en una propuesta que ahora ha de ser aprobada, y no meramente dictaminada, por el Parlamento. Dicha modificación probablemente responde a la satisfacción de un criterio de coherencia mucho más que al de democratización, dado que el Tratado de Maastricht dejaba abierta la, aunque remota, verdadera posibilidad de que se pudiera designar a un Presidente que luego hubiese podido ser rechazado por el Parlamento tras el desgaste habido en la formación de su equipo. En segundo lugar, se fortalece la dimensión política y la preeminencia del Presidente de la Comisión, sustituyendo el sistema de las consultas entre este último y los Gobiernos

---

[66]   Apartado 109 del Informe del Grupo de Reflexión, *op. cit.*
[67]   Véanse, por ejemplo, los arts. 42 (K 14) del TUE y 67 (73 O) del TCE.

a fin de designar a los demás miembros de la Comisión estando él de acuerdo.

En la misma dirección parece, también, apuntar el nuevo primer párrafo del art. 219 (antiguo art. 163) del TCE, que en su nueva redacción establece que «la Comisión ejercerá sus funciones bajo la orientación política de su Presidente». Esta preocupación por aumentar la autoridad del Presidente se puede explicar a raíz de un apartado del Informe del Grupo de Reflexión que, en principio, podía parecer de poca relevancia. En él se apuntaba que los partidarios de mantener el sistema actual de composición del Colegio de Comisarios, aunque hubiese llevado a una Comisión de treinta y seis miembros, defendían que «la Comisión ampliada puede reforzar sus vínculos de coherencia interna y de colegialidad, adaptando sus métodos de trabajo, y, de ser necesario, sus procedimientos de toma de decisiones. Su eficacia podría también aumentarse a través de una *mayor autoridad del Presidente*»[68]. Además de las citadas previsiones de los art. 214 y 219 TCE, y a fin de tener una más amplia percepción de los fines últimos de las reformas perpetuadas con el Tratado de Amsterdam, hay que evidenciar el contenido de la declaración en el Acta Final sobre la organización y funcionamiento de la Comisión, según la cual la Conferencia «toma nota de que la Comisión tiene intención de preparar a su debido tiempo la reorganización de las funciones en el colegio que entrará en funciones en el 2000, a fin de garantizar una división óptima entre carteras convencionales y funciones específicas»[69] y «considera que el Presidente de la Comisión deberá gozar de amplia libertad para conferir funciones dentro del colegio, así como en cualquier reorganización de dichas funciones durante un mandato de la Comisión».

---

[68] Apartado 109 del Informe del Grupo de Reflexión, *op. cit.*; la cursiva es de la autora.

[69] Si bien es cierto que esta fecha coincide con la prevista para la renovación de los miembros de la Comisión elegidos en 1995, tampoco hay que descartar que la duración de las negociaciones para la quinta ampliación y el necesario requisito de las ratificaciones por todas las partes contratantes lleve a la consideración de que la fecha más realista para la efectiva adhesión de nuevos países a la Unión sea la de los años inmediatamente posteriores al 2000.

A falta de una pieza clave, que se mencionará más adelante, la reconstrucción hasta aquí llevada a cabo del rompecabezas que la Conferencia ha elaborado, proporciona una visión suficientemente clara de los fines de la reforma. Esos fines demuestran que, a pesar del proclamado aumento de la democracia, la transparencia y la eficacia en el seno de la Unión, los Gobiernos de los Estados miembros, en realidad, sólo se han preocupado por prepararlo todo para mantener el *statu quo* en un espacio de tiempo lo más largo posible.

V. El Protocolo anexo al Tratado de la Unión Europea y a los Tratados constitutivos de las Comunidades sobre las instituciones en la perspectiva de la ampliación de la Unión Europea

El Tratado de Amsterdam incluye un «Protocolo sobre las instituciones en la perspectiva de la ampliación de la Unión Europea», Protocolo que contiene unas disposiciones que se incorporarán como anexos a los Tratados.

El art. 1 del Protocolo establece que, en la misma fecha de la entrada en vigor de la primera ampliación, la Comisión pasará a estar compuesta por un nacional de cada uno de los Estados miembros, siempre a condición de que para esta misma fecha se haya conseguido acordar una modificación de la ponderación de votos en el Consejo de manera aceptable para todos los Estados miembros y que tenga en especial consideración la compensación a aquellos Estados miembros que renuncien a la posibilidad de designar un segundo miembro de la Comisión.

La decisión de eliminar la prerrogativa de los Estados más grandes de contar con dos Comisarios en concomitancia con la próxima ampliación, evidentemente no representa un avance hacia la renuncia por parte de los Estados a la exigencia de una representación nacional en la Comisión. Sin embargo, se traduce en la pieza clave que permite completar y confirmar el cuadro del alcance de las reformas. Un cuadro que, lamentablemente, no sorprende, ya que en la relativamente breve historia de la construcción europea han sido muchos los intentos para adecuar el marco institucional a las necesidades de desarrollo de la Unión que han desembocado en un fracaso.

Al contrario, lo que sí debería sorprender, dado que la Comisión, en principio, está destinada a la representación autónoma del interés común, es que se ponga en relación el número de Comisarios con la ponderación de votos en el Consejo, y aún más que se llegue a plantear una reforma de la ponderación de los votos en el Consejo en función de una compensación para los Estados que han aceptado renunciar a sus privilegios en la composición de la Comisión. Ante estos resultados, es de rigor preguntarse qué valor pueden tener los planteamientos que alegaban la necesidad de conseguir con la reforma unas instituciones más democráticas, eficientes, y transparentes, y, al darse cuenta de que la única contestación posible es «ninguno» puede que se consiga percibir claramente lo lejana que se encuentra todavía la consolidación de un proceso federal europeo.

El art. 2 del citado Protocolo establece que «al menos un año antes de que el número de Estados miembros de la Unión Europea exceda de veinte, se convocará una conferencia de representantes de los gobiernos de los Estados miembros con el fin de efectuar una revisión global de las disposiciones de los Tratados sobre la composición y el funcionamiento de las instituciones».

Gracias a este artículo, una vez más, y con fecha a determinar, se aplaza la solución de la cuestión de la reforma de las instituciones de la Unión. El Tratado de Amsterdam, en este sentido, vuelve a perpetuar una técnica que desde siempre se ha utilizado en las actuaciones comunitarias. Una técnica muy parecida a la que utilizaba Penélope para no tener que elegir su nuevo esposo: durante el día, y de cara al exterior, las diversas instancias Europeas, elaboran estudios e informes, que incluyen propósitos grandilocuentes y proyectos esperanzadores. Sin embargo, por la noche, se intenta buscar la solución que, aunque represente tan sólo la consecución de ajustes menores, consiga poner a todos de acuerdo, ya que es la unanimidad la que permite la aprobación de las modificaciones de los Tratados.

Y así, de Tratado en Tratado, van pasando los años. Sin embargo, Penélope ya no consigue mantener engañados a todos sus pretendientes, los cuales, a pesar de la efectividad de la estrategia de aquélla, no están dispuestos a renunciar al convencimiento de que sea no sólo posible sino necesario llegar a la consolidación de una Unión Europea más democrática. Y esto tan sólo abandonando las técnicas de revisión de los Tratados orientadas a solucionar problemas insoslayables y defendiendo la necesidad de una reforma mucho más amplía, capaz de colmar el que se sigue definiendo como «déficit democrático» a pesar de que se configure, cada vez más, como «déficit constitucional» de la Unión Europea[70].

---

[70]   Véase al respecto, VICIANO PASTOR, R.: «El futuro de la Unión: ¿déficit democrático o déficit constitucional?», en *Los retos de la Unión Europea ante el siglo XXI*, UNED, Madrid, 1997, pp. 33-56.

EL TRIBUNAL DE JUSTICIA, EL TRIBUNAL DE PRIMERA INSTANCIA Y EL TRIBUNAL DE CUENTAS DE LAS COMUNIDADES EUROPEAS ANTE LA CONFERENCIA INTERGUBERNAMENTAL DE 1996. PROPUESTAS DE REFORMA Y SU PLASMACIÓN EN EL TRATADO DE AMSTERDAM

Mª Josefa Ridaura Martínez
Profesora Titular de Derecho Constitucional
Universitat de València

I. El Tribunal de Justicia

1. Introducción

Las Comunidades Europeas, al constituir una comunidad de derecho, gozan de una organización judicial propia que descansa, esencialmente, sobre el Tribunal de Justicia. Organo supremo, creado en 1952 y convertido en Institución común a partir de 1958, el Tribunal de Justicia —como máximo intérprete de los Tratados— es, en virtud de los mismos, el encargado de garantizar el respeto del derecho en la interpretación y la aplicación de los Tratados. Debe garantizar, fundamentalmente, que la aplicación del Derecho comunitario no suponga discriminaciones ni ponga en peligro la consecución de los objetivos de los Tratados. Y, fundamentalmente, debe garantizar la unidad de la interpretación del Derecho comunitario por parte de las jurisdicciones nacionales encargadas de su aplicación[1].

---

[1]   *Vid.* «Informe de la Comisión para el Grupo de Reflexión», Oficina de Publicaciones Oficiales de las Comunidades Europeas, Luxemburgo, 1995, p. 33.

Debido a las importantes funciones que le atribuyen los Tratados, el Tribunal de Justicia ha sido una pieza clave para la interpretación, y sobre todo, aplicación del Derecho comunitario. En efecto, principios tan esenciales como la propia «aplicabilidad directa» y la «primacía de la norma comunitaria sobre las normas de los Estados» han sido de creación jurisprudencial[2]. Desde su creación, cuenta con una copiosa jurisprudencia que ha contribuido a consolidar el Derecho Comunitario, «confiriendo a los Tratados un alcance muy superior al que sus redactores habían imaginado»[3].

Progresivamente el incremento de los asuntos planteados ante el Tribunal fue tal que hubo que adoptar medidas para agilizar su trabajo, ya que su eficacia se veía seriamente amenazada. Sin duda, la más importante fue la entrada en funcionamiento del Tribunal de Primera Instancia en 1989. Aún conservándose la unidad jurisdiccional se producía un reparto de competencias entre ambos órganos jurisdiccionales facilitando, de este modo, la resolución de un mayor número de asuntos.

Más tarde, el Tratado de la Unión Europea introdujo una serie de reformas procedimentales tendentes a agilizar la resolución de los asuntos[4], pero parece que estas reformas puntuales tampoco pusieron fin a las necesidades del propio Tribunal. Quedaba pendiente un capítulo importante de reformas de diversa índole. A pesar de ello, la revisión de las disposiciones del Tratado relativas al Tribunal de Justicia no estaban, según el mismo Tratado, en el orden del día de la Conferencia Intergubernamental. Sin embargo, el Consejo de Bruselas de 1993 y el de Corfú de 1994 decidieron incluir la revisión de algunos aspectos relativos

---

[2]   Dichos principios fueron perfilados por el Tribunal en las conocidas sentencias Van Gend en Loos (1962), Costa/ENEL (1964) y Simmenthal (1978).

[3]   MORATA, F.: *La Unión Europea. Procesos, actores y políticas*, Ariel, Barcelona, 1998, p. 241.

[4]   La primera innovación era la nueva versión del párrafo tercero del artículo 165. Esta disposición permite que el TJ remita a una Sala cualquier asunto, salvo si un Estado miembro o una institución que sea parte en el proceso solicita que el asunto sea juzgado por el Pleno. Aunque reserva para este último los asuntos que plantean problemas fundamentales, el TJ hace uso frecuente de la nueva posibilidad que se le ofrece, lo que probablemente ha contribuido a reducir la duración de los procesos.

al mismo. De ahí que, tanto el propio Tribunal como las demás instituciones y los Estados miembros se pronunciaran sobre algunos extremos cuya revisión consideraban necesaria y/o conveniente.

El análisis de los puntos más conflictivos que rodean a esta institución, junto con el Tribunal de Primera Instancia y el Tribunal de Cuentas, las correlativas propuestas de reformas y su plasmación en el Tratado de Amsterdam constituyen, pues, el objeto del presente trabajo.

Sin perjuicio de analizar de forma pormenorizada las distintas propuestas, la mayoría de ellas convergen en la misma idea: reforzar el papel del Tribunal, destacando el papel que éste desempeña al velar por la Comunidad de Derecho, por la unidad jurídica en la interpretación del ordenamiento comunitario y por la protección de los derechos de los ciudadanos individuales[5].

2. El Tribunal de Justicia ante la Conferencia Intergubernamental. Propuestas de reforma

Las propuestas de reforma del Tribunal de Justicia han sido numerosas. Con el objeto de llevar a cabo un tratamiento más sistemático de las mismas podemos agruparlas del siguiente modo:

A) Nombramiento de los Jueces:

En el sistema actual, los jueces son designados de común acuerdo por los Gobiernos de los Estados miembros. Han de ser elegidos entre personalidades que ofrezcan garantías de independencia y que reúnan las condiciones requeridas para el ejercicio, en sus respectivos países, de las

---

[5]   «Elementos para una posición española en la Conferencia Intergubernamental de 1996»; «Nota política del Gobierno al Parlamento belga sobre la CIG de 1996»; «Hacia una Europa de los Ciudadanos, democracia y desarrollo», Memorandum de Grecia para la CIG de 1996, de enero de 1995; Irlanda: Libro Blanco sobre Política Exterior: «Desafío y oportunidades en el exterior», de 26 de marzo de 1996, todos en *Libro Blanco sobre la Conferencia Intergubernamental de 1996*, vol. II, Parlamento Europeo, Luxemburgo, 1996.

más altas funciones jurisdiccionales o que sean jurisconsultos de reconocida competencia.

Este sistema ha recibido una serie de críticas provenientes, sobre todo del Parlamento Europeo, por considerar que es poco democrático. De ahí que se formularan diversas iniciativas en relación con el sistema actual:

- que fueran nombrados por el Consejo y el Parlamento (Informe Spinelli, Herman y Rothley).

- que fueran nombrados previa consulta con el Parlamento (Informe Bourlanges/Martin).

- que fueran nombrados previa consulta con el Parlamento y el Consejo (España).

- El Tribunal de Justicia valoraba satisfactoriamente el sistema de designación. En esta línea, el Tribunal consideraba inaceptable la posibilidad de una modificación del sistema que supusiera la comparecencia de los candidatos ante comisiones parlamentarias, ya que ello no se avenía con la esencia de la función jurisdiccional[6], si bien no se pronunciaba sobre la participación del Parlamento en su nombramiento.

- Algunos países, como Luxemburgo, Finlandia y Portugal, no consideraban necesario cambiar el sistema actual[7]. Esta ha sido, finalmente, la tesis triunfadora, ya que el sistema actual de nombramiento de los jueces se perpetua sin sufrir cambio alguno en el nuevo Tratado de Amsterdam.

---

[6]   Informe del Tribunal de Justicia sobre determinados aspectos de la aplicación del Tratado de la Unión Europea, de mayo de 1995.

[7]   «Prontuario/Memorandum del gobierno luxemburgués de 30 de junio de 1995 sobre la Conferencia Intergubernamental de 1996»; «Memorandum del Ministerio de Asuntos Exteriores del 18 de septiembre de 1995 sobre los puntos de vista del Gobierno finlandés en relación con la Conferencia Intergubernamental de 1996»; «Portugal y la Conferencia Intergubernamental para la revisión del Tratado de la Unión Europea. Documento del Ministerio de Asuntos Exteriores de marzo de 1996», en *Libro Blanco sobre la Conferencia Intergubernamental de 1996*, vol. II, Parlamento Europeo, Luxemburgo, 1996.

B) Número de Jueces

En sus inicios, el Tribunal estaba formado por siete jueces, número que ha ido incrementándose al ritmo de las nuevas adhesiones de Estados, ya que la regla para determinar su composición ha sido «un Estado, un Juez», aunque ésta no se establece en el Tratado CE. Lo que sí que permite su artículo 221 es la posibilidad de ampliar el número de jueces por decisión unánime del Consejo, previa solicitud del propio Tribunal. Tras la última ampliación, el Tribunal de Justicia está formado por 15 jueces, lo que sigue asegurando la representación de los diferentes sistemas jurídicos nacionales. Ahora bien, los Estados no pueden reivindicar un juez *ad hoc* si en la formación encargada de juzgar un asunto no hay un juez de su nacionalidad[8].

Tras la ampliación de la Unión Europea, el Tribunal de Justicia se enfrentará también al reto del número de miembros. La perspectiva de llegar a la sesentena de magistrados en el Tribunal de Justicia y en el Tribunal de Primera Instancia, según la Comisión[9], impone una reflexión profunda sobre las consecuencias de tal evolución. La problemática que se plantea al respecto se refiere a la conveniencia o no de mantener la actual regla de nombrar a un juez por cada Estado miembro, ya que ello daría lugar a un fuerte y temido incremento del número de jueces. Estos riesgos se han puesto de manifiesto por diversos sectores. Por ejemplo, Fernand Grévisse advierte que provocaría problemas de eficacia, coordinación y homogeneidad de las decisiones[10].

Por su parte, el Consejo Europeo de Bruselas, celebrado en diciembre de 1993, decidió que el número de miembros del Tribunal aumentara en función de las futuras adhesiones a la Unión Europea. Siguiendo esta línea, la mayoría de las propuestas formuladas al respecto coincidían en mantener

---

[8]   *Vid.* con más detalle RODRÍGUEZ IGLESIAS, G. C.: «El Tribunal de Justicia de las Comunidades Europeas», en *El Derecho Comunitario Europeo y su aplicación judicial*, dir. RODRÍGUEZ IGLESIAS, G. C. y LIÑÁN NOGUERAS, D. J., Civitas, Madrid, 1993, pp. 374-375.

[9]   Dictamen de la Comisión «Reforzar la unión política y preparar la ampliación» (28 de febrero de 1996).

[10] GRÉVISSE, F.: «La Cour de Justice et la révision de 1996», *Revue du Marché commun et de l'union européenne*, nº 384, enero 1995, p. 11.

la representación de todos los Estados en el seno del Tribunal, si bien se aportaban diversas soluciones para paliar los problemas que ello acarrearía, y pocos se mostraban partidarios de congelar el actual número de miembros.

En su informe al Grupo de Reflexión, el Tribunal de Justicia hacía hincapié en la importancia de que estuvieran representados los diferentes sistemas jurídicos nacionales pero, asimismo, señalaba que «un aumento importante del número de jueces podría tener como resultado que el Tribunal de Justicia, al actuar en Pleno, atravesara la frontera invisible que separa a un órgano jurisdiccional colegiado de una asamblea deliberante; además, en la medida en que la inmensa mayoría de los asuntos serían juzgados por las Salas, podría poner en peligro la coherencia de la jurisprudencia»[11].

Algunos Estados se inclinaban por mantener el principio «un Estado, un Juez», pero proponían introducir un sistema de dos Salas Plenarias a fin de asegurar la efectividad de las deliberaciones. Para evitar el peligro de que no se produjese la aplicación uniforme del derecho comunitario por ambas Salas se sugería la posibilidad de hacer rotar a los Jueces, o bien hacer actuar como intermediario al Abogado General[12].

La propuesta de España era interesante, ya que se pronunciaba en favor de ampliar el número de jueces, pero sugería, alternativamente, la creación de Salas especializadas y que, a efectos de participación nacional, se considerase no sólo a los jueces sino también a los abogados generales.

C) Duración del mandato

La duración del mandato de los jueces es en la actualidad de seis años y su mandato es susceptible de renovación. Cada tres años tiene lugar una renovación parcial, que afecta alternativamente a 8 y 7 jueces.

---

[11]   Informe del Tribunal de Justicia, *op. cit.*
[12]   «Cuarto memorandum del Gobierno holandés, de 12 de julio de 1995: la Reforma Institucional de la Unión Europea». También es favorable a mantener un Juez por cada Estado el Gobierno sueco: «Comunicación del Gobierno sueco de 30 de noviembre de 1995 sobre la Conferencia Intergubernamental», en *Libro Blanco sobre la Conferencia Intergubernamental de 1996*, vol. II, Parlamento Europeo, Luxemburgo, 1996.

En sintonía con el Parlamento, quien propone una ampliación del mandato a nueve años no renovables, el Tribunal de Justicia también se pronunciaba en favor de un mandato más largo y no renovable, con lo que se aseguraría una mayor independencia de sus miembros y una continuidad de su jurisprudencia[13]. La Comisión sostenía, asimismo, las sugerencias del Tribunal en cuanto a la posibilidad de prolongar, sin posibilidad de renovación, el mandato de los jueces, con el fin de sentar aún más su independencia.

En el mismo sentido se formularon otras propuestas (Grupo de Reflexión, informes Herman, Rothley, Bourlanges/Martin, y España) ampliándola también a los abogados generales del TJ y a los jueces del Tribunal de Primera Instancia.

Pese a tantas posiciones coincidentes en favor de una prolongación no renovable del mandato, el sistema actual ha logrado resistirse a las mismas.

D) Organización interna

El Tribunal de Justicia está constituido en Pleno y Salas, estas últimas compuesta por tres, cinco o siete jueces (art. 221 TCE).

El Tratado de la Unión Europea hizo necesario modificar tanto el Estatuto del Tribunal de Justicia como los Reglamentos de Procedimiento[14].

La primera innovación se tradujo en la nueva versión del párrafo tercero del artículo 221. Esta disposición permite que el TJ remita a una Sala cualquier asunto, salvo si un Estado miembro o una institución que

---

[13]   Vid. VALDÉS ALONSO, C. M.: «La Unión Europea ante la Conferencia Intergubernamental de 1996: aspectos institucionales», Boletín Asturiano sobre la Unión Europea, p. 11.

[14]   El Estatuto fue aprobado mediante Decisión del Consejo de 22 de diciembre de 1994 (DO L 379, de 31.12.1994), actualizado por la Decisión de 6 de junio de 1995 (DO L 131, de 15.6.1995). El Reglamento de Procedimiento fueron aprobadas, previa aprobación del Consejo, el 21 de febrero de 1995 (DO L 44, de 28 de febrero de 1995).

sea parte en el proceso solicita que el asunto sea juzgado por el Pleno. Aunque reserva para este último los asuntos que plantean problemas fundamentales, el TJ hace uso frecuente de la nueva posibilidad que se le ofrece, lo que probablemente ha contribuido a reducir la duración de los procesos[15]. La decisión por la que se atribuye un asunto será tomada por el Tribunal al concluir la fase escrita del procedimiento, teniendo en cuenta el informe preliminar presentado por el juez ponente y oído el abogado general. La Sala, en cualquier momento del procedimiento, podrá devolver al Tribunal un asunto. Si bien, el TJ se reunirá en sesión plenaria cuando lo solicite un Estado miembro o una institución de la Comunidad que sea parte en el proceso.

Es el Presidente del Tribunal quien atribuirá el asunto a una sala y designará de entre sus miembros al juez ponente, aunque es el Tribunal el que fija los criterios con arreglo a los cuales se repartirán los asuntos. La práctica habitual es que corresponde al Pleno la decisión de cuestiones de principios, a las Salas de 5 magistrados el desarrollo de la jurisprudencia y a las salas de 3 la aplicación de la jurisprudencia.

La mayoría de las propuestas formuladas en este orden predicaban, generalmente, una mayor flexibilidad en el funcionamiento interno del Tribunal (Bourlanges/Martin). El Parlamento, por su parte, consideraba que se deberían establecer modos de organización interna más flexibles para que el Tribunal de Justicia y el Tribunal de Primera Instancia puedan hacer frente al incremento de su carga de trabajo y a la perspectiva de nuevas adhesiones. Para ello convendría utilizar la posibilidad que ofrece el aumento del número de jueces como consecuencia de nuevas adhesiones para formar un mayor número de salas especializadas. En todo caso, las medidas adecuadas al efecto se sitúan en el marco del Estatuto del Tribunal y del Reglamento de Procedimiento, o incluso en el ámbito de la mera práctica, y no requieren modificaciones del Tratado.

---

[15]   *Vid.* el Informe del Tribunal de Justicia. La duración media de los procedimientos relativos a recursos directos ante el TJ pasó de 22,9 meses en 1993 a 20,8 meses en 1994; la de los procedimientos prejudiciales, de 20,4 meses a 18,0 meses; a de los recursos de casación de 19,2 a 21,2. Este último dato se explica, en particular, por el incremento relativo de los recursos de casación en materia de competencia.

Por otra parte, el Tribunal de Justicia proponía flexibilizar el artículo 188 párrafo tercero TCE en virtud del cual se requiere la aprobación unánime del Consejo para modificar el Reglamento de procedimiento. El Tribunal sugería, en este sentido, que él mismo fuera competente para adoptar su Reglamento sin la aprobación del Consejo o, en la medida en que los Estados miembros consideraran indispensable conservar su facultad de dar el visto bueno a dicho texto normativo, que se presumiera concedida tal aprobación una vez transcurrido un plazo determinado sin que el Consejo hubiera introducido modificaciones en el proyecto del Tribunal de Justicia. En el mismo sentido, el Grupo, con sólo algunas reservas, se mostraba dispuesto a recomendar que se considerase la modificación del artículo 188 propuesta por el Tribunal para poder aprobar su reglamento interior, facultad de la que ya disponen otras instituciones y órganos.

La propuesta de España en el sentido de que el Tribunal debería acelerar sus procedimientos y mejorar sus servicios de traducción recibió una acogida favorable en el Grupo de Reflexión.

En otro orden, el Tribunal de Justicia sugería la modificación del párrafo quinto del artículo 223 del Tratado CE (y las disposiciones concordantes de los Tratados CECA y EURATOM) en el sentido de permitir que los abogados generales, y no sólo los jueces, participasen en la elección, de entre los jueces, del Presidente del Tribunal. El fundamento de esta propuesta residía en el hecho de que la situación estatutaria de los abogados generales es idéntica a la de los jueces. Son miembros del Tribunal; tienen las mismas responsabilidades en lo relativo a las decisiones de carácter administrativo, y el funcionamiento de la Institución les afecta de la misma manera. Se concretaba la propuesta en que los abogados generales fueran electores pero no elegibles[16].

Tomando en consideración las propuestas de reforma relativas al funcionamiento interno del Tribunal, ciertamente, sólo dos de ellas requerían la modificación de los Tratados. Las demás pueden reconducirse a reformas reglamentarias de carácter procedimental que pueden demorarse más por la necesidad de contar con la aprobación del Consejo, al no haberse aceptado la propuesta del Tribunal.

---

[16]   *Vid.* Informe del Tribunal de Justicia, p. 12.

E) Legitimación

En relación con este tema, el TUE introdujo una serie de modificaciones que se plasmaron en el artículo 230 TCE: por un lado recogió la tesis formulada por el TJ en la Sentencia de 23 de abril de 1986 (caso los Verdes) en la que extendía el control de la legalidad de los actos del Parlamento Europeo destinados a producir efectos jurídicos frente a terceros. Por otro, y en relación con la legitimación activa, frente a la posición privilegiada de los Estados miembros, el Consejo y la Comisión para interponer el recurso de anulación contra cualquier acto, sin necesidad de demostrar un interés particular, se limitaba la legitimación del Parlamento para actuar únicamente en defensa de sus prerrogativas, tal y como había reconocido el propio Tribunal[17].

De este modo, el artículo 230 del TCE establece la competencia del Tribunal de Justicia para pronunciarse sobre los recursos interpuestos por el Parlamento Europeo y por el Banco Central Europeo con el fin de salvaguardar sus prerrogativas. El Tribunal de Cuentas proponía ante la Conferencia Intergubernamental la modificación de este artículo con el objeto de que también se le concediera a él legitimación para acudir al TJ con el fin de salvaguardar sus prerrogativas. Esta pretensión ha sido acogida favorablemente y para ello se ha modificado el párrafo tercero del art. 230, dando cabida, de esta forma, al Tribunal de Cuentas.

Por su parte, El Parlamento Europeo proponía ampliar las posibilidades de someter asuntos al TJ de modo que cada una de las instituciones de la Unión tuviera la posibilidad (además de la interposición de recursos prevista en el artículo 230) de incoar una acción ante el Tribunal cuando considerase que sus derechos hubieren sido lesionados por el hecho de que otra institución o un Estado miembro no hubieran dado cumplimiento a una obligación prevista en el Tratado. Con ello, el Parlamento pretendía equipararse al Consejo, a los Estados Miembros, a la Comisión ya que los dos primeros gozan de legitimación para interponer el recurso por incumplimiento, mientras que la última tiene la iniciativa en la fase

---

[17]   Vid. DÍEZ-HOCHLEITNER, J. y MARTÍNEZ CAPDEVILLA, C.: *Derecho Comunitario Europeo*, McGraw-Hill, Madrid, 1996, p. 170.

administrativa previa (en el mismo sentido se pronunciaban también Rothley, Bourlanges/Martin, y el propio Tribunal de Justicia).

El Comité de la Regiones solicitaba una legitimación activa privilegiada para él y para las regiones dotadas de poderes legislativos en el recurso de nulidad. Además, proponía la modificación del párrafo tercero del artículo 230 del Tratado CE en el siguiente tenor:

> *«El tribunal será competente en las mismas condiciones para pronunciarse sobre los recursos interpuestos por el Parlamento Europeo, por el Banco Central Europeo y por el Comité de las Regiones con el fin de salvaguardar prerrogativas de éstos.*
>
> *Asimismo, será competente para pronunciarse sobre los recursos interpuestos por el Comité de las Regiones por violación del principio de subsidiariedad. Será también competente para pronunciarse sobre los recursos interpuestos por las regiones cuyas competencias legislativas se vean afectadas por un reglamento, directiva o decisión».*

Solicitaba, asimismo, legitimación activa privilegiada al Comité de las Regiones en el recurso de carencia, entendiendo que la atribución al Comité del rango institucional permitiría este resultado sin que fuera necesario modificar el artículo 232 del Tratado CE que regula dicho recurso. Alternativamente, proponía que en el caso de que no se atribuyera al Comité el rango institucional se modificara el primer párrafo de dicho precepto en el siguiente sentido:

> *«En caso de que, en violación del presente Tratado, el Parlamento Europeo, el Consejo o la Comisión se abstuvieran de pronunciarse, los Estados miembros, las demás instituciones de la Comunidad y el Comité de las Regiones podrán recurrir al Tribunal de Justicia con objeto de que declare dicha violación»*

Por último, se planteaba, por parte de Luxemburgo, la posibilidad de que los Parlamentos nacionales pudiesen acudir al TJ cuando considerasen que la Unión hubiera sobrepasado sus competencias.

Es de significar que en este capítulo sólo ha conseguido traspasar el umbral la extensión de la legitimación al Tribunal de Cuentas en defensa de sus prerrogativas.

F) Competencias

El Tribunal de Justicia, encargado de garantizar la observancia del derecho en la interpretación y en la aplicación de los Tratados, es el guardián de la legalidad de los actos y de la aplicación uniforme de las normas comunes. Ha de resolver los recursos directos interpuestos por los Estados miembros, las instituciones y los particulares; debe mantener relaciones estrechas de cooperación con los jueces nacionales a través del procedimiento prejudicial y ha de emitir dictámenes sobre determinados acuerdos que las Comunidades proyecten celebrar. De esta manera, el Tribunal de Justicia ejerce funciones que, en los ordenamientos jurídicos de los Estados miembros, incumben a los tribunales constitucionales, ordinarios y administrativos[18].

A pesar de este amplio abanico funcional, no parece que pueda hablarse de una completa y acabada configuración competencial, ya que algunas materias de especial relevancia escapan todavía del control por parte del tribunal. De modo que las propuestas dirigidas a ampliar este ámbito competencial del TJ han sido numerosas. El propio Tribunal las hace descansar sobre un presupuesto básico: el mantenimiento de la jurisdicción única con el objeto de asegurar la interpretación y aplicación uniforme del derecho comunitario[19].

Las más significativas son las relativas al control de la cooperación en los ámbitos de la justicia y de los asuntos de interior (en adelante CAJI). Gran parte de los Estados, encabezados por España, consideraban que debían reforzarse las funciones del Tribunal de Justicia en los asuntos de justicia e interior por razones de seguridad jurídica, para garantizar la protección de los derechos individuales que pudieran verse afectados en este ámbito[20].

---

[18]   *Vid.* «Informe del Tribunal de Justicia sobre determinados aspectos de la aplicación del Tratado de la Unión Europea», *op. cit.*, p. 4.

[19]   *Vid.* MORATA, F.: *La Unión Europea, op. cit.* p. 256.

[20]   «Elementos para una posición española ante la Conferencia Intergubernamental de 1996». En el mismo sentido se pronunciaron Bélgica, Luxemburgo, Países Bajos, Italia, Portugal, Finlandia y el Parlamento Europeo.

La razón no les faltaba, ya que en el TUE se sustrae al TJ la aplicación e interpretación del Tratado en el ámbito de la CAJI[21]. Sólo queda limitada su actuación a la posibilidad de atribuirse al Tribunal de Justicia determinadas competencias respecto a los nuevos convenios, limitadas no obstante a su interpretación y a la resolución de conflictos relativos a su aplicación. En cambio, en principio, se excluye la posibilidad por parte del Tribunal de verificar la validez del instrumento, bien en relación al Tratado o en relación a los principios generales del derecho o incluso a las normas superiores contenidas fundamentalmente en el Convenio Europeo para la Protección de los Derechos Humanos y las Libertades Fundamentales y el Convenio de Ginebra relativo al estatuto de los refugiados. Además, no puede atribuirse al Tribunal de Justicia ninguna competencia en lo que respecta a las posiciones y acciones comunes[22].

Las propuestas de reforma en este ámbito han encontrado su eco, ya que el Tratado de Amsterdam refuerza notablemente el papel de Tribunal de Justicia en el marco de la CAJI.

Por un lado, se produce la comunitarización del acervo de Schengen[23]. El artículo 67 del Título relativo a los visados, asilo, inmigración y otras políticas relacionadas con la libre circulación de personas prevé que, durante un período de cinco años a partir de la entrada en vigor del Tratado de Amsterdam, el Consejo, previa consulta con el Parlamento Europeo, y por unanimidad, adoptará una decisión para que todos o parte de los ámbitos relativos a esta materia se rijan por el procedimiento previsto en el artículo 251 —esto es, el procedimiento de codecisión— y a adaptar las disposiciones relativas a las competencias del Tribunal de Justicia[24].

---

[21] Resulta por lo tanto que ni el Parlamento Europeo ni la Comisión tienen la posibilidad de hacer respetar su derecho a ser consultados, informados o plenamente asociados, según los casos. Además, ni los Estados miembros ni las instituciones tienen la posibilidad de hacer respetar las obligaciones resultantes de las decisiones adoptadas.

[22] *Vid.* Informe de la Comisión para el Grupo de Reflexión (mayo de 1995).

[23] Seguimos en este punto a MORATA, F., *op. cit.*, p. 257.

[24] Indica Francisco Javier DONAIRE VILLA que este artículo «contempla una suerte de "pasarela comunitaria", autorizando al Consejo para que apruebe por unanimidad, previa consulta al Parlamento europeo y sin necesidad de interven-

Más importante aún es la reforma del artículo 35 TUE en el que se confiere competencia al Tribunal para pronunciarse, con carácter prejudicial, sobre la validez e interpretación de las decisiones marco y de las decisiones, sobre la interpretación de los convenios en este ámbito y sobre la validez e interpretación de las medidas de aplicación.

Ahora bien, la aceptación de esta competencia del Tribunal por parte de los Estados miembros parece facultativa, ya que éstos podrán aceptarla mediante una Declaración, bien en el momento de la firma del Tratado, bien en un momento posterior. De la redacción de este artículo se desprende que no existe una obligatoriedad por parte de los Estados para su reconocimiento[25]. Aunque se permite que cualquier Estado, hubiere realizado o no una Declaración de aceptación, presente memorias u observaciones ante el Tribunal de Justicia relativas a estas materias.

En esta ocasión sí con carácter general se atribuye al Tribunal una triple competencia: por una parte, el control de la legalidad de las decisiones marco y de las decisiones en relación con los recursos inter-puestos por un Estado miembro o la Comisión por incompetencia, vicios sustanciales de forma, violación del Tratado o de cualquier norma jurídica relativa a su ejecución, o desviación de poder (art. 35.6 TUE).

---

ción de los Parlamentos nacionales, que todas o parte de las materias del Título III bis pasen a regirse por el procedimiento de codecisión del artículo 189 c, lo que supondría sustituir la unanimidad por la mayoría cualificada en el Consejo y aumentar significativamente las facultades del Parlamento Europeo», en «el Tratado de Amsterdam y la Constitución», *Revista Española de Derecho Constitucional*, nº 54/1998, p. 141.

[25] En el caso de un Estado miembro formule una declaración puede optar por fijar en su contenido las vías que le ofrece el Tratado: 1) que cualquier órgano jurisdiccional del Estado cuyas decisiones no sean susceptibles de ulterior recurso judicial de Derecho interno pueda pedir al Tribunal que se pronuncie, con carácter prejudicial, sobre una cuestión planteada en un asunto pendiente ante dicho órgano jurisdiccional, relativa a la validez o a la interpretación de uno de los actos objeto de esta acción, si dicho órgano jurisdiccional estima necesaria una decisión al respecto para poder emitir su fallo; o bien 2) que cualquier órgano jurisdiccional del Estado pueda solicitar al Tribunal de Justicia que se pronuncie, con carácter prejudicial, sobre una cuestión planteada en un asunto pendiente ante dicho órgano jurisdiccional, relativa a la validez o la interpretación de uno de los actos objeto de tal acción, si dicho órgano jurisdiccional estima necesaria una decisión al respecto para poder emitir su fallo (art. 35.3 a y b).

Por otra parte, se le reconoce la competencia para pronunciarse sobre cualquier litigio entre Estados miembros relativo a la interpretación o aplicación de los actos derivados de posiciones y decisiones comunes, siempre y cuando el litigio no haya podido resolverse por el Consejo en el plazo de seis meses. Se enmienda, de este modo, la incompetencia del Tribunal hasta el momento para el conocimiento de estas materias, queja que había recogido la Comisión.

En tercer lugar, se reconoce la competencia del Tribunal de Justicia para pronunciarse sobre cualquier litigio entre los Estados miembros y la Comisión relativo a la interpretación o la aplicación de convenios en este ámbito.

Asimismo, se extiende la competencia del TJ a la denominada «cooperación reforzada» entre los Estados miembros en materia de la CAJI.

Ahora bien, se sustrae del conocimiento del Tribunal el control de la validez o proporcionalidad de operaciones efectuadas por la policía u otros servicios con funciones coercitivas de un Estado miembro, así como sobre el ejercicio de las responsabilidades que incumben a los Estados miembros respecto del mantenimiento del orden público y salvaguardia de la seguridad interior.

Por otra parte, la aplicación e interpretación de la disposiciones del Tratado sobre política exterior y de seguridad común (PESC), de acuerdo con el TUE, no le corresponden al Tribunal de Justicia (art. 46 TUE) Sólo tendrá competencia en los casos excepcionales en los que los actos adoptados en este ámbito atenten a las disposiciones de los Tratados comunitarios, si bien se es consciente de que esta falta de control jurisdiccional del Tribunal podría plantear problemas en relación con el principio de legalidad, especialmente cuando se pueda afectar a los derechos de los particulares.

En relación con estas materias de política exterior y de seguridad común, el Tribunal llamaba la atención de la Conferencia Intergubernamental sobre los problemas jurídicos que pudieran plantearse a largo plazo o, incluso, a corto plazo. Consideraba el Tribunal que es de todo punto evidente que la necesidad de garantizar la interpretación y la aplicación uniformes del derecho comunitario, así como de los convenios indisociablemente ligados a la consecución de los objetivos de los Tratados, requiere la existencia de un órgano jurisdiccional único, como el Tribunal de Justicia, que fije definitivamente el derecho para toda la Comunidad. Esta exigencia es fundamental en todo asunto que revista carácter constitucional[26].

También el Parlamento europeo se mostraba partidario de ampliar las competencias del Tribunal de Justicia en los asuntos relativos a la PESC.

Otras propuestas más puntuales hacían referencia al control jurisdiccional de los actos del BEI por el Tribunal de Justicia (Bourlanges/ Martin), a un mejor control de la protección de los derechos fundamentales extendiendo los recursos de los particulares (Tribunal de Justicia) y a la tutela de los derechos fundamentales del ciudadano europeo por el Tribunal de Justicia (Italia)[27].

España preveía un intento de reducir las capacidades del Tribunal como «creador» de derecho, compensándolo con la atribución del carácter de «Tribunal Constitucional». Este intento vendría sustentado por la doctrina jurídica alemana —y británica— mediante el recurso a una interpretación extensiva del principio de subsidiariedad, y se traduciría en una revisión del artículo 234 del Tratado, fuente principal de la capacidad jurídica del Tribunal en los últimos años. De ahí la propuesta de la reducción eventual de la competencia prejudicial[28].

Sin embargo, todas estas últimas propuestas de reforma no han alcanzado el éxito suficiente para plasmarse en el Tratado de Amsterdam.

---

[26]   *Vid.* «Informe del Tribunal de Justicia sobre determinados aspectos de la aplicación del Tratado de la Unión Europea», *op. cit.*, p. 4.

[27]   «Comunicación del Gobierno italiano de 23 de febrero de 1995 sobre las líneas directrices de su política exterior». Portugal también se muestra partidario de que el Tribunal de Justicia asuma un mayor papel en lo relativo a la protección de los derechos individuales de los ciudadanos de la Unión: «Portugal y la Conferencia Intergubernamental para la revisión del Tratado de la Unión Europea. Documento del Ministerio de Asuntos Exteriores de marzo de 1996», en *Libro Blanco sobre la Conferencia Intergubernamental de 1996*, vol. II, Parlamento Europeo, Luxemburgo, 1996.

[28]   Documento de 2 de marzo de 1995: «La Conferencia Intergubernamental de 1996. Bases para una reflexión», en *Libro Blanco sobre la Conferencia Intergubernamental de 1996*, vol. II, Parlamento Europeo, Luxemburgo, 1996.

G) Sentencias

Es cierto que las sentencias del Tribunal en las que se declare la infracción del derecho comunitario tienen un valor declarativo. No obstante, cuando el Tribunal declare que un Estado miembro ha incumplido una de las obligaciones que le incumben en virtud del Tratado, dicho Estado estará obligado a adoptar las medidas necesarias para la ejecución de la sentencia. Pero no es menos cierto que para asegurar el cumplimiento de las sentencias resulta necesario establecer una serie de medidas destinadas a tal efecto. El propio Tribunal ya había declarado la responsabilidad patrimonial de los Estados por los daños causados a los particulares derivados del incumplimiento del Derecho Comunitario, obligándoles a su reparación (Sentencia Francovich de 1991). Posteriormente el Tratado de la Unión introdujo nuevos mecanismos para dotar de mayor eficacia a las sentencias. De modo que la nueva versión del artículo 228 del Tratado CE dispone un nuevo procedimiento para asegurar el cumplimiento de las sentencias del Tribunal de Justicia, y es que, si la Comisión estima que el Estado miembro afectado no ha tomado las medidas para darle cumplimiento a la sentencia, emitirá, tras haber dado al Estado la posibilidad de presentar sus observaciones, un dictamen motivado que precise los aspectos concretos en que el Estado miembro afectado no ha cumplido la sentencia del Tribunal de Justicia.

Si el Estado no hubiere tomado las medidas que entrañe la ejecución de la sentencia en el plazo establecido por la Comisión, ésta podrá someter el asunto al Tribunal de Justicia. La Comisión indicará el importe que considere adecuado a las circunstancias para la suma a tanto alzado o la multa coercitiva que deba ser pagada por el Estado miembro afectado. Finalmente, si el Tribunal declara que el Estado no ha cumplido su sentencia, podrá imponerle el pago de una suma a tanto alzado o una multa coercitiva.

En relación con la eficacia de las sentencias del Tribunal, las propuestas han sido más reticentes. Por un lado, la Comisión se mostraba partidaria de fortalecer el papel del Tribunal de Justicia en lo que se refiere al cumplimiento de sus sentencias. Por el contrario, también se destacaba que la sentencias del TJ pueden tener consecuencias que se consideren desproporcionadas en su efecto, por lo que se sugería que la Conferencia estudiara la posibilidad de limitar la responsabilidad patrimonial de los Estados miembros cuando un Estado miembro haya tratado de cumplir con buena fe el Derecho comunitario, debiendo darse por válidos los plazos nacionales en tales casos. Se sugería igualmente que la Conferencia considerase limitar los efectos retroactivos de las sentencias. En una línea más restrictiva, el Gobierno británico apuntaba la limitación del poder del Tribunal de Justicia para acordar las compensaciones a los particulares víctimas de la no aplicación de las directivas, doctrina aportada por el Tribunal, como hemos visto, en la Sentencia Francovich.

Tampoco ha fructificado ninguna reforma en este campo. Piénsese, además, que, hasta la fecha, el Tribunal no ha hecho uso de la facultad que le confiere el artículo 228 TCE, seguramente porque con mayor o menor celeridad los Estados vienen cumpliendo con las obligaciones derivadas de sus pronunciamientos.

Conclusión

Como hemos tenido ocasión de comprobar, las propuestas de reforma ante la Conferencia Intergubernamental relativas al Tribunal de Justicia fueron numerosas, afectando a distintos órdenes. Sin embargo, muchas de ellas no han conseguido traspasar la frontera y se han quedado sólo en propuestas.

Tras pasar todos los filtros, la Cumbre de Jefes de Estado y de Gobierno celebrada en Dublín en diciembre de 1996 se hizo eco de muchas de ellas: la modificación del artículo 223; modificación del art. 245 TCE relativa a la aprobación del Reglamento de Procedimiento del Tribunal, si bien conservando la facultad del Consejo para dicha aprobación.

Quedaron pendientes de estudio diversas cuestiones como la duración del mandato de los jueces y de los abogados generales; el establecimiento de un procedimiento de apelación interno en el mismo Tribunal; la limitación del efecto retroactivo de sus sentencias; o la limitación del pago de las indemnizaciones por los Estados miembros en caso de violación grave y manifiesta del Derecho comunitario o en el caso en que el Estado miembro sea considerado responsable de acuerdo con sus normas de derecho interno; el establecimiento de un procedimiento acelerado en las cuestiones prejudiciales; la extensión de la jurisdicción del Tribunal de Primera Instancia para gozar de legitimación en cuestiones prejudiciales.

Prácticamente ninguna de estas últimas se ha cristalizado en el Tratado de Amsterdam. Ahora bien, ello no significa que todo el proceso de revisión no haya supuesto ningún cambio para el Tribunal de Justicia. Al contrario, como hemos tenido ocasión de comprobar a lo largo de la exposición, se han realizado algunas reformas puntuales y otras, más importantes, que han venido a reforzar el papel del Tribunal. Es significativo, en este sentido, todo el cambio operado en el ámbito de la CAJI. Indudablemente siempre se puede hacer más, pero el reforzamiento del Tribunal después de Amsterdam es estimable.

II. El Tribunal de Primera Instancia

1. Introducción

El Tribunal de Primera Instancia fue creado por Decisión del Consejo de Ministros de las Comunidades Europeas 88/591, de 24 de octubre de 1988.

Su creación estuvo determinada por el colapso que sufría el Tribunal de Justicia. Un amplio número de factores contribuían a la necesidad de plantear medidas que agilizaran su trabajo: el gran volumen de asuntos, el aumento competencial del mismo, la ampliación de la Unión Europea, la especialización de determinadas materias (patentes, marcas, etc) y el consiguiente retraso en la resolución de los recursos. Todo ello ponía en peligro, como indica García-Valdecasas[29], la misión fundamental confia-

---

[29]   GARCÍA-VALDECASAS y FERNÁNDEZ, R.: «El Tribunal de Primera Instancia de las Comunidades Europeas», *op. cit.* p. 404. Además, remarca el autor que «las Jurisdicciones Nacionales, ante las perspectivas de tener que añadir al ya de por si largo periodo de tiempo de duración de un proceso en el plano nacional el tiempo empleado por el TJ en resolver las cuestiones prejudiciales, podrían tener la tentación de resolver ellas mismas los problemas de Derecho Comunitario, con el riesgo evidente de interpretaciones divergentes de este Derecho y de la negación misma de lo que se ha dado en llamar "la clave de bóveda" del Derecho Comunitario. Además, los mismos principios de primacía y efectividad del Derecho Comunitario se encontraban amenazados».

da al TJ de asegurar una interpretación uniforme del Derecho Comunitario.

Tras varios intentos para crear un Tribunal de esta índole que contribuyera a descargar al Tribunal de Justicia, finalmente el Acta Unica Europea, resultado de la Conferencia Intergubernamental de los Estados miembros celebrada en Luxemburgo en 1985, contemplaba la posibilidad de que el Consejo creara el Tribunal de Primera Instancia, determinando su composición, estatuto de sus miembros, y la atribución de competencias.

En la Exposición de Motivos de la Decisión del Consejo por la que se crea el Tribunal de Primera Instancia se perfilan los objetivos que persigue su instauración: 1) mejorar la protección judicial de los justiciables mediante la creación de un doble grado en los asuntos que requieran un examen profundo de los hechos complejos, 2) que el Tribunal de Justicia concentre su actividad en su labor esencial de velar por una interpretación uniforme del Derecho comunitario, con el fin de mantener la calidad y eficacia de la protección judicial en el ordenamiento jurídico comunitario.

El Tribunal de Primera Instancia no constituye una jurisdicción independiente, sino que, de acuerdo con el artículo 225 del Tratado de la Comunidad Europea[30], se agrega al Tribunal de Justicia, sujeto al mismo por un recurso de casación limitado a las cuestiones de derecho. Está compuesto por 15 miembros, designados de común acuerdo por los gobiernos de los Estados miembros, por un periodo de 6 años renovable, entre personas que ofrezcan absolutas garantías de independencia y que posean la capacidad necesaria para el ejercicio de las funciones jurisdiccionales.

A diferencia del Tribunal de Justicia, no cuenta con abogados generales, si bien todos sus miembros, a excepción del presidente, podrán desempeñar sus funciones en los siguientes casos: cuando se reúna en pleno, o cuando reunido en sala considere que la dificultad de las

---

[30]   *Vid.* asimismo los artículos 32.5 TCECA y 140 A TCEEA del mismo contenido, y el artículo 1 de la Decisión del Consejo.

cuestiones de derecho o la complejidad de los antecedentes de hecho del asunto así lo exigen[31].

El Tribunal de Primera Instancia funciona en Pleno y en Salas integradas por 3 ó 5 jueces. La regla general es la atribución de los asuntos a una Sala, si bien ante la dificultad de las cuestiones de derecho o cuando la importancia del asunto o las circunstancias particulares lo justifique puede atribuirse el asunto al pleno o a una sala integrada por un número diferente de jueces.

Las cuestiones relativas al Estatuto de los jueces, la organización y el procedimiento son, en general salvo algunas excepciones, similares a las normas relativas al Tribunal de Justicia a las que se remite el Reglamento de Procedimiento del Tribunal de Primera Instancia.

En cuanto a las funciones, es competente para conocer en primera instancia de:

1) Los litigios entre la Comunidad y sus agentes (arts. 236 TCE y 152 TCEEA)

2) Los recursos de anulación por omisión y por responsabilidad extracontractual interpuestos por personas físicas y jurídicas (arts. 230, 232 y 235 TCE; 146, 148, 151 TCEEA y 33, 35, 40 TCECA).

3) Los recursos interpuestos por personas físicas o jurídicas en virtud de una cláusula compromisoria contenida en un contrato (arts. 238 TCE, 153 TCEEA y 42 TCECA).

Quedan expresamente excluidas las competencias prejudiciales.

Hasta el momento no se ha extendido su competencia a los litigios entre el Banco Central Europeo y el Instituto Monetario Europeo, por una parte, y sus agentes, por otra, a pesar del tenor de la Declaración adoptada por la CIG 92[32].

---

[31] *Vid.* artículos 2.2; 17 a 19 del Reglamento de Procedimiento del Tribunal de Primera Instancia (DO L 136, de 30-5-1991, con las modificaciones de 15-9-1994, 17-2-1995 y 6-7-1995) y 2 de la Decisión del Consejo.

[32] DÍEZ-HOCHLEITNER, J. y MARTÍNEZ CAPDEVILLA, C.: *Derecho Comunitario Europeo*, MacGraw-Hill, Madrid, 1996, en nota a pie de página, p. 165.

De acuerdo con el art. 225 TUE la transferencia podrá ampliarse, siempre por decisión del Consejo, a todos los otros recursos directos, es decir, los que se interpongan por los Estados miembros y las instituciones.

2. *El Tribunal de Primera Instancia ante la Conferencia Intergubernamental*

Con los datos hasta ahora expuestos no hemos pretendido hacer una exposición exhaustiva sobre el Tribunal de Primera Instancia. Sólo hemos apuntado algunos aspectos que resultan de relevancia para abordar las propuestas de modificación planteadas ante la Conferencia Intergubernamental.

Cabe decir que tampoco su reforma estaba prevista en el orden del día de la CIG. Sin embargo, al igual que en el caso del Tribunal Superior de Justicia, el Tribunal de Primera Instancia elaboró un informe para el Grupo de Reflexión apuntando posibles reformas con el objeto de soslayar los problemas que actualmente tiene planteados este órgano jurisdiccional

En dicho Informe planteaba la situación actual caracterizada por el conocimiento de un mayor número de competencias de las que se le atribuyeron en el momento de su creación. Ello, unido a un incremento constante del volumen de los litigios tradicionales, ha provocado un fuerte aumento del número de asuntos presentados anualmente ante el Tribunal de Primera Instancia. Además, hay que tomar en consideración el hecho de que a corto plazo aumenten los asuntos de los cuales conozca este órgano[33].

---

[33]   Por ejemplo, advierte el TPI que «el número de litigios sobre la marca comunitaria, cuyos efectos se dejarán sentir rápidamente con la interposición de un centenar de recursos a partir del segundo semestre del año 1996, experimentará un fuerte aumento y superará los 400 asuntos a partir de 1997. Otros focos contenciosos, más o menos similares, se añadirán en un próximo futuro, como, por ejemplo, los litigios en materia de obtención de vegetales, o los relativos a dibujos y modelos industriales», «Contribución del Tribunal de Primera Instancia con vistas a la Conferencia Intergubernamental de 1996», p. 15.

Ante esta situación el Tribunal aportaba una serie de medidas que permitieran garantizar el buen funcionamiento de la actividad judicial comunitaria, ya que de lo contrario correría peligro la protección de los justiciables.

Las propuestas del Tribunal de Primera Instancia pueden resumirse del siguiente modo:

1) Nombramiento de *Ponentes Adjuntos*: ello permitiría que los jueces resolvieran los asuntos, dejando las tareas de estudio y redacción a expertos de alto nivel, designados en virtud de su capacitación personal y de su especialización en un determinado campo. Su presencia en el procedimiento constituiría una considerable ayuda para los jueces. Para dar cabida a esta figura bastaría con modificar el Estatuto del Tribunal de Justicia.

2) Constitución de *órganos unipersonales*: lo que resultaría altamente eficaz para el conocimiento de determinados asuntos técnicos y, especialmente, en aquellas materias en las que la fase jurisdiccional está precedida de una fase administrativa previa, si bien se plantea una doble cautela: que el órgano unipersonal propusiera la remisión del asunto a una Sala cuando estimase que el asunto presente una relevancia especial; o que el conocimiento de un caso por el órgano jurisdiccional tuviera lugar cuando una vez examinado por la Sala ésta considerase que no reviste dificultad. Para ello sería necesario reformar la Decisión del Consejo por la que se creó el Tribunal.

3) Creación de *Salas especializadas* para asuntos repetitivos, lo cual depende sólo de la organización interna del Tribunal.

Por su parte, el Tribunal de Justicia consideraba que, en el supuesto de que se alcanzara una integración más estrecha en determinados sectores que implicara un incremento de los litigios, podría resultar oportuno a más largo plazo proceder a una especialización de las Salas del Tribunal de Primera Instancia o, en su caso, a crear nuevos órganos jurisdiccionales comunitarios especializados. Ello siempre y cuando se mantenga un órgano jurisdiccional supremo que garantice la unidad de interpretación a través del recurso de casación o, en su caso, de un mecanismo prejudicial[34].

---

[34]   *Vid.* Informe del Tribunal de *Justicia, op. cit.*, p. 10.

4) *Aumento del número de Jueces*, ya que permitiría constituir más Salas y juzgar un número más elevado de asuntos. También sería necesaria la reforma de la Decisión del Consejo.

5) *Modificación en el mandato de los Jueces*: La duración actual del mandato es de seis años con renovaciones parciales en fechas fijadas cada tres años, y una sustitución por el tiempo que falte para terminar el mandato en el caso de que un juez cese en sus funciones antes de la expiración de su mandato. Como pone de relieve el TPI, este sistema actual supone para una parte de sus miembros que sean designados para un periodo más corto. Por ello, planteaba que todo nombramiento de un Juez, sea cual fuere la fecha en que se produzca, se efectuase siempre por una duración suficientemente larga.

6) En relación con el *procedimiento de designación de sus miembros*, el TPI se mostraba de acuerdo con el informe de la Comisión Institucional del Parlamento Europeo «sobre el papel del Tribunal de Justicia en el desarrollo del sistema constitucional de la Comunidad Europea» redactado por el Sr. Rothley (documento PE 155.441 def.) en el sentido de que no se consideraba necesario modificar el modo de designación actual.

Además, consideraba que la intervención del Parlamento Europeo en el procedimiento de designación de los jueces debería circunscribirse al nombramiento para el primer mandato, con la finalidad exclusiva de verificar si los candidatos reúnen las condiciones exigidas por el Tratado, y no controlar la manera en que se hayan ejercido las funciones jurisdiccionales.

Nos hemos ceñido al estudio de las propuestas presentadas por el TPI, ya que resulta extraño encontrarse con referencias al mismo en los informes presentados por las demás Instituciones y Estados miembros.

La Cumbre de los Jefes de Estado y de Gobierno de la Unión, en su reunión celebrada en Dublín que finalizó el 14 de diciembre, no adoptó ninguna conclusión en relación con el TPI y siguió estudiando la posibilidad de extender sus competencias al conocimiento de las cuestiones prejudiciales, dado que actualmente el artículo 225 TCE sustrae expresamente de su conocimiento. Sin embargo, esta propuesta no se ha convertido en realidad en el nuevo Tratado de Amsterdam. De modo que no podemos hablar de ninguna modificación que afecte a este órgano jurisdiccional.

III. El Tribunal de Cuentas

1. Introducción

El Tribunal de Cuentas fue creado por el Tratado de Bruselas de 22 de julio de 1975 para sustituir a la Comisión de control (CEE-Euratom) y al Comisario de Cuentas (CECA). Empezó a funcionar a finales de 1977 y se convirtió en Institución de pleno derecho el 1 de noviembre de 1993 con la entrada en vigor del tratado de Maastricht. Esta promoción, como subraya la Comisión, atestigua la voluntad de la Unión de conferir al Tribunal de Cuentas más autoridad y mejorar la eficacia de la gestión financiera de la Comunidad[35].

«La existencia de un presupuesto propio de la Unión, diferente del de los Estados miembros, y la autonomía de gestión concedida a las instituciones europeas constituyen dos elementos esenciales en favor de la creación de un órgano específico de control externo de los ingresos y gastos comunitarios»[36]. Esta función la lleva a cabo el Tribunal de Cuentas, que es el órgano comunitario que se encarga del control y fiscalización de la totalidad de los ingresos y gastos de la Comunidad y de cualquier organismo creado por ella, siempre y cuando el acto constitutivo del mismo no excluya este control. Controla, pues, la legalidad y regularidad de los ingresos y de los gastos y garantiza una buena gestión financiera.

El Tribunal de Cuentas está compuesto por 15 miembros, a razón de uno por cada Estado miembro de la Unión, aumentando su número en función de las nuevas adhesiones. Deben ser elegidos entre personalidades que pertenezcan o hayan pertenecido en sus respectivos países a las instituciones de control externo o que estén especialmente calificadas para esta función y deberán reunir absolutas garantías de independencia. El nombramiento corresponde al Consejo, por unanimidad, previa consulta con el Parlamento. La duración del mandato es de seis años

---

[35] «Informe de la Comisión para el Grupo de Reflexión», «Oficina de Publicaciones Oficiales de las Comunidades Europeas», Luxemburgo, 1995, p. 35.

[36] «El Tribunal de Cuentas Europeo», documento preparado por el servicio de Relaciones Exteriores del Tribunal de Cuentas Europeo, de 13 de junio de 1995, p. 3.

renovables, excepto en aquellos casos en que al proceder a los primeros nombramientos, cuatro de sus miembros, designados por sorteo, recibirán un mandato de cuatro años.

A todos los miembros del Tribunal de Cuentas les serán aplicables los mismos privilegios y las inmunidades que se confieren a los jueces del Tribunal de Justicia.

En relación con su organización interna[37] el Tribunal de Cuentas tiene autonomía y, por tanto, aprueba su propio Reglamento. Para el ejercicio de las funciones de control se constituyen Grupos de fiscalización cuyas competencias respectivas se reparten entre los miembros que los componen. Su función principal es la de preparar las deliberaciones del Tribunal. Además, algunos de sus miembros actúan también de contraponentes de un sector de fiscalización distinto del suyo. Su función es la de dar su opinión sobre los planes de fiscalización, los proyectos del capítulo del Informe Anual y los proyectos de observaciones o dictámenes que el ponente vaya a presentar a su grupo de fiscalización o al Tribunal.

El Tribunal de Cuentas tiene su propio presupuesto, del que anualmente una empresa privada de auditoría lleva a cabo un control suplementario. Los resultados de esta auditoría se comunican al Parlamento Europeo y se publican en el Diario Oficial de las Comunidades Europeas.

Por otro lado, de acuerdo con el artículo 248 TCE el Tribunal de Cuentas tiene asignadas las siguientes funciones:

1.a) Examen de las cuentas de la totalidad de los ingresos y gastos de la Comunidad.

1.b) Examen de las cuentas de la totalidad de los ingresos y gastos de cualquier organismo creado por la Comunidad en la medida en la que el acto constitutivo de dicho organismo no excluya dicho examen.

El Tribunal presentará al Parlamento Europeo y al Consejo una declaración sobre la fiabilidad de las cuentas y la regularidad y legalidad de las operaciones correspondientes.

---

[37] Hemos seguido en este punto el documento elaborado por el propio Tribunal de Cuentas, *op. cit.*, pp. 7 y 8.

2) Examen de la legalidad y regularidad de los ingresos y gastos y garantía de una buena gestión financiera.

Este control se centra en comprobar «si la liquidación y percepción de los ingresos y, paralelamente, de los compromisos y de los pagos, se ha efectuado respetando las disposiciones legislativas aplicables»[38].

El control se llevará a cabo sobre la documentación contable y, en caso necesario, en las dependencias correspondientes de las otras instituciones de la Comunidad y en los Estados miembros.

En este último caso se prevé una colaboración entre el Tribunal de Cuentas de la Comunidad y los Tribunales de Cuentas de los Estados Miembros, o en su defecto con los servicios competentes. En caso de que los órganos nacionales deseen colaborar, proporcionarán al Tribunal de la Comunidad a instancias de éste cualquier documento o información necesario para el cumplimiento de su misión.

Después del cierre de cada ejercicio, el Tribunal elaborará un informe anual, que será transmitido a las instituciones de la Comunidad, publicándose en el *Diario Oficial de las Comunidades Europeas*. En él figurarán, también, las respuestas de las instituciones a las observaciones realizadas por el Tribunal.

El Tribunal también podrá presentar «informes especiales» en los que expondrá las observaciones que realice sobre cuestiones particulares. Asimismo, podrá emitir Dictámenes a instancia de las demás instituciones de la Comunidad. La aprobación de informes anuales, informes especiales y dictámenes se llevará a cabo por mayoría simple de los miembros que componen el Tribunal.

3) Asistir al Parlamento Europeo y al Consejo en el ejercicio de su función de control de la ejecución del presupuesto.

El Tribunal de Cuentas es un órgano administrativo, no es un órgano jurisdiccional y, por tanto, carece de facultad sancionadora directa. Los resultados de su control se comunican a las autoridades presupuestarias,

---

[38] *Ibidem*, p. 15.

las cuales son las que deberán aplicar las medidas oportunas de las cuales deberán dar cuenta[39].

Tampoco en esta ocasión hemos pretendido hacer un análisis exhaustivo de este órgano. Tan sólo hemos introducido el tema para abordar adecuadamente las propuestas de reforma presentadas ante la Conferencia Intergubernamental y, fundamentalmente, su materialización en el Tratado de Amsterdam.

2. El Tribunal de Cuentas ante la Conferencia Intergubernamental

En relación con este órgano diversas son las propuestas de reforma que se presentaron ante la Conferencia Intergubernamental.

La gran mayoría de las instituciones y de los Estados miembros parten del reconocimiento del papel clave que desempeña el Tribunal de Cuentas en la lucha contra el fraude y la indebida gestión financiera del presupuesto de la Comunidad. De ahí que la práctica totalidad de las propuestas se dirigieran a fortalecer sus funciones.

Con el fin de asentar su función de control de las cuentas de la Unión, el Grupo de Reflexión consideraba necesario someter a todas las instituciones y órganos al debido control del Parlamento y del Tribunal de Cuentas. Por su parte, el Parlamento Europeo proponía ampliar las funciones del Tribunal a todos los ámbitos de actividad de la Unión Europea. También Suecia se había pronunciado ampliamente al respecto, mostrándose partidaria de revisar y clarificar las disposiciones actuales del Tratado de Roma que rigen la actividad del Tribunal. Para ello consideraban que las reglas actuales deberían ser completadas de manera que se permitiera al Tribunal recibir informaciones de todos los órganos que gestionan los fondos comunitarios[40].

---

[39] Ello no significa que las observaciones que éste formula no son asumidas por los responsables de la gestión. Con mucha frecuencia la autoridad responsable de la gestión, tanto nacional como europea, que intervienen de diversas maneras en la ejecución del presupuesto de la Unión Europea proceden unilateralmente a aplicar las medidas correctoras adecuadas, *ibidem*, p. 25.

[40] «Comunicación del Gobierno sueco de 30 de noviembre de 1995 sobre la Conferencia Intergubernamental», en *Libro Blanco sobre la Conferencia*

Otro capítulo de propuestas estaban encaminadas a hacer explícita la obligación por parte de las entidades oficiales internas de los Estados y de los Tribunales de Cuentas nacionales a colaborar con el Tribunal de Cuentas, tanto en el ámbito de la Comunidad Europea como en política exterior y en materia de Justicia e Interior[41].

Mayor intensidad tenían las propuesta dirigidas a paliar la lucha contra el fraude, para lo cual se estimaba necesario reforzar las funciones del Tribunal de Cuentas, principalmente mediante la atribución de competencias para informar directamente a los Parlamentos nacionales en el caso de fraude nacional respecto de los recursos europeos[42].

En relación con el número de miembros el Parlamento Europeo[43] consideraba que no se debería permitir un nuevo aumento del actual número de miembros del Tribunal de Cuentas, que asumiría sus funciones por un periodo de 9 años, no renovable. Y ello a pesar de que el Consejo Europeo de Bruselas celebrado los días 10 y 11 de diciembre de 1993 decidiera que el número de miembros aumentara en función de las futuras adhesiones a la Unión Europea. En este sentido, el Gobierno sueco se mostraba partidario de que cada Estado de la Unión tuviera

---

Intergubernamental de 1996, vol. II, Parlamento Europeo, Luxemburgo, 1996, p. 165.

[41]   Esta es la posición mantenida por España en «Elementos para una posición española en la Conferencia Intergubernamental de 1996», también se muestra partidario de intensificar la cooperación entre los Tribunales de Cuentas europeo y nacionales Bélgica, Luxemburgo y los Países Bajos en la «Nota política del Gobierno al Parlamento belga sobre la CIG de 1996», «Memorandum con vistas a la GIG, de los Gobiernos de Bélgica, Luxemburgo y los Países Bajos, de 7 de marzo de 1996», en *Libro Blanco sobre la Conferencia Intergubernamental de 1996*, vol. II, Parlamento Europeo, Luxemburgo, 1996

[42]   *Vid.* «Nota política del Gobierno al Parlamento belga sobre la CIG de 1996», *op. cit.*, p. 24; «Memorandum con vistas a la CIG, de los Gobiernos de Bélgica, Luxemburgo y los Países Bajos, de 7 de marzo de 1996», p. 30; en relación con España «Documento de 2 de marzo de 1995: "La Conferencia Intergubernamental de 1996. Bases para una reflexión", p. 66; Prontuario/Memorandum del Gobierno luxemburgués de 30 de junio de 1995 sobre la Conferencia Intergubernamental de 1966», p. 112.

[43]   Resolución aprobada por el Parlamento Europeo sobre el funcionamiento del Tratado de la Unión Europea en la perspectiva de la Conferencia Intergubernamental de 1996. Realización y desarrollo de la Unión.

derecho a designar un miembro del Tribunal de Cuentas, así como de que eventualmente se prevean mandatos de duración determinada para sus integrantes[44]. Por su parte, España también estimaba que deberían hacerse modificaciones en lo relativo al número de miembros, sin especificar cuáles[45].

En la Cumbre de los Jefes de Estado y de Gobierno de Dublín se aprobó modificar el artículo 230 del TCE, concediéndole al Tribunal de Cuentas legitimación para acudir ante el Tribunal de Justicia en defensa de sus prerrogativas.

En esta ocasión puede hablarse de un éxito considerable, ya que gran parte de las propuestas han sido finalmente aceptadas, con lo que este órgano de control ha visto reforzado su papel en el Tratado de Amsterdam.

Efectivamente tenemos la oportunidad de plasmar las diversas y considerables reformas que se han llevado a cabo. En primer lugar, haciéndose eco de la propuesta del propio Tribunal de Cuentas se reforman los artículos 230 del TCE y concordantes de los otros Tratados concediéndole legitimación para acudir al Tribunal de Justicia con el objeto de defender sus prerrogativas.

También amplía su ámbito competencial extendiendo la realización del control sobre la documentación contable, además de en las dependencias correspondientes de las instituciones de la Comunidad y de los Estados miembros, tal y como ya establece el artículo 248 ap. 3, a las dependencias de cualquier órgano que gestione ingresos o gastos en nombre de la Comunidad y a las dependencias de cualquier persona física o jurídica que perciba fondos del presupuesto comunitario.

Pero además refuerza la necesaria cooperación entre el Tribunal de Cuentas y las instituciones nacionales de control de los Estados miembros con espíritu de confianza y mantenimiento de su independencia.

---

[44] «Comunicación del Gobierno sueco de 30 de noviembre de 1995 sobre la Conferencia Intergubernamental», en *Libro Blanco sobre la Conferencia Intergubernamental de 1996*, vol. II, Parlamento Europeo, Luxemburgo, 1996, p. 165.

[45] Documento de 2 de marzo de 1995: «La Conferencia Intergubernamental de 1996. Bases para una reflexión», en *Libro Blanco sobre la Conferencia Intergubernamental de 1996*, vol. II, Parlamento Europeo, Luxemburgo, 1996.

Por otra parte, el Tribunal de Cuentas en la actualidad presenta, como hemos visto, ante el Parlamento y el Consejo una declaración sobre la fiabilidad de las cuentas y la regularidad y legalidad de las operaciones correspondientes. Pues bien, la innovación del Tratado de Amsterdam consiste en introducir la publicación de esa declaración de fiabilidad en el Diario Oficial de las Comunidades Europeas. Pero dicha declaración de fiabilidad deberá asimismo examinarse por el Parlamento para la aprobación de la gestión de la Comisión, modificando con ello el artículo 276 del Tratado CE y los correlativos a los demás Tratados.

Pero, sin duda, la estrella de la reforma es el reconocimiento del acceso del Tribunal de Cuentas a las informaciones de la actividad del Banco Europeo de Inversiones en la gestión de los ingresos y gastos de la Comunidad. En principio este acceso del Tribunal a las informaciones del BEI se regirá por un acuerdo celebrado entre el Tribunal, el BEI y la Comisión. No obstante, en el caso de que no exista tal acuerdo el Tribunal tendrá acceso a las informaciones necesarias para el control de los ingresos y gastos de la Comunidad gestionados por el BEI. Esta importante previsión se añade al apartado tercero del artículo 248 TCE.

Podemos concluir, en esta ocasión, con un juicio bastante satisfactorio, ya que de las reformas apuntadas parece desprenderse una concienciación de las instituciones y de los Estados miembros para un mayor control de las cuentas de la Unión.

EL COMITÉ ECONÓMICO Y SOCIAL Y EL COMITÉ DE LAS REGIONES TRAS AMSTERDAM. UNA MODIFICACIÓN DE LOS MÍNIMOS INELUDIBLES

Rosario Serra Cristóbal
Profesora Ayudante de Derecho Constitucional
Universitat de València

1. Introducción

La Conferencia Intergubernamental inaugurada en Turín el 29 de marzo de 1996 con el fin de dar cumplimiento a las previsiones del art. 48 del Tratado de la Unión Europea (TUE) ofrecía una indiscutible oportunidad de adoptar aquellas medidas necesarias para alcanzar los objetivos de la UE. Nadie quiso desaprovechar la ocasión de manifestar su opinión sobre las reformas que debían introducirse en la letra del Tratado y desde bien temprano proliferaron los informes, dictámenes, pareceres, etc., provenientes de los diferentes Estados miembros, de las instituciones comunitarias, de los grupos de intereses organizados, de asociaciones, etc. También los órganos auxiliares existentes en el entramado institucional comunitario quisieron expresar su parecer con la esperanza de ver mejorada su situación institucional y obtener una mayor cobertura de los intereses en ellos representados.

La revisión del TUE debía hacerse de conformidad con los objetivos señalados en los antiguos arts. 1 y 2 del TUE, entre los que se encuentran los de promover un progreso económico y social equilibrado y sostenible, el reforzamiento de la protección de los derechos e intereses de los nacionales, el respeto el principio de subsidiariedad (…), y la creación de una Unión cada vez más estrecha entre los pueblos de Europa, en la cual las decisiones sean tomadas de la forma más próxima posible a los ciudadanos. Es indudable que todos estos aspectos atañen a un abanico muy amplio de grupos de intereses económicos, sociales, regionales y locales que tienen sus vías de participación en la Unión Europea, pues, como es sabido, junto a las instituciones comunitarias con capacidad decisoria pervive una pluralidad de organismos que coadyuvan en las tareas comunitarias realizando funciones generalmente consultivas. No obstante, conviene hacer una importante precisión: de entre los organismos auxiliares consultivos con que cuentan las Comunidades Europeas sólo el Comité Económico y Social (CES), el Comité de las Regiones (CDR) y el Comité consultivo de la CECA están previstos por los Tratados constitutivos[1], el resto han sido creados posteriormente por las instituciones comunitarias[2] configurando una red consultiva que ha llevado a los autores a hablar del «gobierno de los comités» en las Comunidades Europeas[3]. Este problema no pasó por alto en el Grupo de reflexión creado con vistas a la Conferencia Intergubernamental, donde una amplía mayoría del Grupo se pronunció a favor de simplificar la comitología existente actualmente, por lo complicada y confusa que resulta. También se puso de relieve que la solución de este problema no requiere necesariamente de una reforma del Tratado, siendo necesario, más bien, la toma de medidas previas a la CIG que mejorasen la situación[4].

Los tres órganos citados, el CES (órgano de representación socioprofesional), el Comité consultivo de la CECA (también de represen-

---

[1] Efectivamente, la Comunidad Europea (CE) cuenta con un Comité Económico y Social y con un Comité de las Regiones que asisten al Consejo y a la Comisión (art. 7.2 TCE), la Comunidad Económica de la Energía Atómica (CEEA) comparte el mismo Comité Económico y Social con la CE (art. 3.2 TCEEA) y la Comunidad Europea del Carbón y el Acero (CECA) prevé la existencia de un Comité consultivo de la Comisión (art. 7 TCECA).

[2] Tanto el Consejo como la Comisión pueden crear, en efecto, sobre la base de su autonomía institucional, los órganos de lo más diverso encargados de asistirlos en el ejercicio de sus funciones. Así por ejemplo, el art. 16 TCECA señala: «La Comisión adoptará cuantas medidas de orden interno sean adecuadas para asegurar el funcionamiento de sus servicios. Podrá establecer comités de estudio y especialmente un Comité de Estudios Económicos».

[3] SIDJANSKI, D.: «Communauté Européene 1992: gouvernement de Comités?», *Pouvoirs,* nº 48: «Europe 1993», 1989, p. 71-80.

[4] Punto 128 del Informe del Grupo de reflexión, Bruselas, 5 de diciembre de 1995, (Doc. SN/520/95 reflex 21). Sobre la posición de las diferentes instituciones, y en especial del Parlamento Europeo, a favor de la toma de medidas para simplificación el problema de la comitología puede verse, BLUMANN, C.: «Le Parlement européen et la comitologie», *Revue Trimestrielle de Droit Européen,* nº 32 (1), 1996, pp. 1-23.

tación socioprofesional) y el CDR (de representación territorial), tienen una naturaleza muy similar: son organismos que se pueden denominar «de segundo grado»[5], que actúan en representación de un grupo de intereses determinado y realizan una función meramente consultiva. Por ser el ámbito de actuación del órgano consultivo de la CECA muy limitado, al igual que el campo de aplicación de dicho Tratado, este trabajo ha optado por referir la participación institucionalizada de las fuerzas económico-sociales exclusivamente al CES.

Nos centraremos, pues, en dos instituciones comunitarias que, aún no siendo principales[6], tenían una función evidente que cumplir en la reforma de los Tratados: el CES y el CDR. Su participación en la revisión del TUE era necesaria por dos motivos: en primer lugar, porque representan a grupos de intereses a los que va a afectar directamente la nueva configuración del TUE, y en segundo lugar, porque la revisión del Tratado podía suponerles una mejora institucional que les ayudaría a realizar su función de un modo más efectivo.

2. La participación institucionalizada de los intereses económico-sociales y regionales en los asuntos comunitarios en la revisión del TUE

Siguiendo los dictados del antiguo art. 48.2 TUE, el Grupo de reflexión señaló que la reforma de los Tratados debía centrarse, entre otros aspectos, en «analizar los principios, objetivos e instrumentos de la Unión frente a los nuevos desafíos con los que se enfrenta Europa; (…) aumentar la eficacia, el carácter democrático y la transparencia de las Instituciones para que puedan adaptarse a las necesidades de una Unión ampliada; fortalecer el respaldo de la opinión pública a la construcción

---

[5] Sobre este aspecto se incidirá en este trabajo en el punto tercero relativo a la posición institucional del CES y del CDR.

[6] Estos órganos, base de la estructura orgánica comunitaria, son, tal como señalan el art. 7 TCE (ex art. 4 TCE), art 7 TCECA y art. 3 TCEEA, el Parlamento europeo, el Consejo, la Comisión, el Tribunal de Justicia y el Tribunal de Cuentas.

europea, respondiendo a la necesidad de una democracia más cercana al ciudadano europeo, preocupado por las cuestiones de empleo y medio ambiente...»[7]. Todas estas cuestiones interesaban, indudablemente, a las fuerzas económicas y sociales y a los entes regionales y locales, pues las posibles medidas que se adoptaran en muchos de esos ámbitos iban a afectarles directamente. Por este motivo era necesario que sus opiniones fueran tenidas en cuenta en el momento de la revisión del TUE.

A este respecto, y volviendo la vista atrás, hay que recordar que la participación de los intereses económicos y sociales y de los regionales en la configuración europea ha seguido ritmos distintos, iniciándose la andadura del diálogo social en la letra de los Tratados con bastante más anterioridad que la participación regional[8].

a) *La participación de los intereses económicos y sociales en la Unión Europea a través del Comité Económico y Social*

El fenómeno de la participación estructurada de intereses organizados en la economía constituía una realidad en alza en el período en que se gestaban las Comunidades Europeas. De hecho, la mayor parte de los países negociadores de los Tratados contaban con órganos consultivos de conformación económico-social (Francia, Italia, Bélgica, Países Bajos...). Por ello, no es de extrañar que, ante unas Comunidades Europeas que pretendían promover un desarrollo económico-social armonioso en

---

[7]   Conclusiones de la Presidencia de Cannes, 26 y 27 de junio de 1995, en *Libro Blanco sobre la Conferencia Intergubernamental de 1996, Textos Oficiales de las Instituciones de la Unión Europea*, Parlamento Europeo, Luxemburgo, 1996.

[8]   El Acta Europea introdujo el art. 138 TCE: «La Comisión procurará desarrollar el diálogo entre las partes sociales a nivel europeo, que podrá dar lugar, si éstas lo consideraren deseable, al establecimiento de relaciones basadas en un acuerdo entre dichas partes». Y el Tratado de Maastricht amplió la faceta participativa de los interlocutores sociales en la Declaración anexa sobre política social, en cuyo art. 3 se establece que «la Comisión tendrá como cometido fomentar la consulta a los interlocutores sociales a nivel comunitario y adoptar las disposiciones necesarias para facilitar su diálogo, velando porque ambas partes reciban un apoyo equilibrado. A tal efecto, antes de presentar propuestas en el ámbito de política social, la Comisión consultará a los interlocutores sociales sobre la posible orientación de una acción comunitaria...».

el ámbito europeo, surgiese la cuestión de la posible participación de representantes de dichos intereses[9].

La cuestión, en principio, no fue pacífica, sobre todo por parte de la República Federal de Alemania[10], que mostró sus reticencias ante la posible inclusión de órganos de este tipo entre las instituciones comunitarias en formación. Finalmente, el pulso institucional se decantó a favor de la creación de órganos consultivos para cada una de las Comunidades Europeas. Si bien, y ésta fue la contraprestación, los órganos que se crearon no gozaban de ninguna capacidad decisoria, configurándose como órganos totalmente secundarios y carentes de la posibilidad de influir medianamente en las políticas comunitarias. Por un lado, la CECA optó por un órgano cuatripartito, el mencionado Comité Consultivo, con un número reducido de representantes de los empresarios, trabajadores y comerciantes y consumidores, y por otro lado, el modelo escogido por la CE (entonces «Comunidad Económica Europea») y por la CEEA fue la de un consejo consultivo tripartito, el Comité Económico y Social, con un número mucho más elevado de consejeros (actualmente 222). Éste agrupa a sus representantes en tres grupos: el de los empresarios, el de los trabajadores y el de actividades diversas[11].

No cabe duda de que, entre toda la amalgama de comités y grupos de representantes de intereses de esta naturaleza, el CES ocupa una posición privilegiada, pues es el órgano institucionalmente previsto en los Tratados

---

[9]   Sobre ello *vid.* SERRA CRISTÓBAL, R.: *El Comité Económico y Social de las Comunidades Europeas*, Madrid, McGraw-Hill, 1996, p. 7.

[10]   Hay que pensar que la República Federal Alemana no contaba con un órgano consultivo de tal naturaleza y tenía presente el recuerdo de la mala experiencia del Consejo económico del Reich durante la República de Weimar, que fue el resultado de la imposición unilateral de los intereses corporativos organizados que triunfaron en ese momento en Alemania. El corporatismo de Weimar supuso un conjunto de arreglos entre la clase trabajadora y la burguesía que dejaron al margen al resto de capas sociales, es decir, a las capas medias, los rentistas, los agricultores y los ahorradores que resultaron excluidos de los acuerdos y expropiados por la hiperinflación de la primera posguerra. Sobre ello, *vid.* ESPINA, A.: *Concertación social, Neocorporativismo y Democracia*, Madrid, Ministerio de Trabajo, 1991.

[11]   El Comité Económico y Social reúne en su seno a representantes de empresarios, trabajadores, agricultores, cooperativas, miembros de asociaciones profesionales, comerciantes, artesanos, pescadores, profesionales liberales, ganaderos, etc...

como foro económico-social. El CES, en cuanto órgano representante de los intereses económicos y sociales, constituye un indudable canal de participación de los mismos en los asuntos comunitarios, y puede decirse que tales intereses deben encontrar en el CES un instrumento para hacer llegar su opinión a las instituciones comunitarias con capacidad decisoria.

Pero los grupos sociales disponen también de otras vías de participación en la formación de la voluntad comunitaria que proporcionan, en muchas ocasiones, un mayor grado de influencia, bien sea a través de las organizaciones europeas representantes de intereses de la más diversa índole[12], bien sea actuando como grupo de presión, esto es, mediante la política de *lobbing*.

Lo que no puede obviarse es que la previsión comunitaria de un órgano como el CES tiene un sentido y un fin: el hacer partícipe a los intereses económicos y sociales en la política comunitaria. Tal función no puede trasladarse o dispersarse en la pluralidad de organismos que ejercen su influencia en el ámbito comunitario, porque ello puede llevar a una presión excesiva de cierta áreas económicas o sociales y dejar fuera otras, llevando a una opinión fraccionada y desproporcionada. El CES debe ser *de facto* el canal de acercamiento entre los ciudadanos agrupados en torno a unos intereses y la Unión Europea. Esta voluntad debía ser tenida en cuenta en un momento tan importante para el desarrollo de la Unión como era el de la revisión de su Tratado regulador, y con tal motivo el CES, al igual que el resto de instituciones comunitarias emitió un dictamen bajo el título «la Conferencia Intergubernamental y el papel del CES[13]», donde destacó la necesidad de reforzar el papel de las instancias representativas de la sociedad, especialmente la suya propia, con el fin aproximar los ciudadanos a la toma de decisiones comunitarias[14].

---

[12] Muchas de estas organizaciones europeas son consultadas en el momento en que la Comisión está elaborando sus propuestas de legislación que luego someterá a dictamen consultivo del CES. Por lo tanto, gozan de una capacidad de influencia mayor sobre el contenido de la norma que se esté elaborando.

[13] El 26 de abril de 1995 la Mesa del CES presentó un informe sobre «La Conferencia Intergubernamental y el papel del Comité Económico y Social», aprobado como dictamen en noviembre de ese mismo año.

[14] Punto 5.1 del Informe de la Mesa del CES, aprobado el 26 de abril de 1995, ante la Conferencia Intergubernamental de 1996. (CES 273/95 fin): «Le CES estime

b) Los intereses regionales y el CDR

Los entes regionales y locales habían conseguido muy poco espacio en el proceso de construcción europea antes del Tratado de Maastricht[15]. La discusión sobre la posible inclusión de una asamblea regional en el entramado institucional comunitario se produjo en las Conferencias intergubernamentales preparatorias del TUE[16], llegándose a un consenso final que acordaba la creación del CDR, asamblea regional con carácter consultivo y que funciona exclusivamente en el marco de la Comunidad Europea[17].

Si antes se ha señalado que, en su día, Alemania fue el Estado más reticente a la creación del CES, en los preliminares de Maastricht fue el

---

que le programme de la CIG devrait avoir pour objectifs: la prise de décisions en proximité des citoyens et avec leur participation, ainsi que leur contrôle sur l'exécution des politiques; dans ce cadre, le rôle des instances représentatives de la societé —et notamment du CES— doit être renforcé».

[15] La presión de las regiones en la toma de decisiones comunitarias se realizaba (y se continua realizando) a través de asociaciones de alcance europeo como la Asamblea de las Regiones de Europa (ARE), o el Consejo de Municipios y Regiones de Europa (CCRE). Asimismo existía un Consejo de los entes regionales, consultivo de la Comisión, que fue creado por una decisión de ésta de 24 de junio de 1988, y que ha venido a ser sustituido por el CDR. *Vid.* PÉREZ GONZÁLEZ, M.: «Algunas observaciones sobre el Comité de las Regiones y su función en el proceso de construcción de la Unión Europea», *Revista de Instituciones Europeas*, vol 21, 1994, pp. 31-58. Sobre la participación de las regiones en la Unión Europea puede verse, ASTOLA MADARIAGA, J.: «Las Regiones en la Unión Europea», *Revista Española de Derecho Constitucional*, nº 45, 1995, pp. 95-131; CONSTANTINESCO, V.: «Comunidades Europeas, Estados, Regiones: El impacto de las estructuras descentralizadas o federales del Estado en la construcción comunitaria», *Revista de Instituciones Europeas*, vol. 16, 1989, pp. 11-26; ROJO SALGADO, A.: *La exigencia de participación regional en la Unión Europea. De la regionalización estatal a la regionalización europea*, Madrid, CEC, 1996; SOBRINO HEREDIA, J. M.: «Participación de las regiones en la política regional comunitaria», *Noticias CEE*, nº 38, 1988, pp. 123-143.

[16] Véase PÉREZ GONZÁLEZ, M.: «Algunas observaciones sobre el Comité de las Regiones...», *op. cit.*, pp. 35-36.

[17] Acuerdo del Consejo Europeo celebrado en Maastricht los días 9 y 10 de diciembre de 1991 y que supuso la introducción (por el antiguo art. G. 67 TUE) de los arts. 263 y ss. en el TCE, reguladores del Comité de las Regiones.

mismo país quien más impulsó la idea de la inclusión del CDR[18]. Como puede comprenderse, las posiciones de los distintos Estados miembros al respecto fue bien diferente dada la diversidad de estructuras político-administrativas de éstos y, por lo tanto, la plural disposición de los mismos a aceptar una presencia regional sólida en el proceso de construcción europea. Los gobiernos danés y belga se alineaban con las tesis alemanas, los gobiernos español e italiano se declaraban partidarios de que el asunto, como mínimo, se discutiera, Gran Bretaña y Francia mostraban su contrariedad frente a la inclusión de un Comité de las Regiones, y el resto de Estados no se posicionaron[19]. En los preliminares de la revisión del TUE, las posturas adoptadas por los diversos Estados guardaban un paralelismo con las de entonces. Es decir, los Estados de Bélgica, Alemania, Austria, España,… son los que han venido mostrando un especial apoyo al desarrollo del CDR[20].

Particularmente favorable a la potenciación de este órgano ha sido el Parlamento, quien ya apoyó la causa regional[21] en la toma de decisiones comunitarias en las Conferencias preparatorias del TUE. Igualmente, en su resolución de 23 de abril de 1993 se mostró preocupado por las

---

[18]   DÍEZ-HOCHLEITNER, J.: «La reforma institucional de las Comunidades Europeas acordada en Maastricht», *Gaceta Jurídica de la CE*, nº GJ 115, D-18, 1992, p. 91. Alemania proponía la creación de una Asamblea regional consultiva con facultad para adoptar posiciones sobre cualesquiera medidas comunitarias relativas a cuestiones regionales, con la necesidad de una justificación del Consejo y de la Comisión si se apartaban de los dictámenes emitidos por el CDR, y con capacidad de accionar ante el Tribunal de Justicia en caso de violación del principio de subsidiariedad o en defensa de su derecho de participación. Sobre ello, *vid.* PÉREZ GONZÁLEZ, M.: «Algunas observaciones sobre el Comité de las Regiones…», *op. cit.,* p. 35.

[19]   PÉREZ GONZÁLEZ, M.: «Algunas observaciones sobre el Comité de las Regiones…», *op. cit.,* pp. 35-36. Igualmente, sobre el diferente punto de partida de Alemania y Francia en materia regional pude verse el trabajo de BASSOT, E.: «Le Comité des Régions. Régions françaises et länder allemands face à un nouvel organe communnautaire», *Revue du Marché Commun et de l'Union Européenne,* nº 371, 1993, pp. 729-739.

[20]   *Vid.* «La relación de disposiciones de los Estados miembros de la Unión Europea ante la CIG de 1996», recopilación realizada por la «Task-Force» del Parlamento Europeo, el 8 de diciembre de 1995, (Doc. PE 165.642).

[21]   El Parlamento incidió especialmente en la participación prioritariamente regional y no local.

opiniones manifestadas por determinados Gobiernos que, al parecer, consideraban a los miembros del CDR como meros funcionarios en comisión de servicios. El Parlamento entendía que el Comité debía concebirse como un elemento de profundización en la descentralización y de mayor eficacia de la participación de los poderes regionales y locales, contribuyendo así a disminuir el déficit democrático[22].

3. La lucha del CES y del CDR por adquirir una posición similar al resto de instituciones comunitarias

Las fuerzas económico-sociales y regionales se encuentran representadas en instituciones comunitarias que podríamos denominar «de segundo grado»; ese carácter secundario que ocupan estos órganos en el entramado de instituciones comunitarias se deduce, entre otras razones, del propio articulado de los Tratados. Así, el art. 7 del Tratado de la CE establece una clara distinción entre, por un lado, las cinco instituciones encargadas de asegurar la realización de las tareas propias de la Comunidad Europea[23], y por otro lado, el CES y el CDR que asisten al Consejo y la Comisión como órganos consultivos.

Tanto el CES como el CDR, como es obvio, son conscientes de la posición institucional que ocupan, por ello han reivindicado el recono-

---

[22] Resolución del parlamento Europeo de 23 de abril de 1993 (DOCE nº C150, 31 mayo 1993). No obstante, también hay que señalar que tras la puesta en funcionamiento del CDR se produjo un período de desconfianza por parte del Parlamento que temía que aquél, tal como proponía Alemania, pudiera convertirse en una Segunda Cámara que le pudiera hacer sombra o arrebatar competencias. Sin embargo, las relaciones ha mejorado ostensiblemente y han desaparecido dichas reticencias. Fruto de este interés son los encuentros de trabajo que vienen realizando el CDR y el Parlamento europeo. Sobre las reticencias iniciales véase SÁNCHEZ ALMAGRO, D.: «El Comité de las Regiones: Examen de su primer año de actividad», *Boletín Asturiano sobre la Unión Europea*, nº 58-59, 1995, p. 18.

[23] Art. 7.1 TCE: «La realización de las funciones asignadas a la Comunidad corresponderá a: un Parlamento, un Consejo, una Comisión, un Tribunal de Justicia y un Tribunal de Cuentas».

cimiento de un *status* similar al que poseen el resto de instituciones comunitarias. Este deseo fue expresado en vistas a la revisión del Tratado de la Unión Europea, proponiendo ambos una enmienda al antiguo art. 4.1 del TCE que suponía la inclusión del CES y del CDR junto a las cinco instituciones comunitarias que figuraban en dicho precepto[24]. De este modo, manifestaban su intención de que se les confiriera, *de iure*, el estatuto de institución que les corresponde. Lo curioso es que ninguno de ellos propuso la inclusión de ambos órganos al mismo tiempo entre las cinco instituciones principales, sino que cada uno postuló su propia inclusión en el antiguo art. 4.1, dejando al otro en el apartado segundo del mismo artículo. Tal vez, una propuesta igual y conjunta del CES y del CDR apoyando la adquisición de ambos del *status* del resto de instituciones comunitarias hubiese conseguido un efecto mayor y hubiese sido más coherente, dada la similitud de razones que movían a estos órganos a proponer tal revisión del antiguo art. 4.1 TCE.

A este respecto, conviene precisar lo siguiente: En primer lugar, hay que partir del hecho de que las funciones que tienen asignadas son meramente consultivas, no decisorias, y sus manifestaciones ni tan siquiera son vinculantes. Por lo tanto, esta circunstancia condiciona inevitablemente la posición e influencia del CES y del CDR en la formación de la voluntad comunitaria. En segundo lugar, la mera ubicación de dichos órganos junto al resto de instituciones en la letra de los Tratados no implica la adquisición de un *status* igual a ellas. Para que se les confiera un papel suficientemente relevante han de modificarse muchos más aspectos de los Tratados Constitutivos de los que se estudian en este trabajo. La Conferencia Intergubernamental ofrecía, indudablemente, una oportunidad de cambios en este sentido, pero toda modificación debía hacerse teniendo en cuenta cuales eran los fines que se pretendían alcanzar (económicos, sociales, políticos…), con una visión del conjunto institucional y acompasando los ritmos que marcan los

---

[24]   Punto III. 11.2 del Dictamen del CES sobre «La Conferencia Intergubernamental 1996. El papel del Comité Económico y Social», de 23 de noviembre de 1995 (Doc. CES 1312/95) (Este Dictamen que fue elaborado por la Mesa del CES el 26 de abril de 1995, Doc. CES 273/95). También Punto 4 del Dictamen del CDR sobre la Revisión del Tratado de Unión Europea, de 20-21 de abril de 1995, (CDR/136/95).

diferentes aspectos comunitarios, y a ello respondió la ausencia de propuestas de cambios, en lo que se refiere a la ubicación institucional del CDR y del CES, al cierre de la CIG.

Lo cierto es que, si de algunas manifestaciones a favor del desarrollo institucional de estos órganos se ha de hablar, son de las que se produjeron en pro del CDR, tal vez, debido a su novedad o al interés de algunos Estados por reforzar la participación regional. Sin embargo, el CES quedó relegado de tales propuestas de renovación. Por esta causa se produjeron algunas opiniones como la de M. Schmitz, que afirmaba que el CES debía reclamar que la situación institucional del CDR no fuera más fuerte que la suya, debiendo ser ambos reforzados en la misma medida[25].

4. Las deficiencias en la representatividad del CES y del CDR

Así pues, el CES y el CDR constituyen indudablemente las vías institucionalmente previstas para canalizar la participación de los intereses económico-sociales y regionales-locales. Ahora bien, cabe preguntarse si todas las fuerzas de estos sectores están representadas en estos órganos y si lo están adecuadamente, o lo que es lo mismo, si la pluralidad de consejeros que integran el CES y el CDR es suficientemente representativa de la realidad socioeconómica y regional. Esta pluralidad es exigida por el propio Tratado de la CE, cuyo art. 259 señala que «la composición del Comité deberá tener en cuenta la necesidad de garantizar una representación adecuada de los diferentes sectores de la vida económica y social»[26], sin embargo, en relación al CDR se limita a decir

---

[25] Compte rendu des délibérations du Comité Economique et Social sur «La Conférence integouvernementale 1996», Sesión plenaria del CES de 23 de noviembre de 1995 (CES 1335/95).

[26] Art. 259 TCE (ex art. 195.1 TCE) Además, el art. 257 TCE (ex art. 193 TCE) añade que «El Comité estará compuesto por representantes de los diferentes sectores de la vida económica y social, en particular, de los productores, agricultores, transportistas, trabajadores, comerciantes y artesanos, así como de las profesiones liberales y del interés general».

que «estará compuesto por representantes de los entes regionales y locales»[27].

En lo que atañe al CES, la diversidad de sectores socioeconómicos presentes es considerable (empresarios, trabajadores, artesanos, ganaderos, cooperativas, profesionales liberales, pescadores, pequeñas y medianas empresas, etc.), con lo cual, difícilmente podían apuntarse cambios en esta materia en la revisión del TUE. La diversidad cabe predicarla aún en mayor medida del CDR: debido a la diferente estructura político-territorial de los Estados miembros[28], se da la circunstancia de que algunos países tienen representantes exclusivamente regionales (Bélgica), otros mantienen una representación mixta (España) y algunos únicamente cuentan con representantes locales (Irlanda, Países Bajos, Luxemburgo), dada la carencia regional de los mismos. Por lo tanto, como se reconoció en el informe elaborado por la Conferencia de representantes de los Gobiernos de los Estados miembros, celebrada en Bruselas el 17 de junio de 1996[29], no eran previsibles grandes cambios en lo relativo a la composición de ambos órganos. Y así lo fue, pues ni el cuadro general para un Proyecto de Tratado presentado por la Presidencia irlandesa[30], ni en el Proyecto de Tratado de Amsterdam de 19 de junio de 1997[31], ni por supuesto en el texto definitivo del Tratado de Amsterdam[32] se propusieron modificaciones en este sentido.

---

[27] Art. 263 TCE (ex art. 198 A TCE).

[28] Así, por ejemplo, los Länder en Alemania no son regiones sino verdaderos Estados miembros, lo que supone que el movimiento regional esté muy arraigado; en Irlanda no existe un movimiento favorable hacia la regionalización del Estado, sólo existe una estructuración político-administrativa al frente de los cuales están un «manager» o gerente, sometido a la fuerte tutela del Gobierno central. En Grecia cualquier regionalismo político ha sido considerado siempre como algo antinacional y atentatorio a la unidad del país, en la actualidad hay una serie de entes subestatales dentro de la administración griega.

[29] Punto 4.B del Informe elaborado con el objeto de estudiar el estado de los trabajos de la CIG, (CONF/3860/96 REV. 1).

[30] (CONF/2500/96). El proyecto no era un texto articulado, sino que, como señalaba en su introducción, era un «Marco general para un proyecto de tratado», en el que se describían con claridad las diversas propuestas, el estado de las negociaciones sobre ellas y las diferentes soluciones que la Conferencia Intergubernamental debería estudiar si quería adoptar dichas proposiciones.

[31] Proyecto de Tratado de Amsterdam (CONF/4001/97).

La posible falta de representatividad de los miembros del CES y del CDR había sido denunciada casi exclusivamente por los propios grupos de intereses, quienes desearían ser ellos los encargados de proponer a los miembros de dichos órganos. Como es sabido, actualmente, los consejeros, aunque nombrados por el Consejo, son propuestos directamente por los Gobiernos, sin que exista ninguna obligación por su parte de consultar a las organizaciones socioprofesionales, o regionales y locales[33], aunque se ha de reconocer que, en la práctica, muchos Gobiernos, y en ellos entra el caso de España[34], consultan a dichas organizaciones para elaborar su lista de candidatos.

Del mismo modo, la cuestión ha sido planteada por las organizaciones socioprofesionales y regionales de ámbito europeo[35]. Así, por ejemplo, algunos dirigentes de las organizaciones europeas con intereses econó-

---

[32] Tratado de Amsterdam de 2 de octubre de 1997.

[33] Art. 259.1 TCE (ex art. 195.1 TCE) establece que para el nombramiento de los miembros del CES cada Estado propondrá al Consejo una lista que contenga doble número de candidatos que puestos atribuidos a sus nacionales. La práctica ha llevado al Consejo a nombrar a aquellos candidatos que figuran en la lista como principales. Y, por otro lado, el art. 263 TCE (ex art. 198 A. 2 TCE) señala que «los miembros del Comité (de las Regiones), así como un número igual de suplentes, serán nombrados por el Consejo por unanimidad, a propuesta de sus respectivos Estados miembros...».

[34] España suele consultar a las organizaciones económico-sociales más representativas a nivel nacional cuando cada cuatro años elabora la lista de consejeros propuestos. Y, en lo que atañe a los miembros representantes del Comité de las Regiones, el gobierno español ha dejado en manos de los gobiernos autonómicos y de la Federación Española de Municipios y Provincias la elaboración de la lista. PÉREZ GONZÁLEZ, M.: «Algunas observaciones sobre el Comité de las Regiones...», *op. cit.*, p. 47. Sobre la participación de las entidades territoriales autónomas en las decisiones comunitarias puede verse también, entre otros, el trabajo del BUSTOS GISBERT, «Un paso más hacia la participación autonómica en asunto europeos. El acuerdo de 30 de noviembre de 1994», *Revista Española de Derecho Constitucional*, nº 45, 1995, pp. 153-172.

[35] Así, en la Declaración Final de la Cumbre Europea de las Regiones y Ciudades celebrada en Amsterdam los días 15 y 16 de mayo de 1997, se dirigió una reivindicación concreta a la CIG: «hacer que el inicio del mandato del Comité se corresponda con el de las demás instituciones políticas europeas y exigir que sus miembros pertenezcan a órganos elegidos a nivel regional o local o sean mandatarios con responsabilidad ante los órganos políticos que les han elegido».

mico-sociales han manifestado que la designación de los miembros del CES por los Estados perjudica su representatividad, lamentando que el Consejo no les consulte nunca, lo cual convierte esa posibilidad prevista en los Tratados constitutivos en «letra muerta»[36]. Consideran que la intervención de las organizaciones europeas permitiría garantizar un mejor equilibrio en la representación de los diferentes categorías por país miembro[37].

También se ha denunciado que los representantes regionales son en realidad delegados de los gobiernos centrales en algunos Estados[38]. A este respecto, el propio CDR propuso en su dictamen sobre la CIG que el art. 263 TCE fuese modificado en el sentido arriba expresado, es decir, que los representantes del Comité fuesen propuestos no por los Gobiernos sino por las regiones y entes locales[39]. Sin embargo, el art. 263 TCE (ex. art. 198A TCE), tal como ha resultado de la aprobación del Tratado de Amsterdam, y como adelantábamos, sólo señala que «los miembros del Comité, así como un número igual de sus suplentes, serán nombrados por el Consejo por unanimidad, a propuesta de sus respectivos Estados miembros, para un período de cuatro años».

Por último, cabe hablar del número de consejeros que se reservan a cada Estado miembro, que atiende al peso específico de cada uno de ellos. En el caso particular del CDR este criterio hace que países como Francia y Gran Bretaña tengan el mismo número de representantes en el CDR que Alemania y más que España, Austria, o Bélgica, cuando estos últimos cuentan con unas estructuras territoriales, instituciones y competencias regionales, que no existen en el Reino Unido[40].

---

[36]   Efectivamente, el art. 259.2 TCE (ex art. 195.2 TCE) establece que «El Consejo consultará a la Comisión. Podrá recabar la opinión de las organizaciones europeas representativas de los diferentes sectores económicos y sociales interesados en las actividades de la Comunidad».

[37]   SIDJANSKI, D. y CONDOMINES, J.: «Le Comité économique et social», *Revue d'integration européenne*, nº 1, VII, 1983, p. 15.

[38]   Este último aspecto es recordado por PÉREZ GONZÁLEZ en «Algunas observaciones sobre el Comité de las Regiones...», *op. cit.*, p. 48.

[39]   Punto 5 del Dictamen del CDR sobre la Revisión del Tratado de la Unión Europea, (CDR/136/95).

[40]   Esto mismo ha sido acertadamente destacado por MORENO VÁZQUEZ, M.: «El desembarco regional en la Unión Europea: génesis, configuración actual y

5. Los déficits en la función consultiva del CDR y del CES

El art. 2 TUE señalaba como uno de los objetivos de la revisión del Tratado el asegurar la eficacia de los mecanismos e instituciones comunitarias. Ello tiene una traducción muy simple en cuanto al CES y al CDR: en la revisión del TUE se podía haber apostado por la eficacia de estos órganos, la cual reside en el correcto desarrollo de la función consultiva[41]. El mecanismo de consulta presenta déficits que necesitan ser corregidos si se pretende cumplir con las reglas y fines establecidos en el acervo comunitario.

a) La ampliación de materias de consulta obligatoria

La consulta que realizan el Consejo o la Comisión al CDR y al CES puede plantearse voluntariamente sobre cualquier materia que juzguen oportuno consultar. No obstante, existen determinados supuestos en los que dicha consulta resulta obligatoria[42]. Estos órganos consultivos desea-

---

perspectivas de futuro del Comité de las Regiones», *Revista Valenciana d'Estudis Autónomics*, nº 19, 1997, pp. 268-269.

[41] De ello son conscientes ambos órganos. Así por ejemplo, recientemente el CDR por boca de su Presidente volvía a recordar que entre sus objetivos se encuentra el que sus proposiciones y dictámenes adquieran un peso político mayor, a fin de que se tengan en cuenta las opiniones de las colectividades regionales y locales. Sobre ello, véase MARAGALL I MIRA, P.: «Prémisses d'une subsidiarieté. Le Comité des Régions», *Projet*, nº 250, junio de 1997, pp. 43-48.

[42] Respecto del CES, el art. 262 del Tratado constitutivo de la CE establece que «el Comité será preceptivamente consultado por el Consejo o por la Comisión, en los casos previstos en el presente Tratado...», y según éste son los relativos a política agrícola (art. 37 TCE), política social y protección de los trabajadores (arts. 40, 94, 109, 144, 149 y 150 TCE) y libre circulación de personas y mercancías (arts. 44, 52, 75 y 79 TCE) Lo mismo se establece en el art. 170 del Tratado constitutivo de la CEEA, que señala como casos en los que debe ser consultado el Comité aquellos que atañen a programas de investigación (art. 9, 40 y 41 TCEEA) y los de seguridad en los puestos de trabajo (arts 31, 32 96 y 98 TCEEA).

En cuanto al CDR, el art. 265 TCE señala que «el Comité de las Regiones será consultado por el Consejo o por la Comisión, en los casos previstos en el presente Tratado», y estas son: en materia de política regional (arts. 156, 159, 161 Tratado

ban que en la revisión del TUE se ampliase la lista de materias en la que fuera preceptivo un dictamen de uno u otro.

El CES demostró su interés por que las instituciones con iniciativa legislativa le consultasen obligatoriamente en determinadas materias como: la Unión Económica y Monetaria[43], el tercer pilar del TUE (Justicia y Asuntos Exteriores[44]), cuestiones culturales, ciudadanía europea, solicitudes de adhesión a la Unión Europea, etc.[45]. Por su parte, el CDR solicitó que, en la revisión que se hiciera del TUE, se ampliaran sus competencias a todos aquellos casos en que se prevé la consulta al CES, en la política de cooperación y desarrollo, en materia relativa a la ciudadanía de la Unión, y en ayudas públicas[46].

En el momento de plantearse tales reivindicaciones, la Comisión sólo consulta al CES y no al CDR, por ejemplo, en la fijación de las líneas directrices de la política agrícola de la Comunidad (art. 37 TCE). Lo

---

CE) y en aquellas cuestiones que afecten a las regiones en materia de educación (art. 149 TCE), cultura (art. 151 TCE) y salud pública (art. 152 TCE).

[43]   Para el CES la puesta en práctica de la moneda única exigirá una gran vigilancia por parte de los medios económicos y sociales respecto a los costes, plazos y problemas prácticos que ello conllevará. *Vid.* Memorándum del CES aprobado el 30 de mayo de 1995, «El Comité Económico y social: su identidad, sus actividades y sus objetivos a medio plazo», Bruselas, Publicaciones del CES, p. 9.

[44]   El CES ha mostrado su preocupación desde hace tiempo por las relaciones de la Comunidad con terceros países y un interés destacado por que los interlocutores económicos y sociales participen en dicho diálogo. De hecho, el CES ha mantenido contactos con los medios de esta naturaleza de Estados Unidos, países de América Latina (Mercosur), la ASEAN, los Estados ACP, de la AELC y de la Unión del Magreb Árabe. En este sentido el CES ante una prevista reforma de los Tratados desea que las materias relativas a las relaciones entre la Unión Europea y terceros países sean consultadas también al CES, para que en esa toma de decisiones esté presente el parecer de los organizaciones socio-profesionales.

[45]   Comunicado de Prensa que hizo el CES el 3 de mayo de 1995, (Communiqué de Presse n° 50/95). *Id.* Compte rendu des délibérations du Comité Économique et Social sur «La Conférence integouvernamentale 1996», Sesión plenaria del CES de 23 de noviembre de 1995 (CES 1335/95).

[46]   Esta solicitud fue manifestada en el punto 8 del Dictamen del CDR sobre la Revisión del Tratado de la Unión Europea, de 21 de abril de 1995, (CDR/136/95).

mismo ocurría con la aproximación de las legislaciones de los Estados miembros que tuvieran por objeto el establecimiento y funcionamiento del mercado interior (arts. 94 y ss. TCE), con la consulta sobre el Programa Marco Plurianual (art. 166 TCE) y la consulta sobre medidas de ordenación territorial y de utilización del suelo y política de medio ambiente (art. 175 TCE). En todas estas áreas la consulta al CDR sería muy oportuna y, sin embargo, tras Amsterdam, la consulta obligatoria al CDR sólo se ha introducido en la última de las materias que acabamos de citar.

Lo que resultó extraño es que el CDR quisiera ser consultado sobre todas las materias sobre las que lo es el CES y, sin embargo, propusiese suprimir el párrafo tercero del antiguo art. 198 C que decía: «Cuando el Comité Económico y Social sea consultado en aplicación del art. 198, el Consejo o la Comisión informarán al CDR de esta solicitud de dictamen. El CDR podrá emitir un dictamen al respecto cuando estime que hay intereses regionales específicos en juego». Entendemos que este párrafo en nada perjudicaba al CDR, y su posición debiera haberse ceñido a solicitar la consulta obligatoria en materias sobre las que es consultado el CES y que pueden tener repercusión regional. De hecho, la entrada en vigor del Tratado de Amsterdam no ha supuesto la eliminación del párrafo señalado, y el tenor del mismo en el actual art. 265 TCE es idéntico.

Estas peticiones del CDR y CES fueron recogidas por el Marco General de Proyecto de Tratado presentado por la Presidencia irlandesa en diciembre de 1996, apuntándolas como pendientes de discusión[47], y proponiendo ya una previsión de consulta a dichos órganos en la elaboración de las directrices de la política de empleo y en la adopción de las medidas que se consideren necesarias en el logro de tales objetivos de empleo[48]. El mismo camino ha sido el seguido en el Tratado de Amsterdam, donde se concreta esa ampliación de materias de consulta obligatoria al CES y al CDR. Así, se ha aprobado una consulta al CES en materia de

---

[47] Capítulo 18 del Proyecto de Tratado de la Presidencia irlandesa de la CIG (CONF/2500/96).

[48] Capítulo 4 del Proyecto de Tratado de la Presidencia irlandesa de la CIG, Capítulo relativo al empleo (CONF/2500/96).

orientaciones y medidas incentivadoras en el empleo, en legislación sobre asuntos sociales, en la aplicación del principio de igualdad de oportunidades e igualdad de trato, y en la toma de medidas destinadas a alcanzar los objetivos de salud pública a los que se refiere el art. 208 TCE[49]. Y respecto del CDR se produce la ampliación de la consulta obligatoria a las mismas materias arriba mencionadas, añadiéndose las de medio ambiente, decisiones de ejecución sobre Fondo social, medidas destinadas a alcanzar los objetivos previstos en la formación profesional, transportes, y cooperación transfronteriza[50]. Con lo cual se observa que no todas las peticiones expresadas por el CDR y el CES han sido escuchadas, pero sí parte de ellas.

b) La no vinculatoriedad de los dictámenes del CES y del CDR

Dejando aparte el listado de materias sobre la que el CES y el CDR deben ser preceptivamente consultados, conviene atender a otra realidad, y es el hecho de que sus dictámenes no son vinculantes. Ello, consecuencia del carácter consultivo con que estos órganos están previstos en los Tratados constitutivos, convierte a dichos dictámenes, en muchas ocasiones, en declaraciones de voluntad meramente formales y sin ninguna eficacia.

Las opiniones expresadas por el CES y por el CDR no obligan a quien ha efectuado la consulta, quedando su eficacia supeditada al valor que posteriormente le otorguen el Consejo o la Comisión. De hecho, así

---

[49]   Ello supondría la modificación de los arts. 10, 137.2 y 3; 141.3 y 152.4 TCE, respectivamente. Esto se deduce de lo establecido en los arts. 2.5; 2.22; y 2.26 del Tratado de Amsterdam).

[50]   Ello supondría la modificación de los arts. 10, 137.2 y 3; 152.4; 157.1, 2 y 3; 148; 150.4; 71 y 265 TCE. Lo que se deduce de los arts. 2.5; 2.22; 2.32; 2.26; 2.23; 2.24; 2.16 y 2.49 del Proyecto de Tratado de Amsterdam, respectivamente. Hay que señalar que la ampliación de consulta obligatoria al CDR en materia transfronteriza se recoge en el mismo texto del actual art. 265 TCE, que pasa a decir lo siguiente: «El Comité de las Regiones será consultado por el Consejo o por la Comisión, en los casos previstos en el presente Tratado y en cualquiera otros, en particular aquellos que afecten a la cooperación transfronteriza, en que una de estas dos instituciones lo estime oportuno», [art. 2.49.a) Tratado de Amsterdam].

como se ha visto una atención progresivamente mayor, por parte de esta instituciones, hacia los dictámenes del Parlamento, no puede decirse lo mismo respecto de los del CES[51]. En los casos de dictámenes preceptivos, aunque su recepción constituye una condición necesaria para la decisión del Consejo o de la Comisión, la influencia real de su contenido ha seguido siendo muy limitada, convirtiéndose, a veces, en un mero formalismo[52].

En cuanto al CDR, resulta prematuro analizar esta circunstancia, dado el corto período de vida de este órgano[53], no obstante no es difícil predecir que seguirá una suerte parecida si no se produce un cambio de voluntades en posibles futuras revisiones del TUE. Precisamente por lo que ha venido sucediendo hasta el momento, y en vistas a reforzar la efectividad de sus dictámenes, el CDR en su dictamen sobre la revisión del TUE proponía que se incluyera la regla de que «en los casos de divergencia del Consejo, de la Comisión (y, en el supuesto de que así se establezca, del Parlamento) con el dictamen del Comité, dichas instituciones le informarán de los motivos de su posición»[54], cosa que finalmente no se incluyó en ninguno de los proyectos que fueron proponiéndose ni en el Tratado finalmente aprobado.

No debe olvidarse, por otro lado, que, como ya se ha dicho, se reconoce la posibilidad de que dichas Instituciones comunitarias puedan

---

[51]   GONZÁLEZ SÁNCHEZ: «La evolución institucional de la Unión Europea: del sistema cuatripartito previsto en los tratados originarios a un sistema institucional tripartito en la perspectiva de realización de la unificación europea», *Revista de Instituciones Europeas*, vol. 21, 1994, pp. 105-106.

[52]   Sobre la influencia de los dictámenes del CES puede verse: SERRA CRISTÓBAL, R.: *El Comité Económico y Social..., op. cit.*, pp. 93 y ss.

[53]   El CDR fue creado por el Tratado de Maastricht, que entró en vigor en enero de 1993, pero no tuvo su primera asamblea plenaria hasta marzo de 1994. No obstante, sobre la influencia de los dictámenes del CDR puede verse el Dictamen que elaboró el propio Comité en marzo de 1996 bajo el título: «El impacto de los dictámenes adoptados», donde se hace una descripción del seguimiento que se ha dado a los trabajos elaborados en el seno del CDR, aunque, respecto a la objetividad de su contenido, no puede olvidase el hecho de que se trata de un documento elaborado por el propio CDR.

[54]   Punto 8 del Dictamen del CDR sobre la Revisión del Tratado de la Unión Europea, de 21 de abril de 1995, (CDR/136/95).

consultar al Comité en todos aquellos casos en que lo consideren oportuno[55]. Esta petición se puede producir en cualquier momento del proceso decisorio y, por supuesto, es totalmente discrecional por parte de las mismas. Es un instrumento que tienen las instituciones decisorias en sus manos para reforzar la legitimidad de sus decisiones, que incluirían, de este modo, la opinión de aquellos a los que tales decisiones van a afectar directamente.

c) El momento de la consulta

El momento en que el CES y el CDR son consultados es de suma importancia, pues de ello depende en gran medida la capacidad de influencia en la formación de la voluntad comunitaria. Actualmente la consulta obligatoria que corresponda realizar al Consejo no puede practicarse antes de haber recibido de la Comisión los proyectos de texto, y la consulta por parte de la Comisión se realiza después de que ésta haya elaborado su decisión, es decir, cuando ha confeccionado su propuesta de directiva. Es en ese momento, y justo antes de remitir la propuesta al Consejo, cuando se realiza la consulta al CES y al CDR. En consecuencia, en ambos casos las posibilidades de influencia de dichos órganos consultivos restan mínimas, ya que los proyectos de texto no se realizan teniendo conocimiento de los criterios del sector económico y social o de los regionales y locales representados en el CES y en el CDR, respectivamente. Por contra, en esa fase de elaboración de la propuesta de normas por la Comisión sí influyen, en muchas ocasiones, comités específicos que agrupan intereses particularizados, al igual que fuerzas sociales y regionales actuando como grupos de presión. De hecho, los grupos económico-sociales y las regiones prefieren influir directamente en la delegación negociadora nacional que va a participar en la toma de decisión comunitaria, o mantener esos contactos directos con las instituciones con capacidad legislativa. Esta es, por ejemplo, una de las finalidades de las oficinas de representación que la práctica totalidad de las Comunidades Autónomas tienen abiertas en Bruselas.

---

[55]   En efecto, los arts. 262 del Tratado CE y 170 del Tratado CEEA, así lo establecen respecto del CES y el art. 265 del TCE respecto del CDR.

En relación a todo ello, el grupo de Reflexión manifestó que las capacidades del CES debían ser mejor aprovechadas en la fase consultiva preparatoria de la acción legislativa[56]. Además, una consulta *a posteriori*, al CES y al CDR, habida cuenta de lo dilatados que ya son los procesos de elaboración de normas, no puede producir a penas modificaciones en las mismas.

No debe olvidarse, sin embargo, la posibilidad que tienen el CES y el CDR de poder emitir dictámenes por iniciativa propia cuando lo consideren oportuno[57]. Ello les permitiría adelantarse, en cierto modo, a la toma de posición del Consejo o de la Comisión. De todos modos, se trata una solución de urgencia que no viene más que a «parchear» el verdadero problema de fondo.

d) La función consultiva respecto del Parlamento europeo

Ni el CES ni el CDR estaban previstos como órganos consultivos del Parlamento. Pese a ello, ambos manifestaron su deseo de ejercer su función consulta también respecto de éste[58]. La idea de que el CDR fuese consultado por el Parlamento figuraba en la propuesta que hizo Alemania en el momento de creación del Comité[59], y así fue recogida por la mayoría de los integrantes del Grupo de reflexión[60]. Por el contrario, nada se mencionó respecto del CES.

---

[56] Punto 124 Informe del Grupo de reflexión, Bruselas 5 de diciembre de 1995.

[57] La facultad de emitir dictámenes por iniciativa propia no estaba prevista en los Tratados originariamente, esta facultad fue introducida en el Reglamento del CES en 1974, y reconocida formalmente en los Tratados con la modificación por el TUE del art. 198 TCE («Podrá tomar la iniciativa de emitir un dictamen cuando lo juzgue oportuno»). Respecto del CDR, éste nació con el derecho a emitir dictámenes por iniciativa propia (art. 265 TCE).

[58] Punto II.2 del Informe de la Mesa del CES, de 26 de abril de 1995, sobre «La conferencia Intergubernamental de 1996 y el papel del Comité Económico y Social». Esta intención fue reiterada de nuevo en el Comunicado de prensa que hizo el CES el 3 de mayo de 1995, (Comuniqué de Presse nº 50/95). *Vid,* igualmente, el punto 8 del Dictamen sobre la Revisión del Tratado de la Unión Europea, de 21 de abril de 1995 (CDR/136/95).

[59] PÉREZ GONZÁLEZ, M.: «Algunas observaciones sobre el Comité de las Regiones...», *op. cit.*, p. 39.

[60] Punto 123 Informe del Grupo de reflexión, Bruselas 5 de diciembre de 1995.

Ese interés del CES y del CDR por constituirse en órganos consultivos del Parlamento recibió una acogida favorable por parte del mismo. De hecho, ante la revisión del TUE, el Parlamento manifestó su interés por tener derecho a solicitar un dictamen tanto del CES como del CDR cuando lo considerase oportuno[61]. Esta confluencia de opiniones a favor de la consulta por parte del Parlamento ha visto su fruto en el Tratado de Amsterdam, donde se ha acordado añadir un nuevo párrafo a los actuales arts. 262 y 265 TCE donde se recoge la posibilidad de consulta del Parlamento Europeo al CES y al CDR.

Desde luego, y en la línea de lo que ha señalado algún autor[62], tanto el papel del CES como el del CDR podría verse favorecido, por inducción, si finalmente se produce el reforzamiento del Parlamento que tanto se propugna y el CES y el CDR son órganos consultivos de dicho órgano.

6. Las carencias en la autonomía funcional del CES y del CDR

En los trabajos preparatorios de las Conferencias Intergubernamentales previas a la elaboración del TUE, cuando se debatió sobre la configuración del CDR, se planteó la posibilidad de la creación de éste en el seno del CES[63]. No obstante, la decisión final fue la de establecer un CDR como organismo autónomo. La opción contraria hubiese supuesto una desnaturalización del CES, que está pensado desde sus orígenes para representar a los intereses económico-sociales y que nunca se ha estructurado basándose en criterios regionales.

---

[61]   «Resolución sobre el funcionamiento del Tratado de la Unión Europea en la perspectiva de la Conferencia Intergubernamental de 1996», de 17 de mayo de 1995 (Doc. PE 190.442).

[62]   VANDAMME, J.: *Fonction consultative professionnelle et dialogue social dans la Communauté Européenne*, Bruselas, Presses Universitaires Européennes, 1993, p. 172.

[63]   DÍEZ-HOCHLEITNER, J.: «La reforma institucional de las Comunidades Europeas acordada en Maastricht», *Gaceta Jurídica de la CE*, nº GJ 115 D-18, 1992, p. 91. Esta propuesta fue apoyada por el propio CES, y varias delegaciones de Gobierno, entre ellas la de España, aunque ésta fue decantándose en el curso de las negociaciones por un CDR independiente.

Pese a ello, la autonomía del CDR respecto del CES no ha sido absoluta, puesto que hasta Amsterdam han participado de la misma estructura organizativa, con un personal administrativo compartido y sustentada por una dotación común del presupuesto comunitario[64]. La administración conjunta no tiene mucha razón de ser, pues, pese a presentar muchas afinidades[65], son órganos independientes entre sí, representan a intereses diversos y mantienen cada cual sus propias funciones. Por supuesto, ambos organismos manifestaron reiteradamente su disconformidad con la situación y no dejaron de expresar su deseo de mantener, cada cual, su estructura administrativa propia e independiente de la otra[66]. Dicha circunstancia no fue desapercibida por el Grupo de Reflexión, donde la mayoría apuntó hacia la posibilidad de dotar al CDR de un aparato administrativo propio[67], y lo mismo se recogió en el informe elaborado por la Conferencia de representantes de los Gobiernos de los Estados miembros, celebrada en Bruselas el 17 de junio de 1996[68] con el objeto de estudiar el estado de los trabajos de la CIG.

Este reclamo fue recogido por el proyecto de la Presidencia irlandesa de la CIG, presentado el 5 de diciembre de 1996 en Dublín[69], donde se proponía eliminar el protocolo nº 16 anexo al TUE, lo cual supondría

---

[64] Así se establece en el Protocolo Adicional al TUE que lleva por título «sobre el Comité Económico y Social y sobre el Comité de las Regiones». Por otro lado, el art. 60 del Reglamento interno del CES establece que «las Secretarías Generales del CES y del Comité de las Regiones resolverán de común acuerdo los asuntos relativos a los servicios comunes».

[65] Como ya se ha dicho, ambos son órganos consultivos con la posibilidad de emitir dictámenes que no tienen carácter vinculante, presentan el mismo número de consejeros, se establece el mismo reparto de representantes por Estado miembro en su seno, el período de mandato de los mismos es igual, el carácter representativo y no imperativo de los miembros se repite en ambos organismos, etc.

[66] Por ejemplo, véase el Memorándum del CES aprobado el 30 de mayo de 1995, «El Comité Económico y social: su identidad, sus actividades y sus objetivos a medio plazo», Bruselas, Publicaciones del CES, p. 6.

[67] Punto 123 Informe del Grupo de reflexión, Bruselas 5 de diciembre de 1995.

[68] Punto 4.B del Informe (CONF/3860/96 REV. 1).

[69] El proyecto de la Presidencia irlandesa de la CIG, presentado el 5 de diciembre de 1996 en Dublín, lleva por título: «Adapter l'Union Européenne dans l'intérêt de ses citoyens et la préparer pour le futur. Cadre Général por un projet de révision des traités», (CONF/2500/96)

dotar de mayor autonomía administrativa al CDR, y esto ha sido lo adoptado finalmente en el Tratado de Amsterdam.

Por otro lado, se ha de hablar de otro aspecto que configura la autonomía del CES y del CDR: la capacidad de autoreglamentarse. El CES obtuvo esta prerrogativa a partir del TUE[70], no, por el contrario, el CDR, que aun pudiendo establecer su reglamento interno, éste requería la aprobación unánime del Consejo[71]. Por supuesto, dicho Comité no quiso dejar pasar la oportunidad que ofrecería la revisión del TUE para obtener esta facultad y así lo manifestó en su dictamen sobre la revisión del Tratado[72]. También en este terreno su petición ha sido oída y el Tratado de Amsterdam acordó una modificación en la redacción del antiguo art. 198 B TCE, y ahora simplemente se señala que el CDR «establecerá su reglamento interno», sin ninguna referencia a la posterior aprobación del Consejo[73].

7. Los principios propugnados por el CES y por el CDR ante la revisión del TUE

a) El CES y la potenciación de la participación socioprofesional y de la política social

El CES, en cuanto representante de los intereses económicos y sociales, ha apostado desde sus inicios por un modelo de Europa donde se potencien los principios sociales contenidos en los Tratados, pues el desarrollo económico no puede hacerse sin ir acompañado de toda una

---

[70]   El art. G.65 del TUE otorga al CES la autonomía reglamentaria, al dar a los art. 260.2 TCE y 168.2 TCEEA la redacción siguiente: «El Comité establecerá su reglamento interno».

[71]   Art. 198 B TCE.

[72]   El CDR en el punto 6 del Dictamen sobre la Revisión del Tratado de la Unión Europea, de 21 de abril de 1995 (CDR/136/95), propone la modificación del primer párrafo del art. 198 B, pasando a redactarse del siguiente modo: «(El Comité de las Regiones) aprobará su reglamento interno».

[73]   Art. 264 TCE

serie de medidas sociales. En un principio, como es sabido, los Tratados constitutivos sólo contemplaban los objetivos sociales como medio o instrumento para alcanzar finalidades económicas. Lo cual no significaba que las cuestiones sociales fuesen olvidadas en el ámbito comunitario, al contrario, los fines sociales fueron acompañando a las propuestas normativas que se iban planteando. Así, por ejemplo, se dieron pasos importantes en materia de política social en la Cumbre de Jefes de Estado y de Gobierno de 1972[74], en el Acta Unica Europea de 1986[75], y con la adopción de la Carta comunitaria de los derechos sociales fundamentales en 1989[76]. Pero, sin duda alguna, con el TUE se dio un nuevo e importantísimo empuje a los principios sociales, tanto por las mejoras introducidas en el articulado social de los Tratados[77], como por la

---

[74]   En la Cumbre de Jefes de Estado y de Gobierno de París afirmaron que «la expansión económica, que no es un fin primordial en sí misma debe, como prioridad, permitir atenuar la disparidad de las condiciones de vida. Debe continuarse con la participación de todos los representantes sociales». Tras la Cumbre de París la política social comunitaria recibió un fuerte empuje. Se empezaron a tomar importantes medidas encaminadas a mejorar las condiciones de vida y de trabajo, aumentar la participación de representantes sociales y a tender al pleno empleo. Esta misma idea fue reiterada en la reunión del Consejo Europeo de 14 y 15 de diciembre de 1990 en vistas a la Conferencia Intergubernamentales sobre la Unión Política, donde se pedía «que se prestase especial atención a la necesidad de diálogo social» y se añadía que «la Conferencia examinaría la forma de mejorar la eficacia de los órganos e instituciones de la comunidad a la luz de las sugerencias que presentaran cada una de esta instituciones y los Estados miembros» (vid. «Conclusiones de Roma II», *Revista de Instituciones Europeas*, nº 1, 1991, pp. 383 y ss.).

[75]   El Acta Única Europea vino a completar el Tratado de Roma en lo relativo a la política social y a la cohesión económica y social. Propuso tres vías nuevas para abordar de modo más eficaz la construcción de la dimensión social del mercado interior: la armonización legislativa en materia de condiciones de trabajo, el desarrollo del diálogo social y la reducción de las diferencias socio-económicas entre regiones para conseguir esa cohesión económica y social del conjunto de la Comunidad. *Vid.* sobre ello, De RUYT, J.: *L'Acte Unique Européenne*, Bruselas, Université de Bruxelles, 1987.

[76]   Sólo Gran Bretaña mantuvo su oposición al texto.

[77]   Con la entrada en vigor del Tratado de Maastricht se produjeron importantes modificaciones. El capítulo social del mismo insistió en muchas de las bases de política social que estaban recogidas en los Tratados constitutivos, pero añade

adhesión al cuerpo del TUE del *Protocolo y la Declaración sobre política social*[78].

En el proceso de revisión del TUE iniciado en 1996 correspondía a los Estados miembros decir si los objetivos previstos en este terreno se habían alcanzado y, en su caso, qué medidas institucionales y políticas debían imponerse. En términos generales, la mayor parte de los Estados miembros han mostrado gran interés por introducir mejoras en este área[79] y conseguir los objetivos que se establecían en Maastricht[80], y por

---

algunos objetivos relativos a la educación y la juventud (art. 126, actualmente art. 149), política comunitaria para la formación profesional (art. 127, actualmente art. 150), asuntos culturales (art. 128, actualmente art. 151), salud pública (art. 129, actualmente art. 152), protección al consumidor. Otra de las novedades que introdujo Maastricht es la creación de un «Fondo de Cohesión» en favor de Portugal, Grecia, Irlanda y España. Todo esto constituye la base sobre la cual se va a desarrollar la política de la Comunidad de ahora en adelante y los intereses económicos y sociales tiene un papel determinado en ella. Ello sin olvidar el propio cambio de denominación de la «Comunidad Económica Europea» por «Comunidad Europea», indicativo de un cambio de concepción general. Como resultado de estas intenciones, el Tratado de Maastricht de 1992 ha dado también pasos importantes en pro del favorecimiento de la participación de los interlocutores socio-profesionales en la formación de la voluntad comunitaria. Sobre ello, *vid.* entre otros MARTÍNEZ MURILLO, J. J.: «Maastricht y la nueva política social», *GJ Gaceta Jurídica de la CE*, nº GJ 103-71, 1992.

[78] El Reino Unido de Gran Bretaña e Irlanda del Norte no ratificó ni la Declaración ni el Protocolo.

[79] El «comité de sabios», que a petición de la Comisión Europea elaboró un informe sobre las posibilidades de desarrollo de la Carta europea de los derechos sociales fundamentales de los trabajadores (1989), manifestó también en dicho informe su preocupación por las cuestiones sociales, proponiendo con vistas a la CIG una serie de medidas para la construcción social europea. Una síntesis de dicho informe puede verse en, FOUCAULD, J.-B. de: «Plaidoyer pour une Europe civique et sociale», *Regards sur l'actualité*, nº 231, mayor 1997, pp. 3-12.

[80] El Gobierno belga en su nota sobre la CIG, de 28 de julio de 1995, opta por un desarrollo de la UE en el contexto de un modelo socio-económico en el que el crecimiento económico vaya parejo al progreso social. Alemania manifestó que no tolerará ningún tipo de reducción del nivel de protección social existente en este país (Acuerdo de coalición del Gobierno alemán de 11 de noviembre de 1994). España en el Dictamen de la Comisión Mixta para la UE sobre «consecuencias para España de la ampliación de la UE y reformas institucionales», señalaba la creación de empleo y la política social como uno de los principales

supuesto, la preocupación por el empleo fue y es una constante en la posición de todos los Estados[81], instituciones y grupos de intereses. A este respecto, el Informe del Grupo de reflexión presentado el 5 de diciembre en Bruselas señalaba: «Creemos que, en la Unión Europea, la responsabilidad principal de asegurar el bienestar económico y social de los ciudadanos recae en los Estado miembros. No obstante, en un espacio económico integrado como el nuestro, la Unión tiene también la responsabilidad de crear las condiciones adecuadas para la creación de puestos de trabajo... Todos somos conscientes de que no se crean puestos de trabajo mediante simples enmiendas del Tratado, pero muchos de nosotros deseamos que éste asuma con más claridad el compromiso de la Unión de lograr una mayor integración y cohesión económica y social orientadas hacia el fomento del empleo»[82].

Como es obvio, el CES es uno de los principales interesados en que se continúen fomentando los principios sociales y en participar en la revisión de los aspectos del TUE con repercusión social, por ello, en su Dictamen sobre la CIG aludió a la vía de participación que le ofrece el art.

---

retos de la Unión. Luxemburgo concede a la dimensión social la misma importancia que a las otras grandes ambiciones de la UE. En particular se declara profundamente vinculado a los principios de la Carta Social y del Diálogo social, así como del establecimiento de un catálogo de derechos sociales mínimos (Memorándum del Gobierno luxemburgués de 30 de junio de 1995). Portugal y Finlandia apuntan igualmente hacia un reforzamiento de la cohesión económica y social en la Resolución de la Asamblea de la República de 2 de marzo de 1995, y Memorándum del Ministerio de Asuntos Exteriores finlandés de 18 de septiembre de 1995.

[81]   Sobre ello puede verse: las conclusiones del Consejo Europeo de Madrid, de 15 y 16 de diciembre de 1995 (SN/400/95); las Conclusiones del Consejo Europeo de Turín, de 29 de marzo de 1996 (SN/100/96); las Conclusiones de la Presidencia al término de la Conferencia Tripartita sobre Crecimiento y Empleo, Roma, 14 y 15 de junio de 1996 (doc. 8315/96); el Informe de la Conferencia de Representantes de los Gobiernos de los Estados miembros sobre el estado de los trabajos de la CIG, Bruselas, 17 de junio de 1996, (CONF/3860/96 REV. 1); las Conclusiones del Consejo Europeo de Florencia, de 21 y 22 de junio de 1996 (SN/300/96), y las Conclusiones del Consejo Europeo de Dublín de 13 y 14 de diciembre de 1996 (SN/401/96), donde se anexa la Declaración de Dublín sobre el empleo.

[82]   Informe del Grupo de reflexión, Bruselas 5 de diciembre de 1995.

159 TCE, para hacer oír su opinión al respecto. Pero también otras instituciones y muchos Estados mostraron su interés por la cuestión social. Así, por ejemplo, en el dictamen presentado por la Comisión Europea el 28 de febrero de 1996, se señalaba que «es vocación de la Unión contribuir a la realización de los objetivos sociales, cuya consecución incumbe principalmente a los Estados miembros, agentes económicos e interlocutores sociales», y se añadía que «la dimensión social debe ocupar un lugar destacado en la Conferencia… para lo cual, la Comisión considera requisitos esenciales la reintegración del Protocolo Social en el Tratado y la formulación más precisa de determinadas disposiciones sobre cooperación entre los Estados miembros en materia de política social»[83]. Esta idea había sido mantenida también por el propio CES[84] y por algunos Estados como Luxemburgo, Dinamarca y Austria[85].

En el Marco general para un Proyecto de Tratado presentado por la Presidencia irlandesa se hizo eco de esa voluntad casi unánime, a excepción de la delegación de Gran Bretaña, de insertar las disposiciones del Protocolo sobre política social anexo al TUE en el cuerpo normativo del TCE, lo que supondría un reemplazamiento del Título VIII de éste, destinado a la política social[86]. Esta voluntad ha seguido manteniéndose hasta el final, y se ha reflejado en el Tratado de Amsterdam, donde se ha establecido la derogación del Protocolo nº 14 sobre política social y el Acuerdo anexo al mismo y su inserción en los actuales arts. 136 a 145 TCE, preceptos que, por supuesto, quedan modificados y vinculan ahora al Reino Unido e Irlanda del Norte. Este cambio incide, en cierto modo,

---

[83] Dictamen de la Comisión «Reforzar la Unión política y preparar la ampliación», Luxemburgo, Oficina de Publicaciones Oficiales de las Comunidades Europeas, 1996.

[84] Puntos 5.4 y 5.7 del Informe de la Mesa del CES, de 26 de abril de 1995, sobre «La conferencia Intergubernamental de 1996 y el papel del Comité Económico y social» (CES 273/95).

[85] Respectivamente, Memorándum del Gobierno luxemburgués de 30 de junio de 1995 sobre la CIG 1996, Informe del Ministerio de Asuntos Exteriores de Dinamarca de junio de 1995, y Líneas directrices del Gobierno austríaco sobre los temas de la CIG elaborados por la Cancillería Federal y el Ministerio de Asuntos Exteriores el 4 de mayo de 1995.

[86] Capítulo 5º del Marco general de Proyecto de Tratado de la Presidencia irlandesa (CONF/2500/96)

en el CES, pues a lo largo de este articulado se prevé la consulta e informe del Consejo y de la Comisión a tal órgano consultivo[87].

b) La propuesta del CDR acerca del principio de subsidiariedad

El principio de subsidiariedad, recogido en el art. 5 TCE[88], encuentra su fundamento en un diseño de la Unión Europea «en la cual las decisiones serán tomadas de la forma más próxima posible a los ciudadanos» (art. 1 TUE)[89]. Lo que supone básicamente que el ejercicio de una

---

[87] Reproducimos como muestra de ello parte de los artículos del actual TCE relativos a la política social tal y como quedan modificados tras la entrada en vigor del Tratado de Amsterdam: Art. 137.2 TCE: «...El Consejo decidirá con arreglo al procedimiento previsto en el artículo 251 y previa consulta al Comité Económico y Social...»; art. 137.3 TCE: «Sin embargo, el Consejo decidirá por unanimidad, a propuesta de la Comisión y previa consulta al Parlamento Europeo y al Comité Económico y Social en los siguientes ámbitos...»; art. 140 TCE: «Antes de emitir los dictámenes a que se hace referencia en el presente artículo, la Comisión consultará al Comité Económico y Social»; art. 141.3 TCE: «El Consejo, de conformidad con el procedimiento establecido en el artículo 251 y previa consulta al Comité Económico y Social adoptará las medidas para garantizar la aplicación del principio de igualdad de oportunidades e igualdad de trato para hombres y mujeres...»; art. 143 TCE: «La Comisión elaborará un informe anual sobre la evolución en la consecución de los objetivos del art. 136, que incluirá la situación demográfica en la Comunidad. La Comisión enviará dicho informe al Parlamento Europeo, al Consejo y al Comité Económico y Social».

[88] «La Comunidad actuará dentro de los límites de las competencias que le atribuye el presente Tratado y de los objetivos que éste le asigna. En los ámbitos que no sean de su competencia exclusiva, la Comunidad intervendrá, conforme al principio de subsidiariedad, sólo en la medida en que los objetivos de la actuación pretendida no puedan ser alcanzados de manera suficiente por los Estados miembros, y, por consiguiente, puedan lograrse mejor, debido a la dimensión o a los efectos de la acción contemplada, a nivel comunitario».

[89] Sobre el principio de subsidiariedad, vid. entre otros, AREILZA CARVAJAL, J. M.: «El principio de subsidiariedad en la construcción de la Unión Europea», Revista Española de Derecho Constitucional, nº 45, 1995, pp. 53-94; FERAL, P.-A.: «Le principe de subsidiarieté dans le cadre de la Conférence Intergouvernementale de 1996», Les Petites Affiches, nº 147, 1995, pp. 20-26; GALERA RODRIGO, S.: «El principio de subsidiariedad desde la perspectiva del reparto de competencias entre los Estados miembros y la Unión Europea», Gaceta Jurídica de la CEE, nº

competencia corresponderá a aquel nivel político-administrativo mejor capacitado para su materialización óptima, primando el nivel político más cercano al ciudadano[90].

Siguiendo esta filosofía, el ejercicio de las competencias debe quedar en manos de aquel ente que mejor pueda gestionarlas, prefiriéndose al órgano inferior frente al superior. Por ello, no es de extrañar que se haya planteado si el principio de subsidiariedad, que, a tenor del art. 5 TCE parece constreñido a las relaciones competenciales entre los Estados miembros y la CE, cabe ampliarlo a las relaciones tripartitas entre entes locales, Estado y CE. Esta cuestión no ha sido desoída por la doctrina. Así, De Castro Ruano, aún reconociendo que existen autores partidarios de lo contrario, considera que el principio de subsidiariedad implica una potencialidad para la participación política de las regiones. Constituye un principio indivisible que no puede referirse a determinados niveles político-administrativos y excluir a otros[91].

Esta opinión coincide con la del CDR, el cual, consciente de que el principio de subsidiariedad puede convertirse en un principio dinamizador de la participación regional en la UE, sabe que también puede servirle de hilo conductor político para constituirse en una institución comunitaria *de facto*[92]. El interés mostrado por el Comité en esta materia le llevó a emitir un dictamen, complementario al de la Revisión del TUE, sobre «La aplicación del principio de subsidiariedad en la Unión Europea»[93].

B-103, 1995, pp. 5-22; PALACIO GONZÁLEZ, J.: «The principle of subsidiarity (a guide for lawyers with a particular community orientation)», *European Law Review*, vol 20, nº 4, 1995, pp. 335-370.

[90]   DE CASTRO RUANO, J. L: «El principio de subsidiariedad en el TUE: una lectura en clave regional», *Gaceta Jurídica de la CE*, nº D-24, 1995, p. 219.

[91]   *Ibidem,* p. 244.

[92]   Dictamen del Comité de las Regiones: «Reforme institutionnelle: le Comité des Regions veut s'asseoir a la table des discussions», de 17 de marzo de 1995, (Doc. DCP/95/17). De igual modo, el Presidente del CDR ya había expresado un año antes la voluntad de dicho órgano de convertirse en el guardián del principio de subsidiariedad, vid. LABOUZ, M. F.; BURGORGUE-LARSEN, L.; DAUPS, T.: «Le comité des régions: gardien de la subsidiarité?», *Europe*, octubre de 1994, pp. 1-4.

[93]   Dictamen de la Comisión de desarrollo regional, desarrollo económico y hacienda local y regional del CDR, de 21 de abril de 1995. (CDR/136/95 anexo).

Ante la llegada del inicio de la Conferencia Intergubernamental el CDR reclamó una nueva formulación del principio de subsidiariedad «no únicamente como un criterio de ejercicio de las competencias compartidas entre la Unión y los Estados miembros, sino como un criterio de reparto de competencias y responsabilidades entre todos los niveles de gobierno que participan en la Unión Europea»[94] y asimismo solicitó «la inclusión de los mecanismos adecuados para poder recurrir ante el Tribunal de Justicia por las vulneraciones de la subsidiariedad que afecten a las competencias de los entes regionales y locales»[95]. Esta idea fue apoyada expresamente por Bélgica, Alemania, España y Austria en los distintos memorándums presentados en vistas a la Conferencia Intergubernamental[96]. De hecho, la Conferencia de los Representantes de los Gobiernos de los Estados convocada en Turín el 29 de marzo, tomó debida nota de la Declaración de Alemania, Austria y Bélgica, declaración anexa al Tratado de Amsterdam, en la que se señala que para los gobiernos de dichos países «es evidente que la acción de la Comuni-

---

Sobre la posición mantenida por el CDR en su Dictamen sobre el principio de subsidiariedad puede verse también, FERAL, Pierre-Alexis: «Le principe de subsidiarité dans le cadre de la Conférénce Intergouvernamentale de 1996», *op. cit.*

[94] Concretamente el CDR propone que la redacción del art. 3 B del TCE (actualmente art. 5 TCE) pase a ser el siguiente: «La Comunidad intervendrá conforme al principio de subsidiariedad, sólo en la medida en que los objetivos de la acción pretendida no puedan ser alcanzados de manera suficiente por los Estados miembros, las colectividades regionales y locales dotados de competencia según el derecho interno de los Estados miembros». Punto 1 la Resolución contenida en el dictamen del CDR sobre la Revisión del Tratado de la Unión Europea, de 21 de abril de 1995, (CDR/136/95).

[95] Exposición de motivos del Dictamen del CDR sobre la Revisión del Tratado de la Unión Europea, de 21 de abril de 1995, (CDR/136/95).

[96] Sobre ello, *vid.* «La relación de disposiciones de los Estados miembros de la Unión Europea ante la CIG de 1996», recopilación realizada por la «Task-Force» del Parlamento Europeo, el 8 de diciembre de 1995, (Doc. PE 165.642). Nos referimos a la Nota del Gobierno al parlamento belga sobre la CIG, de 28 de julio de 1995, al Acuerdo de coalición del Gobierno alemán de 11 de noviembre de 1994, al Documento presentado por España bajo el título «La Conferencia Intergubernamental de 1996. Bases para una Reflexión», y a las líneas directrices sobre la CIG elaboradas por la Cancillería Federal y el Ministerio de Asuntos Exteriores el 4 de mayo de 1995.

dad Europea, de conformidad con el principio de subsidiariedad, no sólo afecta a los Estados miembros sino también a sus entidades, en la medida en que éstas disponen de un poder legislativo propio que les confiere el Derecho constitucional nacional»[97]. Esta misma idea fue mantenida hasta el último momento por las asociaciones regionales europeas[98].

Por lo tanto, desde la óptica del CDR, el principio de subsidiariedad debía analizarse desde dos puntos de vista: por un lado, el control *a priori* de la aplicación del principio de subsidiariedad en la normativa en vigor y en la introducción de nuevas políticas o actuaciones, y por otro lado, el control *a posteriori* de la aplicación del principio de subsidiariedad por parte del Tribunal de Justicia. El CDR reclamaba su participación en ambas vertientes y las vías que proponía para materializar sus aspiraciones eran las siguientes: en relación al control previo, solicitaba, entre otras medidas, que la Comisión le comunicase su programa legislativo con las propuestas futuras que, *prima facie*, fueran susceptibles de dar lugar a discusiones previas en lo referente a la plasmación del principio de subsidiariedad; que el informe especial sobre la aplicación del art. 5 TCE fuera presentado al Comité; y que éste examinara su conformidad con el principio de subsidiariedad antes de la aprobación de una norma comunitaria o de la adopción de una acción[99]. Y concretamente, respecto a la posibilidad del CDR de intervenir *a posteriori*, pudiendo recurrir ante el Tribunal de Justicia la vulneración del principio de subsidiariedad, aquél proponía, en primer lugar, una reforma del art. 230 del TCE que le reconociese legitimidad para entablar un recurso de anulación ante el Tribunal de Luxemburgo, así como a todas aquellas regiones dotadas de poderes legislativos[100], en segundo lugar, la posibilidad de interponer el

---

[97]   Declaración tercera de las que tomó nota la Conferencia de Turín y que figura como anexo en el Tratado de Amsterdam.

[98]   Así, en la Declaración Final de la Cumbre Europea de las Regiones y Ciudades celebrada en Amsterdam los días 15 y 16 de mayo de 1997, se dirigió una reivindicación concreta a la CIG: «el principio de subsidiariedad debe aplicarse estrictamente, en interés entre otras cosas, de la autonomía regional y local».

[99]   Punto 15 del Dictamen del CDR sobre «La aplicación del principio de subsidiariedad en la Unión Europea» (CDR/136/95 anexo)

[100]   Punto 2 de la Resolución contenida en el dictamen del CDR sobre la Revisión del Tratado de la Unión Europea, de 21 de abril de 1995, (CDR/136/95). En la actualidad, sólo están legitimados la Comisión, el Consejo y los Estados miem-

recurso de carencia del art. 232 TCE, invocando el art. 5, y finalmente, pudiendo plantear la cuestión prejudicial de apreciación de validez de un acto adoptado por las instituciones comunitarias en relación con ese art. 5, prevista en el art. 234 TCE[101].

Las altas miras del CDR no tuvieron una acogida favorable por parte de los Estados[102]; de hecho, una amplia mayoría del Grupo de reflexión rechazó expresamente esta aspiración del CDR. Se consideró que a éste ni le corresponde interpretar la aplicación de la subsidiariedad respecto de las competencias compartidas entre la Unión y los Estados, ni la presentación de reclamaciones ante el Tribunal de Justicia por la incorrecta aplicación de dicho principio[103]. La aceptación de estas prerrogativas supondría convertir al CDR en una especie de «guardián» de la correcta aplicación del principio de subsidiariedad por el Consejo, la Comisión y los Estados, algo verdaderamente imposible. En el informe elaborado por la Conferencia de representantes de los Gobiernos de los Estados miembros, celebrada en Bruselas, el 17 de junio de 1996[104], y haciéndose referencia a tal idea de otorgar al CDR el derecho a recurrir ante el Tribunal de Justicia de Luxemburgo al que se refiere el art. 230 TCE, se reconoció la tendencia negativa a aceptarla. De hecho, los capítulos concernientes al principio de subsidiariedad y al Tribunal de Justicia del Marco general de Proyecto de Tratado presentado por la Presidencia Irlandesa tan sólo mencionaron que quedaba como una cuestión pendiente de tratamiento[105] y se señaló: «se ha sugerido hacer

---

bros, en general, y el Parlamento y el Banco Central Europeo en la salvaguarda de sus prerrogativas.

[101]   Punto 21 del Dictamen del CDR sobre «La aplicación del principio de subsidiariedad en la Unión Europea» (CDR/136/95 anexo).

[102]   El Estado que más reticente se mostró a introducir el elemento regional en el concepto de subsidiariedad fue Gran Bretaña. Sobre ello puede verse, JEFFERY, C.: «Whither the Committee of Regions? Reflections on the Committee's opinion on the Revision of the Teatry on European Union», *Regional & Federal Studies*, vol. 5, nº 2, 1995, p. 250.

[103]   Punto 71 del Informe del Grupo de Reflexión, Bruselas 5 de diciembre de 1995.

[104]   Punto 4.2 del Informe (CONF/3860/96 REV. 1).

[105]   Capítulo 18 del Proyecto de Tratado de la Presidencia irlandesa de la CIG (CONF/2500/96).

referencia en el art. 3B del TCE, relativo al principio de subsidiariedad, a los niveles regional y local»[106].

Sin embargo, en el texto final del Tratado de Amsterdam, la única referencia que se hace al CDR en lo relativo al principio de subsidiariedad es la que se recoge en el «Protocolo sobre la aplicación de los principios de subsidiariedad y proporcionalidad», al señalar que la Comisión debería presentar un informe anual sobre la aplicación del art. 5 del Tratado al Consejo Europeo, al Consejo, al Parlamento Europeo, al CES y al CDR[107].

8. Recapitulación y valoración final

El CES y el CDR estaban verdaderamente interesados en participar en la revisión que procedía realizar del TUE. Por ello, haciendo uso de la invitación que se hizo en el Consejo de Corfú (24 y 25 junio 1994) a que las instituciones elaboraran un informe previo a los trabajos de Grupo de reflexión sobre el funcionamiento del TUE, el CES y el CDR no se demoraron en presentar sus respectivas propuestas. En los trabajos preparatorios de la CIG el Grupo de reflexión tampoco olvidó recordar el importante papel que estos órganos desempeñan a través de su función consultiva, y así, respecto del CES, una amplía mayoría del Grupo destacó «su función en el diálogo social y valora su aportación como Comité consultivo en materias económicas y sociales, cuyas capacidades deberían ser mejor aprovechadas»[108]. Lo mismo se subrayó del CDR, al decir: «algunos de nosotros creemos que el Comité de las regiones debe desempeñar un papel importante en la legislación comunitaria y que la función consultiva debe utilizarse mejor»[109]. Aunque, por otro lado, ciertos miembros mantuvieron una actitud prudente, mostrándose par-

---

[106] Capítulo 9 del Proyecto de Tratado de la Presidencia irlandesa de la CIG (CONF/2500/96).

[107] Disposición 9ª del Protocolo sobre el principio de subsidiariedad anexo al Tratado de Amsterdam.

[108] Punto. 124 Informe del Grupo de reflexión, Bruselas 5 de diciembre de 1995.

[109] Punto. II Informe del Grupo de reflexión, Bruselas 5 de diciembre de 1995.

tidarios de dejar transcurrir cierto período de tiempo para que el CDR demuestre su eficacia antes de considerar su ulterior desarrollo[110].

Las opiniones vertidas por el CDR y el CES a propósito de la revisión del TUE, y que han sido expuestas a lo largo de este trabajo, competen principalmente a sus ámbitos de actuación, pero, indudablemente, tendrían una repercusión en la esfera global comunitaria. Si las posibles revisiones futuras del TUE deben estar inspiradas por objetivos como la superación del déficit democrático, la búsqueda de una Europa más cercana al ciudadano, una mayor transparencia de la Unión, etc., no cabe duda de que las opiniones del CES y del CDR debieran ser atendidas, pues ellas representan el sentir de los ciudadanos agrupados en torno a criterios diversos: bien sean intereses económicos y sociales en el caso del CES, o por criterios regionales-locales en el supuesto del CDR.

Hasta el momento las propuestas surgidas del CES y del CDR no han recibido mucha respuesta. Pero, como se señaló en el Consejo Europeo de Dublín, celebrado los días 13 y 14 de diciembre de 1996[111], el que muchas de las propuestas presentadas por el CDR y el CES no estuvieran incluidas en el proyecto de Tratado presentado en su día por la Presidencia irlandesa no significaba, exactamente, que hubiesen sido desestimadas, ya que recordó que las Delegaciones seguían teniendo libertad para defender sus propias propuestas y para insistir en sus preocupaciones en la negociación posterior. El resultado de esta negociación posterior se ha quedado prácticamente en lo mismo, en una revisión del TUE de lo que se ha denominado «de mínimos». En lo que atañe al CES y CDR ha supuesto un acuerdo de modificación de aquellos aspectos *mínimos*, en cuanto imprescindibles para su propio funcionamiento independiente, pero a la vez de poca repercusión en el entramado institucional comunitario. Con ello nos estamos refiriendo a lo que arriba se ha señalado sobre la desaparición de la unidad administrativa común que compartían CDR y CES y que no tenía ninguna razón de ser, y a la posibilidad del CDR de autorreglamentarse sin necesidad de aprobación posterior del Consejo.

---

[110] Punto. 123 Informe del Grupo de reflexión, Bruselas 5 de diciembre de 1995.
[111] Conclusiones de la Presidencia del Consejo Europeo de Dublín, 13-14 diciembre de 1996 (SN/401/96).

Y en cuanto a lo más relevante, que consistía en reforzar su función consultiva, las medidas aprobadas también han sido de «mínimos». Como se ha observado, en el Tratado de Amsterdam sólo se contempla la ampliación de la consulta obligatoria al CDR y al CES en el escueto número de materias ya mencionadas en este trabajo. Lo que sí ha supuesto una novedad es la inclusión de la facultad del Parlamento europeo de consultar a tales órganos. Ello no significa que hasta el momento estas consultas no se realizasen, pues lo cierto es que el Parlamento ha mantenido reuniones, coloquios e intercambios periódicos tanto con el CDR como con el CES, con el objetivo de intercambiar pareceres y adoptar posiciones comunes. Por lo tanto, lo que se producirá con la introducción en la letra del TCE de la posibilidad de consulta por parte del Parlamento es la institucionalización o formalización de una práctica que, en cierto modo, sí que se llevaba a cabo, pero que, ahora, indudablemente, se realizará con mayor facilidad y mediante un cauce previsto legalmente.

Hay que finalizar recordando que existen todavía muchos déficits en estas dos instituciones consultivas que mantienen su esperanza de solución en una futura revisión del TUE. Pero, lo que no se puede dejar de reconocer es que, dentro del listado de deficiencias que presenta el entramado comunitario y que han quedado sin resolver, las relativas a los órganos consultivos de las Comunidades Europeas ocuparán, probablemente siempre, un lugar más bien modesto.

LA REFORMA DEL PROCESO DE TOMA DE DECISIONES COMUNITARIO EN EL TRATADO DE AMSTERDAM

ROBERTO VICIANO PASTOR
*Profesor Titular de Derecho Constitucional
Titular de la Cátedra Jean Monnet sobre
instituciones políticas de la Unión Europea
Universitat de València*

Como ya se ha puesto de relieve con anterioridad, el propio Tratado de la Unión Europea establecía expresamente algunas cuestiones que debían ser objeto de análisis por la Conferencia Intergubernamental de 1996[1]. De esas seis referencias explícitas, cuatro tenían que ver con el proceso de toma de decisiones en mayor o menor medida[2]. Resultaba evidente que una de las grandes frustraciones del proceso negociador del Tratado de Maastricht hacía referencia al campo de adopción de decisiones.

---

[1] Ver nota 16 del estudio introductorio de esta obra, «Los orígenes y el contexto jurídico-político de la reforma institucional comunitaria y de la Conferencia Intergubernamental de 1996».

[2] De manera general el artículo B, quinto guión, preveía que la Conferencia debería examinar «la medida en que las políticas y formas de cooperación establecidas en el presente Tratado deben ser revisadas para asegurar la eficacia de los mecanismos e instituciones comunitarias». Además, la declaración número 16 convenía que la Conferencia «estudie la medida en que sería posible revisar la clasificación de los actos comunitarios, con vistas a establecer una adecuada jerarquía entre las distintas categorías de normas», lo que tendría evidentes consecuencias sobre los procedimientos de toma de decisiones. Y de manera más concreta, el artículo 189 B, párrafo 8, planteaba la posible futura extensión del procedimiento de codecisión y el artículo J 10 preveía modificaciones en la política exterior y de seguridad común (y lo hacía pensando en el procedimiento de toma de decisiones en este ámbito, que ya entonces se anunciaba absolutamente ineficaz).

Pero la importancia del tema aumentó como consecuencia del proceso de ratificación del Tratado de la Unión Europea. El proceso de adopción de normas comunitarias y su relación con la legitimidad de las instituciones comunitarias se convirtió en objeto de fuerte polémica y fue uno de los blancos predilectos de los grupos euroescépticos en su campaña contra la integración europea. Ello condujo a que en diversas conclusiones de la Presidencia de los Consejos Europeos se hiciera referencia a la necesidad de profundizar en la eficacia, democracia y transparencia de las instituciones de la Unión Europea. Esta cuestión se agudizó tras la apertura de las negociaciones para la adhesión de Austria, Finlandia, Noruega y Suecia[3].

¿Cuáles fueron, por tanto, los temas relacionados con los procesos de toma de decisiones, objeto de debate durante la Conferencia Intergubernamental y cuáles consiguieron plasmarse en el hoy vigente Tratado de Amsterdam?

En primer lugar hay que destacar dos cuestiones globales con influencia en nuestro estudio: la unificación de los tres pilares de la Unión y la creación de una jerarquía normativa.

En segundo lugar, veremos algunas cuestiones generales que son de aplicación a todos los procesos decisionales: la aplicación del principio de subsidiariedad y los principios de transparencia y eficacia.

Por último, haremos referencia a los procesos de toma de decisiones del ámbito comunitario, de la Política Exterior y de Seguridad Común y de la Cooperación en Asuntos de Justicia e Interior. Dentro del primero de ellos —sin duda el ámbito en el que más nos detendremos— analizaremos los debates sobre el papel de la iniciativa legislativa, la reducción de procedimientos de decisión, la extensión y simplificación del procedimiento de codecisión, el papel de los parlamentos nacionales y la simplificación de la ejecución (comitología).

---

[3]   Ver las conclusiones de la Presidencia de los Consejos Europeos de Cannes, 26 y 27 de junio de 1995, *Bulletin de l'Union Européenne*, 6/95, p. 18; de Madrid, 15 y 16 de diciembre de 1995, *Bulletin de l'Union Européenne*, 12/95, p. 26; de Turín, 29 y 30 de marzo de 1996, *Bulletin de l'Union Européenne*, 3/96, pp. 9-11, especialmente el punto 1.5, titulado «Las instituciones en una Unión más democrática y eficaz».

1. La unificación de los tres pilares de la Unión

Una gran mayoría de los informes realizados por las instituciones comunitarias sobre el funcionamiento del Tratado de Maastricht coincidía en poner de relieve el fracaso del funcionamiento del segundo y tercer pilar y, a su vez, una gran mayoría de las mismas fuentes atribuía esa inoperancia al hecho de no estar comunitarizados[4].

Por ello no puede sorprender que en los primeros momentos del debate sobre los trabajos de la Conferencia Intergubernamental se planteara la posibilidad de que ésta estudiara la desaparición de la estructura de los tres pilares[5]. Incluso el Consejo de la Unión presentó en octubre de 1995 un documento en este sentido, en el que se estudiaban las posibilidades abiertas[6]. Este documento establecía entre otras opciones, el establecimiento de una sola organización internacional alineada entorno a la Comunidad Europea, con la Unión Europea bajo el manto de otro Tratado. Otra opción era fusionar los tres Tratados fundacionales en uno bajo la cubierta de la Unión Europea, aunque negándole a ésta —como en Maastricht— la personalidad jurídica, de modo que la «parte» conservara el grueso de las atribuciones y el «todo» permaneciera como hasta ahora, es decir, manteniendo la esquizofrenia de un ente jurídico

---

[4]   Comisión Europea: *Informe sobre el funcionamiento del Tratado de la Unión Europea*, SEC (95) 731, Bruselas, 10 de mayo de 1995, en GARCÍA DE ENTERRÍA, E., TIZZANO, A., ALONSO GARCÍA, R.: *Código de la Unión Europea*, Civitas, Madrid, 1996, p. 294.
Parlamento Europeo: *Informe del Parlamento Europeo sobre el funcionamiento del Tratado de la Unión Europea en la perspectiva de la Conferencia Intergubernamental de 1996*, Ponentes, Jean-Louis Bourlanges (PPE-F) y David Martin (PSE-UK), 17 de mayo de 1995, DOC A 4-0102/95, en GARCÍA DE ENTERRÍA, E., TIZZANO, A., ALONSO GARCÍA, R.: *Código de la Unión Europea, op. cit.*, página 257. Publicado en el DOCE C 151, 19 de junio de 1995, p. 56.

[5]   Sobre todo fue una propuesta defendida por el Parlamento Europeo y también por algún Estado miembro como Bélgica. Ver el *Rapport d'étape du Président du Groupe de Réflexion sur la Conférence Intergouvernementale de 1996, Agence Europe*, 27 de septiembre de 1995, nº 1.951-1.952, 17 páginas. El texto en español está disponible en *Gaceta Jurídica de la CE y de la competencia*, nº 106, septiembre 1995, pp. 75-89.

[6]   *Informe de la Secretaría General del Consejo sobre simplificación de los Tratados*, SN/513/95, (REFLEX 14), 17 de octubre de 1995.

restringido dentro de un ente político más amplio pero vacío de contenido.

Lo lógico y deseable habría sido fusionar las tres Comunidades en una sola —con personalidad jurídica también única— que acogiera tanto a la entidad jurídica —las Comunidades preexistentes— como a la entidad política —la Unión Europea—. De este modo se habría avanzado en sencillez y coherencia, logrando, al mismo tiempo, una imagen única, expresión de una identidad también única.

Sin embargo, esta posición fue duramente combatida por bastantes de los Estados miembros y provocó que fuera desechada prontamente. Así, el propio Informe Final del Grupo de Reflexión ya no hizo referencia alguna al texto, centrándose el debate en qué aspectos podían ser resueltos por mayoría cualificada y qué otros pertenecientes al tercer pilar sí podrían comunitarizarse[7].

La Conferencia Intergubernamental de 1996 habría sido la ocasión ideal para introducir una buena dosis de coherencia en la estructura del derecho originario, pero un cambio tan radical como la refundición en un solo Tratado se reveló, por todo lo expuesto, una solución políticamente imposible y jurídicamente compleja, entre otras razones porque hubiera supuesto la derogación formal de los Tratados fundacionales y la promulgación del nuevo «texto refundido». No hay que descartar que los Estados miembros desecharan esta idea ante el temor de que los parlamentos nacionales *per se* o instigados por movimientos de opinión pública contrarios a la integración europea aprovecharan esta circunstancia para reabrir un debate sobre los cimientos o bases estructurales del proceso de integración[8].

Como resultado, la Conferencia Intergubernamental se limitó a solicitar a la Secretaría General del Consejo una simplificación técnica de los Tratados —que incluyera la abolición de las disposiciones caducas—

---

[7] *Informe del Grupo de Reflexión*, 5 de diciembre de 1995, SN/520/95 (REFLEX 21), en GARCÍA DE ENTERRÍA, E., TIZZANO, A., ALONSO GARCÍA, R.: *Código de la Unión Europea, op. cit.*, p. 351.

[8] MANGAS MARTÍN, A.: «El Tratado de Amsterdam: aspectos generales del pilar comunitario», *Gaceta Jurídica de la CE y de la competencia*, serie D, septiembre 1998, p. 17.

y una nueva numeración de los mismos, lo que ha provocado no pocos quebraderos de cabeza tanto para la jurisprudencia como para la doctrina jurídica, apegada a una numeración sedimentada a lo largo de muchas décadas[9].

El resultado de los trabajos de la Conferencia Intergubernamental en esta materia ha sido, como en tantos otros, reenviar *ad calendas grecas* el acuciante problema de la real simplificación y refundición de los Tratados. Sin duda, la razón de esta nueva postergación del problema es la falta de un proyecto político para la Unión Europea; sin proyecto, difícilmente puede construirse el edificio jurídico que le dé forma. Por ello, se ha llegado a afirmar con razón que «el TUE seguirá siendo lo que es hoy: un Tratado de tratados incomprensible y poco manejable»[10].

2. Jerarquía normativa

Donde ha existido un mayor grado de debate ha sido en el ámbito de la jerarquía normativa. Durante la Conferencia Intergubernamental de 1990, Italia principalmente, defendió la necesidad de introducirla en derecho comunitario, lo que provocó la inclusión en el Tratado de la Unión Europea de la Declaración número 16, mediante la cual se posponía el debate sobre esta cuestión hasta la Conferencia Intergubernamental de 1996[11].

---

[9] Ver el *Informe explicativo de la Secretaría General del Consejo sobre simplificación de los Tratados comunitarios*, DOCE C 353, de 20 de noviembre de 1997.
Un análisis sobre la labor de simplificación operada por el Tratado de Amsterdam puede encontrarse en ROCHE MÁRQUEZ, J. M.: «La simplificación y consolidación del TUE y del TCE», en *España y la negociación del Tratado de Amsterdam*, Política Exterior (Biblioteca Nueva), Madrid, 1998, pp. 353-365.

[10] MANGAS MARTÍN, A.: «El Tratado de la Unión Europea: análisis de su estructura general», *Gaceta Jurídica de la CE y de la competencia*, serie D, junio de 1992, p. 21.

[11] La cuestión se decidió como consecuencia de una nota presentada por la delegación italiana en la CIG'90 de fecha 20 de septiembre. Tuvo un cierto éxito pues generó una serie de movimientos institucionales. Así, el informe del Parlamento Europeo presentado por Jean-Louis Bourlanges el 14 de febrero de

Como es bien sabido, una de las causas que generan una mayor dificultad para la comprensión de las decisiones comunitarias es la inexistencia de una clara jerarquía normativa y la utilización de una terminología que no se corresponde con la que los ciudadanos están acostumbrados a manejar en sus Estados. Existen reglamentos, directivas y decisiones del Consejo y del Parlamento conjuntamente, del Consejo solo, de la Comisión y hasta del Banco Central Europeo. Esto es debido a que el sistema normativo comunitario se funda en la atribución de competencias singulares a cada institución y la distinción entre normas se basa en la diversidad de los efectos y no en la legitimación de la institución que las promulga. En los Estados continentales la jerarquía normativa ley-reglamento se fundamenta en la diferente posición del Parlamento respecto del Gobierno. La paridad formal entre las instituciones comunitarias impide una jerarquía entre las normas que emanan de cada una de ellas. Como muy bien ha señalado la doctrina, el sistema de normas y actos del artículo 189 TCCE distingue únicamente en función de los destinatarios y de su intensidad normativa[12]. En definitiva, esta situación obedece a que el sistema comunitario desconoce la separación de poderes, de modo que las funciones legislativa y ejecutiva se hallan entremezcladas y compartidas por varias instituciones[13]. Esta situación ha provocado que, en la práctica, sea cada vez mayor el recurso a actos cuya tipología no encuentra un acomodo sencillo en los Tratados. Son los llamados actos *atípicos*, que no sólo no ayudan a racionalizar y a lograr una mayor transparencia en el sistema normativa comunitario sino que pueden provocar una alteración del equilibrio institucional[14].

Esta situación ha conducido a que todas las acciones en esta materia pretendan clarificar el sistema normativo comunitario. Se trata, por otra parte, de una vieja reivindicación del Parlamento Europeo, que en su

---

1991 en forma provisional y el 4 de abril de ese mismo año, en forma definitiva (PE, doc. 146.387).

[12] MANGAS MARTÍN, A.: «El Tratado de Amsterdam...», *op. cit.*, p. 63.

[13] Un amplio estudio de esta cuestión puede encontrarse en BLUMANN, C.: *La fonction législative communautaire*, LGDJ, París, 1995.

[14] KOVAR, R.: «La Déclaration nº 16 annexée au Traité sur l'Union Européenne: chronique d'un échec annoncé», *Cahiers de Droit Européen*, nº 1-2, 1997, p. 6 y TIZZANO, A.: «La hiérarchie des normes communautaires», *Revue du Marché Unique Européen*, nº 3, 1995, pp. 219 y ss.

Proyecto de Tratado de la Unión Europea de 1984 o «Proyecto Spinelli» preveía la creación de la *ley orgánica*, de la *ley* y del *reglamento*, reservando la elaboración de éste último a la Comisión[15].

Una vez más, fue Italia quien retomó la bandera de la jerarquía normativa y según una propuesta elaborada durante su semestre de Presidencia de la Unión, sugirió un marco legislativo nuevo en el que se incluían las normas constitucionales (que necesitarían la unanimidad en el Consejo y la ratificación por los Parlamentos nacionales), las normas de carácter legislativo (que necesitarían la aprobación por mayoría cualificada del Consejo y la codecisión con el Parlamento) y las normas de carácter reglamentario (que podían ser competencia de la Comisión o de los Estados miembros bajo mandato legislativo)[16].

Esta posición fue compartida por Austria y Holanda, pero los demás Estados miembros no insistieron en la idea[17]. El Informe del Grupo de Reflexión advertía en su punto 126 de la disparidad de opiniones dentro de los Estados miembros, señalando la presencia de dos posiciones enfrentadas: la de los que defendían la iniciativa presentada por Italia y la de los que criticaban dicha posibilidad pues creían que significaría trasladar el modelo de la división de poderes propio de un Estado nacional al seno de la Unión Europea.

Posteriormente el tema fue definitivamente abandonado, pues no volvió a encontrarse referencia a él ni en el informe de la presidencia italiana al Consejo Europeo sobre el estado de los trabajos de la Conferencia Intergubernamental de 17 de julio de 1996[18] ni en el proyecto de Tratado presentado por la presidencia irlandesa al Consejo Europeo de Dublín II en diciembre de 1996[19].

---

[15]   Arts. 34 y 40 del Proyecto de Tratado instituyendo la Unión Europea, «Proyecto Spinelli». Parlamento Europeo, 14 de febrero de 1984, DOCE C 77/33, 19 de marzo de 1984.

[16]   Comunicación del Gobierno italiano a la Cámara de los Diputados, 23 de mayo 1996.

[17]   *Líneas directrices del Gobierno austríaco sobre los temas probables de la Conferencia Intergubernamental de 1996*, junio 1995 y *Memorándum presentado por el Gobierno holandés al Parlamento nacional*, julio 1995.

[18]   CONF/3860/96 CAB.

[19]   *Cadre General pour un projet de revision des traités*, CONF/2500/96 CAB.

El desenlace en esta cuestión, como en tantas otras, ha sido otro fracaso silenciado. En materia de normas, el sistema comunitario sigue en su estado natural desde la entrada en vigor de los Tratados fundacionales en los años cincuenta; un estado que crea confusión y alejamiento en el ciudadano europeo.

Tan sólo el TJCE ha intentado, con el paso de los años, iluminar esta oscura situación al reconocer desde una temprana jurisprudencia que el Consejo disponía de plazos para activar su potestad normativa, limitándose a fijar las reglas generales aplicables en una materia en su primer acto, debiendo delegar habitualmente en la Comisión la elaboración de normas de aplicación técnicas o de vigencia tasada. Lógicamente, estas últimas no debían desconocer o derogar el contenido de las primeras[20]. Se trata, sin duda, de un problema íntimamente ligado al ámbito de la *comitología*, que abordaremos posteriormente.

3. Aplicación del principio de subsidiariedad

Respecto de la subsidiariedad ha pasado lo contrario que acabamos de reseñar más arriba. El principio de subsidiariedad no se encontraba dentro de la agenda explícita de la Conferencia. Los países miembros que hacían referencia a la misma lo hacían para poner de relieve que se trataba de un principio fundamental para acercar la construcción comunitaria al ciudadano y tanto ellos[21] como las instituciones de la Unión[22] en sus

---

[20]   Ver sentencias TJCE, 25/70, Einfuhr— und Vorratsstelle für Getreide und Futtermittel/Köster, de 17 de diciembre de 1970, Rec. 1970, p. 1.161; 30/70, Otto Scheer/Einfuhr— und Vorratsstelle für Getreide und Futtermittel, de 17 de diciembre de 1970, Rec. 1970, p. 1.197; C-303/94, Parlement/Conseil, de 18 de junio de 1996, Rec. 1996, p. I-2.943.

[21]   Grecia, España, Italia, Luxemburgo, Austria, Dinamarca y Suecia.

[22]   Consejo de la Unión: *Informe del Consejo sobre el funcionamiento del Tratado de la Unión Europea*, Bulletin de l'Union Européenne, 4/95. Ver el texto completo en *Revue Trimestrielle de Droit Européen*, 1995, pp. 343 y siguientes.
       Comisión Europea: *Informe sobre el funcionamiento del Tratado de la Unión Europea*, SEC (95) 731, Bruselas, 10 de mayo de 1995.
       Parlamento Europeo: *Informe del Parlamento Europeo sobre el funcionamiento del Tratado de la Unión Europea en la perspectiva de la Conferencia Intergubernamental de 1996*, Ponentes, Jean-Louis Bourlanges (PPE-F) y David Martin (PSE-UK),

respectivos informes manifestaban su voluntad de no modificar el contenido del artículo 5 del Tratado de la Comunidad Europea.

Tan sólo el Comité de las Regiones solicitaba en su informe que se reconociera su derecho a presentar recurso ante el Tribunal de Justicia sobre la aplicación del principio de subsidiariedad[23].

Sin embargo, en el informe del Grupo de Reflexión aparecieron diferentes referencias sobre el principio de subsidiariedad. Se confirmó que no debía ser objeto de modificación el artículo 5 del TCE pero se señaló que varios representantes de gobiernos habían solicitado la introducción de un Protocolo sobre la subsidiariedad que recoja los contenidos de la Declaración de Edimburgo[24]. Al mismo tiempo se rechazaba la propuesta del Comité de las Regiones y se apuntaba que algunos de los representantes habían sugerido la conveniencia de que la Comisión pudiera tener un mayor control «ex ante» de la aplicación del principio de subsidiariedad y que el Tribunal de Justicia lo pudiera tener «ex post»[25].

Por ello, al inicio de sus trabajos, la Conferencia Intergubernamental estudió la posibilidad de incluir «la necesidad de evitar los excesos de reglamentación» y de compeler a la Comisión a «tener en cuenta el principio de subsidiariedad en el ejercicio de sus atribuciones»[26].

Fue el proyecto de Tratado elaborado por la Presidencia irlandesa el que propuso la inserción de un nuevo protocolo en el Tratado de la Comunidad Europea sobre la aplicación del principio de subsidiariedad[27].

---

17 de mayo de 1995, DOC A 4-0102/95. Publicado en el DOCE C 151, 19 de junio de 1995, p. 56 y siguientes.

[23] *Dictamen del Comité de las Regiones sobre la revisión del Tratado de la Unión Europea*, 21 de abril de 1995, DOC CDR/136/95.

[24] Conclusiones de la Presidencia, Consejo Europeo de Edimburgo, 12 de diciembre de 1992, *Revue Trimestrielle de Droit Européen*, nº 30, 1994, pp. 143-145.

[25] *Informe final del Grupo de Reflexión*, Agence Europe, 5 de diciembre de 1995, punto nº II. F, en GARCÍA DE ENTERRÍA, E., TIZZANO, A., ALONSO GARCÍA, R.: *Código de la Unión Europea, op. cit.*, p. 364.

[26] Ver CONF/3809/96.

[27] Sobre las diferentes fases por las que pasó la negociación entorno al principio de subsidiariedad, ver por todos, DASTIS QUECEDO, A.: «Subsidiariedad y transparencia en el Tratado de Amsterdam», *España y la negociación del Tratado de Amsterdam, op. cit.*, pp. 163-170.

En él se recogería resumidamente el contenido del acuerdo de Edimburgo de diciembre de 1992 y del acuerdo interinstitucional entre el Parlamento Europeo, el Consejo y la Comisión acerca de la aplicación del principio de subsidiariedad[28]. Sin embargo, el propio proyecto señalaba que algunos representantes ante la Conferencia preferían que se transcribiera íntegra la Declaración de Edimburgo, y otros que consideraban superflua la inserción de este texto[29].

Finalmente, la solución adoptada por el Tratado de Amsterdam ha sido la adopción de un Protocolo sobre la aplicación de los principios de subsidiariedad, de proporcionalidad y de suficiencia de medios[30]. Con ello, los redactores del Tratado se han decantado por una interpretación auténtica de estos principios, anticipándose o, más bien, sustrayendo esta función del ámbito de la competencia del TJCE.

El Protocolo viene a explicitar extremos que ya estaban suficientemente claros, como es el hecho de que el principio de subsidiariedad no es un principio de atribución de competencias sino de regulación de su ejercicio en los casos de reparto competencial entre las Comunidades Europeas y los Estados miembros. En suma, se eleva al rango de derecho originario el contenido de las Conclusiones de Birmingham y de Edimburgo. Sin embargo, la cuestión puede no estar zanjada con esta solución, como lo demuestra la Declaración n° 3 de Alemania, Austria y Bélgica sobre la autonomía institucional de los Estados en la aplicación del principio de subsidiariedad, que pretende desnaturalizarlo ampliándolo a los entes subestatales[31].

---

[28]   Presidencia irlandesa, *Cadre général pour un projet de révision des traités*, CONF/ 2500/96, p. 59 y 60, en referencia al *Acuerdo interinstitucional entre el Parlamento Europeo, el Consejo y la Comisión sobre los procedimientos para la aplicación del principio de subsidiariedad*, texto adoptado con ocasión de la 1.696 sesión del Consejo de Asuntos Generales, Luxemburgo, 25-26 de octubre de 1993.

[29]   Idem, p. 61.

[30]   Protocolo n° 7 del Tratado de Amsterdam.

[31]   Declaración n° 3 de las que tomó nota la Conferencia, de Alemania, Austria y Bélgica sobre la subsidiariedad.

4. Principio de transparencia

Sin duda éste fue uno de los grandes temas de la Conferencia Intergubernamental, al menos a tenor de lo indicado en los informes de la Comisión y del Parlamento Europeo y en el Informe final del Grupo de Reflexión.

Sin embargo, y a pesar de que prácticamente todos los Estados miembros se mostraban de acuerdo en que hacía falta aumentar la transparencia en el proceso de toma de decisiones comunitario, no se formularon demasiadas sugerencias al respecto. Es más, en una gran cantidad de supuestos se afirmaba que el principio se debía recoger en el Tratado bajo la forma de derecho a la información de los ciudadanos y principio de publicidad de los actos documentales comunitarios. Pero se añadía que la adopción de medidas concretas debía hacerse en el seno del Consejo de Ministros, reformando simplemente algunos aspectos de su reglamento interno.

Con todo, ciertos gobiernos —sobre todo a iniciativa de los países nórdicos— realizaron algunas propuestas concretas: permitir que las iniciativas de la Comisión fueran conocidas por las asociaciones ciudadanas afectadas[32], que los debates inicial y final en el seno del Consejo fueran públicos[33], que las votaciones del Consejo cuando actuara como legislador fueran siempre públicas[34], que se pudiera tener acceso a los documentos que manejan las instituciones comunitarias para tomar decisiones[35], etc... sin olvidar que esa transparencia también debía beneficiar a los parlamentos nacionales que deberían disponer de las iniciativas comunitarias con suficiente tiempo para poder concertar la posición nacional con el correspondiente gobierno[36].

Al mismo tiempo, se insistió en que también contribuiría a la transparencia del proceso la simplificación de los Tratados y la mejora en la calidad de las normas comunitarias[37].

---

[32]   Dinamarca, diciembre 1995; España, marzo 1996; Austria, marzo 1996.
[33]   Dinamarca, diciembre 1995.
[34]   Bélgica, marzo 1996; Finlandia, marzo 1996 Suecia, noviembre 1995.
[35]   Alemania, marzo 1996; Austria, marzo 1996; Finlandia, marzo 1996.
[36]   Informe del Grupo de Reflexión, ya citado, p. 366; España, marzo 1996.
[37]   Bélgica, marzo 1995; Grecia; España, marzo 1996; Austria, marzo 1996; Finlandia, marzo 1996; Suecia, noviembre 1996.

Estas cuestiones fueron recogidas en parte en el proyecto de Tratado presentado por la presidencia irlandesa al Consejo Europeo en diciembre de 1996. El citado documento proponía incorporar el principio de publicidad al actual artículo 1 del TUE e incluir un nuevo artículo en el Tratado de la Comunidad Europea en el que se declarara que «todo ciudadano de la Unión y toda persona física o jurídica residente o que tenga su sede en un Estado miembro tiene derecho a acceder a los documentos del Parlamento Europeo, del Consejo y de la Comisión, bajo reserva de las condiciones fijadas por cada una de estas instituciones según su reglamento interno»[38].

La solución planteada no parecía muy satisfactoria para los intereses de la ciudadanía, pues se trataba de un principio general que podía ser delimitado por las instituciones según sus intereses. Por otra parte no parece muy descabellado dudar cuanto menos de la voluntad real de transparencia, pues ninguna de estas instituciones había adoptado hasta esa fecha ese tipo de decisiones en el marco de sus reglamentos internos, para lo cual, como es sabido, no hacía falta esperar a la reforma del Tratado.

Otro tanto ocurría con la propuesta de incorporar un nuevo párrafo al antiguo artículo 151 del Tratado de la Comunidad Europea (actualmente artículo 207) en el que se recogiera el principio de publicidad en las actuaciones del Consejo. En efecto, la citada proposición de nuevo párrafo declaraba que «cuando el Consejo actúe en calidad de legislador, los resultados y las explicaciones de voto, así como las declaraciones realizadas en el proceso verbal, serán públicos». Pero con anterioridad señalaba que es el Consejo quien determina los casos en los que actúa como legislador y que todas estas medidas de publicidad están condicionadas por la preservación de la eficacia de su proceso de toma de decisiones[39]. Con lo cual nos encontramos con dos condiciones que podían vaciar de contenido la enunciación general.

Pues bien, esta última opción ha sido la recogida en el nuevo artículo 207.3 TCE, según el cual, el Consejo fijará en su reglamento interno las condiciones de acceso público a sus documentos, definirá los casos en que

---

[38]   Presidencia irlandesa, p. 56.
[39]   Idem, p. 56.

deba considerar que actúa en calidad de legislador para permitir un mayor acceso a los documentos y se compromete a hacer públicos los resultados de las votaciones así como las explicaciones de voto.

¿Qué otra plasmación ha tenido esta discusión en el Tratado de Amsterdam?

El nuevo artículo 1 del TUE señala que las decisiones serán adoptadas en la Unión Europea «lo más abiertamente posible». Pero esa expresión no se concreta en ninguna otra disposición material.

Por otra parte, el nuevo Tratado recoge las medidas adoptadas por las instituciones entre 1994 y 1997 modificando sus reglamentos internos para concretar las condiciones de acceso de los particulares a sus documentos[40]. Sin duda, la presión de la opinión pública tuvo mucho que ver en los cambios en esta materia[41].

Sin embargo, hay que criticar la falta de coherencia que supone situar el derecho de acceso a los documentos de las instituciones y órganos de la Unión entre los preceptos sobre la formación de las normas (artículo 191 A TCCE), pues quizás hubiera sido mejor, al poder formar parte de los atributos de la ciudadanía europea, haber encontrado su sede sistemática entre los artículos 8 a 8E TCCE.

Tampoco parece la mejor solución que la Declaración nº 35 atribuya al Consejo y al Parlamento —utilizando el procedimiento de codecisión— la competencia para establecer los principios generales y los límites a ese derecho con lo que se corre el riesgo de que vía limitaciones se vacíe de contenido o se dificulte su ejercicio.

Hay que hacer mención igualmente a una materia muy vinculada a la transparencia, como es la de la calidad en la legislación comunitaria. La

---

[40]   Para un estudio más amplio de esta misma cuestión ver mi trabajo «Publicité et accès aux documents officiels dans les institutions de l'Union Européenne avant et après le Traité d'Amsterdam», en *Mélanges en l'honneur du Professeur Michel Waelbroeck*, Bruylant, Bruselas, 1999. También puede consultarse OREJA AGUIRRE, M.: *El tratado de Amsterdam de la Unión Europea. Análisis y comentarios*, vol. I, McGraw-Hill, Madrid, 1998, pp. 209-216.

[41]   Ver la Declaración común del Consejo, de la Comisión y del Parlamento DOCE L 328, de 6 de diciembre de 1995.

Declaración n° 39 recoge el compromiso acordado en Edimburgo y en el acuerdo interinstitucional[42], según el cual, las instituciones que participan en el proceso decisional deberán acordar las directrices para mejorar la redacción y codificación de los textos legislativos. Por tanto, no se puede afirmar que haya habido una gran aportación en esta materia. Resulta paradójico, eso sí, que el espíritu de esta declaración no haya comenzado a aplicarse al nuevo Tratado, que ciertamente no puede señalarse como ejemplo de transparencia y claridad.

5. Los procedimientos de toma de decisiones comunitarios

Como ya hemos señalado con anterioridad, gran parte de los problemas institucionales de la Unión Europea no provienen de la legitimidad de las instituciones[43] sino del sistema de toma de decisiones.

a) La reducción de procedimientos de decisión

Desde los inicios del debate sobre la reforma del Tratado de la Unión Europea éste ha sido un tema recurrente. Cuando el Consejo de la Unión indicó que uno de los objetivos de la Conferencia debía ser aumentar la eficacia del sistema institucional de la Unión, todos los actores políticos europeos pensaron unánimemente que una fórmula era disminuir los procedimientos de decisión de la Unión[44].

---

[42]   DOCE C 294, de 8 de noviembre de 1995.
[43]   Puede consultarse al respecto mi trabajo «L'Analyse Critique du "déficit démocratique" dans l'Union Européenne», en *Paix. Développement, Démocratie: Boutros Boutros-Ghali Amicorum Discipulorumque Liber*, Bruylant, Bruxelles, 1998, pp. 1431-1457.
[44]   Ver, en este sentido, las conclusiones de la Presidencia, Consejo Europeo de Lisboa, 26 y 27 de junio de 1992, *Bulletin des Communautés Européennes*, 6/92, pp. 11-12; Consejo Europeo de Cannes, 26 y 27 de junio de 1995, *Bulletin de l'Union Européenne*, 6/95, p. 18; Consejo Europeo de Turín, 29 y 30 de marzo de 1996, *Bulletin de l'Union Européenne*, 3/96, pp. 9-11.

Sin duda, el informe elaborado por la Comisión con vistas a la reforma del Tratado de la Unión Europea fue el más clarificador, cuando señaló que en la Unión convivían hasta una veintena de procedimientos de toma de decisión[45]. En los memorándums de los Estados miembros se recogía de manera generalizada la necesidad de reducir a tres los procedimientos: procedimiento de consulta al Parlamento, procedimiento de codecisión y procedimiento de dictamen conforme. Consiguientemente, desaparecía el procedimiento de cooperación.

Esta fue la tónica dominante hasta el proyecto de la Presidencia irlandesa en el que, manteniendo el criterio manifestado hasta el momento, se señalaba sin embargo que el procedimiento de cooperación podía mantenerse vigente, pues los gobiernos nacionales no querían entrar a realizar modificaciones en el ámbito de la regulación de la Unión Económica y Monetaria y, como es sabido, en diversos ámbitos de esa política el TCE preveía la utilización del procedimiento de cooperación.

Sin duda, la voluntad de evitar la tentación de modificar la regulación de la Unión Económica y Monetaria —incluyendo las condiciones de acceso a la tercera fase— movió a Estados como Alemania a no alterar ni una coma sus disposiciones. Con ello, se ha mantenido el procedimiento previsto en el artículo 252 TCE, pero reservado prácticamente a esta política, reconduciéndose las demás materias que regulaba a otros procedimientos, como se verá.

De este modo, el procedimiento normativo que nació con el Acta Única Europea como ensayo de la codecisión ha visto agotado su ciclo de vida.

b) La extensión y simplificación del procedimiento de codecisión

Como consecuencia de lo visto en el punto anterior, la simplificación del número de procedimientos de decisión debía de ir acompañada de la

---

[45]   Ver *Informe sobre el funcionamiento del Tratado de la Unión Europea*, en el que se incluyen unos cuadros con las materias sometidas a cada procedimiento antes de la reforma de Amsterdam. SEC (95) 731, Bruselas, 10 de mayo de 1995, en GARCÍA DE ENTERRÍA, E., TIZZANO, A., ALONSO GARCÍA, R.: *Código de la Unión Europea*, Civitas, Madrid, 1996, pp. 287-288.

extensión de alguno de los supervivientes. El criterio generalizado entre instituciones y gobiernos nacionales fue la extensión de la codecisión, máxime cuando el propio antiguo artículo 189 B.8 TCE preveía expresamente su ampliación a otras materias, como ya se destacó.

El problema era determinar cómo se producía esa extensión. Una posibilidad consistía en que la codecisión abarcara tan sólo el ámbito ocupado anteriormente por la cooperación, pero esto generaría el problema de privar de la función legislativa al Parlamento Europeo en materias tan importantes como ciudadanía, PAC o medio ambiente. También hay que recordar que algunas materias regidas por el procedimiento de cooperación no tenían carácter legislativo, por lo que un trasvase del ámbito de la cooperación a la codecisión sin más no parecía la mejor solución.

Otra posibilidad era que el procedimiento de codecisión se utilizara para todos los casos en los que el Consejo resolviera por mayoría cualificada, pero esta opción resultaba desproporcionada, al hacer depender la función legislativa de un procedimiento de votación que se aplica igualmente en el ámbito ejecutivo y, sobre todo, porque apartaría del ámbito legislativo a sectores muy importantes que se deciden por unanimidad[46].

En cualquier caso, los ámbitos de la cooperación no podían pasar a ser regidos por la consulta simple, pues ello significaría una *reformatio in peius* que atentaría contra el acervo comunitario y lo señalado en los artículos 2 y 47 del TUE.

Para ocuparse de esta cuestión y siguiendo el mandato efectuado por el propio Tratado de la Unión Europea para cuando llegara el momento de modificar el procedimiento de codecisión, la Comisión realizó el preceptivo informe sobre el funcionamiento del procedimiento de codecisión[47]. Este informe fue globalmente aprobado por el Parlamento Europeo, aunque realizó algunas apreciaciones críticas por la falta de

---

[46] MANGAS MARTÍN, A.: «El Tratado de Amsterdam...», *op. cit.*, p. 25.
[47] *Informe de la Comisión a título del artículo 189 B.8 del TCCE. El ámbito de aplicación de la codecisión*, junio de 1996, SEC (96) 1.225-C-4-0464/96.

precisión en los criterios escogidos y por el carácter restrictivo del denominado *ámbito legislativo*[48].

En aquel informe, la Comisión, considerando que definir jurídicamente al *acto legislativo* le conduciría a tener que establecer una jerarquía normativa, optó por proponer una tabla o *grille de lecture* que permitiera distinguir los ámbitos que, según ella, caerían en el ámbito de la codecisión. Esa tabla incluía estos cuatro elementos que debían caracterizar los actos de naturaleza legislativa:

– que se fundara directamente en los Tratados;

– que tuviera un carácter obligatorio;

– que regulase los elementos esenciales de la acción de la Comunidad en ese ámbito;

– que tuviera un alcance general en su aplicación.

El Parlamento Europeo, en el informe Bourlanges-De Giovanni también aprobó estos criterios acumulativos, expresando, eso sí, su deseo de que algunos fueran precisados y que se tuvieran en cuenta no sólo para los actos normativos sino también para los de naturaleza programática y presupuestaria.

Bastantes de las sugerencias que planteaba el informe de la Comisión fueron recogidas en el proyecto irlandés de Tratado. Fundamentalmente se reducía la complejidad del procedimiento, simplificando la primera lectura, facilitando el acuerdo en el comité de conciliación y eliminando la posibilidad de que el Consejo retomara su posición común después de haber fracasado el trabajo del comité de conciliación[49].

En consecuencia, han pasado al ámbito de la codecisión veinticuatro nuevas bases jurídicas. De ellas, 15 ya existían: no discriminación (artícu-

---

[48]   Informe del Parlamento Europeo, ponentes, Sres. Bourlanges y De Giovanni, resolución aprobada el 14 de noviembre de 1996, DOCE C 362, de 2 de diciembre de 1996, p. 267.

[49]   Un estudio sobre las fases de la negociación en esta materia bajo las presidencias irlandesa y holandesa puede encontrarse en REICH, Ch.: «Le Traité d'Amsterdam et le champ d'application de la procédure de codécision», *Revue du Marché Commun et de l'Union Européenne*, nº 413, diciembre 1997, p. 665-669.

lo 12 antes, cooperación), ciudadanía (artículo 18, antes, dictamen conforme), seguridad social (artículo 42, antes, consulta simple), libertad de establecimiento y servicios (artículos 46.2 y 47.2, antes, consulta simple), transportes (artículos 71.1 y 80, antes, cooperación), política social (artículo 137 y antiguo Protocolo social «a 14», antes, cooperación), Fondo Social Europeo (artículo 148, antes, cooperación), formación profesional (artículo 150.4, antes, cooperación), redes transeuropeas (artículo 156, antes, cooperación), aplicación de decisiones FEDER (artículo 162, antes, cooperación), medio ambiente (artículo 175, antes, cooperación) y cooperación al desarrollo (artículo 179, antes, cooperación).

Y otras nueve son fruto de Amsterdam: empleo (artículo 129), cooperación aduanera (artículo 135), igualdad de oportunidades y de trato (artículo 141), salud pública, en lo referente a los requisitos de calidad y seguridad de órganos y medidas veterinarias y fitosanitarias (artículo 152), principios generales de transparencia (artículo 255), lucha contra el fraude (artículo 280), estadísticas (artículo 285) y autoridad independiente en materia de protección de datos (artículo 286).

Por tanto, se observa un trasvase generalizado de los ámbitos cubiertos por el fenecido procedimiento de cooperación —con la excepción justificada de la Unión Económica y Monetaria— y también de algunos cubiertos por la consulta simple al terreno de la codecisión, con el consiguiente aumento de la capacidad legislativa del Parlamento Europeo.

Si esto es, en términos generales, positivo, no hay que olvidar, sin embargo, que algunas competencias que entraban en el perfil del *ámbito legislativo* definido por la Comisión no han sido incluidas, como por ejemplo algunos aspectos de la PAC, de la política comercial común o de la política comunitarizada sobre asilo e inmigración[50]. Especialmente grave es, en opinión de algunos autores, que las normas adoptadas con base en el artículo 308 TCCE no hayan sido cubiertas por el control democrático mínimo que asegura la intervención del Parlamento Europeo[51]. O que se haya mantenido el procedimiento de dictamen conforme

---

[50]   Idem, p. 668.
[51]   MANGAS MARTÍN, A.: «La reforma institucional en el Tratado de Amsterdam», *Revista de Derecho Comunitario Europeo*, nº 3, enero-junio 1998, p. 15.

en ámbitos sobre los que la opinión del Parlamento Europeo debería contar bastante más y por tener, en algunos casos, un marcado carácter legislativo, como fondos estructurales y de cohesión, el procedimiento electoral uniforme para su elección, adhesión de nuevos Estados a la Unión o determinados acuerdos internacionales. Y no digamos de su nula participación efectiva en la revisión de los Tratados.

Respecto a la simplificación del procedimiento de codecisión, hay que recordar que también era una de las prioridades de la CIG'96, dada su enorme complejidad[52]. Lo cierto es que, a pesar de sus bizantinos recovecos, este procedimiento, diseñado en apariencia para que el consenso entre el Consejo y el Parlamento fuera un fracaso, ha funcionado mejor de lo esperado[53]. Sin embargo, en aras de una mayor racionalidad, su reforma se imponía.

Los cambios más importantes introducidos han sido los siguientes. El nuevo artículo 251 TCE permitirá cerrar el procedimiento en primera lectura cuando haya acuerdo entre las dos ramas de la autoridad legislativa, lo que era imposible hasta ahora, teniendo que finalizar todo el procedimiento, con la consiguiente pérdida de tiempo. En caso de desacuerdo, el Consejo transmitirá directamente al Parlamento su posición común, permitiéndose al fin la relación directa entre ambos, eliminando el papel intermediario de la Comisión. Además, el nuevo artículo 251.2 b TCCE elimina la exigencia de una declaración de intención de rechazo por parte del Parlamento antes de votar el rechazo a la posición común del Consejo, pudiendo votar directamente sin tener que anunciar su intención con antelación. También se suprime la posibilidad de que el Consejo actuara unilateralmente tras la falta de

---

[52]   Baste recordar como anécdota ilustrativa que, tras la firma del Tratado de la Unión Europea, el representante belga ante las Comunidades Europeas, Philippe De Schoutheete, afirmó que para explicar correctamente el funcionamiento del nuevo procedimiento de codecisión había que coger enseguida papel y lápiz..., en SILVESTRO, M. y LIBERALI, C. A.: «La codécision a été un succès, il faut aller de l'avant», *Revue du Marché Commun et de l'Union Européenne*, nº 406, marzo de 1997, p. 166.

[53]   Ver *Informe sobre el funcionamiento del Tratado de la Unión Europea*, SEC (95) 731, Bruselas, 10 de mayo de 1995, en GARCÍA DE ENTERRÍA, E., TIZZANO, A., ALONSO GARCÍA, R.: *Código de la Unión Europea, op. cit.*, p. 285.

acuerdo en la conciliación tras la segunda lectura y se clarifica igualmente que el examen en el Comité de Conciliación se limitará a las enmiendas propuestas por el Parlamento. Por último, se suprime la tercera lectura, que tanto alargaba el procedimiento.

Sin duda, estos datos son los que permiten calificar al Parlamento Europeo como uno de los ganadores de la revisión de Amsterdam.

c) El papel de los parlamentos nacionales

La relación institucionalizada de los parlamentos nacionales con el Parlamento Europeo fue introducida en la Conferencia Intergubernamental para la Unión Política de 1990 y provocó la aparición de las Declaraciones números 13 y 14 del Tratado de la Unión Europea. Sus resultados han sido bastante irregulares. Mientras la Conferencia de órganos de parlamentos nacionales especializados en asuntos comunitarios (COSAC) ha funcionado relativamente bien, las *assises* o reuniones de parlamentos nacionales con el Parlamento Europeo no han tenido plasmación real ninguna[54].

En el inicio de los trabajos de la Conferencia parecía un tema agotado. En verdad, tan sólo Francia —único Estado realmente interesado en la cuestión— proponía la creación de una nueva institución denominada Alto Comité Consultivo, conformada por dos representantes de cada parlamento nacional y que tuviera competencias en materia de subsidiariedad y de asuntos de justicia y de interior. De manera menos acusada Portugal, Holanda y Gran Bretaña insistían en la necesidad de insertar a los parlamentos nacionales en la acción comunitaria pero parecía más bien un recurso que una propuesta.

La propuesta fue tan débilmente respaldada que el Informe del Grupo de Reflexión concluyó que existía una oposición general a la nueva

---

[54]   De hecho, la única reunión mantenida en Roma en 1990 fue un rotundo fracaso. Puede verse al respecto el trabajo de MATIA PORTILLA, F. J., *Parlamentos nacionales y Derecho comunitario derivado*, Centro de Estudios Constitucionales, Madrid, 1999, pp. 67-105.

institución parlamentaria, aunque admitía que era posible confiar a la COSAC el control de la aplicación del principio de subsidiariedad[55].

Pero, sin duda, a lo largo de la negociación debió cambiar la perspectiva pues, para sorpresa de todos, en el proyecto de Tratado presentado por la presidencia irlandesa aparecía un capítulo dedicado íntegramente a los parlamentos nacionales[56]. En él se planteaba la posibilidad de incorporar un protocolo al TUE sobre la función de los parlamentos nacionales. El borrador de protocolo dividía su contenido en dos partes.

Una primera en la que se establecían medidas para garantizar que los parlamentos pudieran conocer con tiempo suficiente las iniciativas de la Comisión fijando, en concreto, que sería necesario establecer un período de cuatro semanas desde la presentación de la iniciativa y la posibilidad de incorporarla al orden del día del Consejo para su votación.

La segunda, en la que se regulaban algunas nuevas funciones de la COSAC. Se trataba, en definitiva, de conferirle las atribuciones que Francia pretendía para el Alto Consejo Consultivo: examinar iniciativas vinculadas a la cooperación en materia de justicia e interior que pudieran tener incidencia sobre los derechos y libertades de los individuos, poder discutir los aspectos normativos de la Unión y poder dirigir a las instituciones cualquier contribución, en especial, en el ámbito de la subsidiariedad.

En definitiva, el Tratado de Amsterdam se ha limitado a incorporar un Protocolo, el nº 13, «sobre el cometido de los Parlamentos nacionales en la Unión Europea». En él, las instituciones comunitarias quedan obligadas a dar más información a los parlamentos nacionales. Así por ejemplo, la Comisión transmitirá a los Gobiernos nacionales los Libros Verdes y Blancos, sus comunicaciones y las propuestas normativas con antelación suficiente para que éstos puedan informar debidamente a su parlamentos.

También se establece en este Protocolo que la COSAC podrá dirigir estudios o informes a las instituciones, sobre todo si los representantes gubernamentales les han enviado textos de proyectos normativos.

---

[55]   Ver *Agence Europe*, 5 de diciembre de 1995. El texto en español está disponible en *Gaceta Jurídica de la CE y de la competencia*, nº 108, noviembre-diciembre 1995, pp. 63-92.

[56]   Presidencia irlandesa, *Cadre...*, pp. 124 y 125.

No se ha dado satisfacción en esta ocasión a quienes solicitaban la legitimación activa para los parlamentos nacionales ante el TJCE para recurrir actos normativos comunitarios[57], aunque desde posiciones doctrinales se ha considerado que, en materia de control de la legalidad comunitaria no hay razón objetiva para negarles la legitimación activa, al igual que disponen de ella Gobiernos e instituciones comunitarias[58].

La cuestión ha quedado resuelta confiriendo más relieve del previsto a la participación de los parlamentos nacionales en los asuntos comunitarios aunque mucho menos del planteado por Francia. Con todo, no cabe dejar de considerar el riesgo que supone el ir abriendo cada vez más esa participación pues la atribución de competencias a un órgano de representación de los parlamentos nacionales complicaría aún más el funcionamiento del sistema institucional comunitario. Sin olvidar que la legitimación democrática de las comunidades europeas está garantizada por el Parlamento Europeo y la introducción de los parlamentos nacionales en el debate institucional comunitario acabaría con un enfrentamiento de legitimidades entre parlamentos nacionales y parlamento europeo que tan sólo reforzaría al Consejo y, consiguientemente, al funcionamiento intergubernamental de la integración europea.

d) La simplificación de la ejecución (comitología)

La simplificación de la ejecución de las normas elaboradas por el Consejo o por el Consejo y el Parlamento mediante el procedimiento de codecisión fue desde un inicio una de las peticiones que plantearon algunos gobiernos (fundamentalmente los partidarios de reforzar el poder de la Comisión y del establecimiento de la jerarquía normativa), la Comisión, el Parlamento e, incluso, el Consejo, que planteó la posibilidad de reducir el número de procedimientos.

---

[57] Se recogía en un documento elaborado por la Presidencia italiana (CONF/3809/96). También fue propuesto por la eurodiputada Elisabeth Guigou (PSE-F) y por los parlamentos alemán y luxemburgués (en DG des Commissions et Délégations, *Etat de la réflexion des Parlements nationaux sur la CIG '96*, Bruselas, 14 de febrero de 1996).

[58] MANGAS MARTÍN, A.: «La reforma institucional en el Tratado de Amsterdam», *Revista de Derecho Comunitario Europeo*, n° 3, enero-junio 1998, pp. 22-23.

El debate pronto quedó reducido a dos cuestiones. En primer lugar, a determinar si en la ejecución de actos normativos acordados mediante el procedimiento de codecisión, el Parlamento debía acompañar al Consejo en el control de la ejecución por parte de la Comisión o no, dado que el Parlamento es tan co-legislador como el Consejo en este procedimiento. Es decir, se trata de resolver la no adecuación la Decisión sobre «comitología» de 1987[59] al procedimiento de codecisión introducido por el Tratado de Maastricht en 1993[60]. Y, en segundo lugar, a determinar también cuáles de los procedimientos de control del Consejo deberían desaparecer, si el de los comités consultivos, de gestión, de reglamentación o el de salvaguardia[61].

En el Informe final del Grupo de Reflexión, que aportaba una línea intermedia consistente en que la ejecución correspondería a la Comisión, tras consulta a los expertos nacionales. El Consejo y el Parlamento podrían anular las medidas que no les satisficieran pero deberían aplicar los procedimientos legislativos ordinarios para corregir la ejecución anulada. En cualquier caso, se rechazaba otra solución que no fuera la monista: se descartaba consagrar una solución específica para los actos normativos adoptados en codecisión, cerrándose así el paréntesis abierto por el *modus vivendi* de 1994[62].

Sin embargo, ninguna de todas estas sugerencias se mantuvo en la agenda de la negociación si atendemos al contenido del proyecto presentado por la presidencia irlandesa. En él no podemos encontrar ninguna referencia al problema de la comitología.

---

[59]   Decisión sobre «comitología», de 13 de julio de 1987, DOCE L 197, de 18 de julio, modificativa del artículo 145 TCCE. Sobre la génesis, la evolución, los problemas ocasionados por la comitología y su balance, ver el excelente estudio de BLUMANN, C.: «Le Parlement Européen et la comitologie: une complication pour la CIG'96», *Revue Trimestrielle de Droit Européen*, n° 1, 1996, pp. 1-24.

[60]   La situación tiene un arreglo provisional gracias al *modus vivendi* entre el Parlamento Europeo, el Consejo y la Comisión de 20 de diciembre de 1994, DOCE C 293, de 8 de noviembre de 1995.

[61]   Sobre un estudio de cada uno de estos comités y de sus funciones, ver KORTENBERG, Helmut (seudónimo de un funcionario de la Comisión): «Comitologie: le retour», *Revue Trimestrielle de Droit Européen*, n° 3, 1998, pp. 317-318.

[62]   Informe del Grupo de Reflexión, punto 127, p. 35.

De ello resultó que la única referencia final al problema de la comitología fuera la Declaración n° 31 al Acta Final de la Conferencia en la que ésta «invita a la Comisión a que, para finales de 1998 a más tardar, presente al Consejo una propuesta de modificación de la Decisión del Consejo, de 13 de julio de 1987, por la que se establecen las modalidades del ejercicio de las competencias de ejecución atribuidas a la Comisión». En cumplimiento de este mandato de la CIG, la Comisión presentó su propuesta el 24 de junio de 1998[63]. Esta propuesta se sitúa en el marco del tercer párrafo del artículo 202 TCCE y debe ser adoptada por unanimidad por el Consejo, previa consulta del Parlamento Europeo.

6. El procedimiento de toma de decisiones en la Política Exterior y de Seguridad Común

Las deficiencias en el funcionamiento de la Política Exterior y de Seguridad Común, desarrollada en el Tratado de la Unión Europea sobre la base de los procedimientos de la Cooperación en política exterior del Acta Única Europea, han sido tan evidentes que ni siquiera el Consejo de la Unión, en su *Informe sobre el funcionamiento del Tratado de la Unión Europea,* intentó hacer una defensa de los resultados de la misma, llegando a reconocer que para sectores importantes de la Unión los resultados habían sido insatisfactorios[64]. Otro tanto opinaron la Comisión y el Parlamento Europeo[65].

---

[63] COM (1998) 380 final.

[64] *Informe del Consejo sobre el funcionamiento del Tratado de la Unión Europea*, de 6 de abril de 1995, *Bulletin de l'Union Européenne*, 4/95, punto I.9.1. Ver el texto completo en español en GARCÍA DE ENTERRÍA, E., TIZZANO, A., ALONSO GARCÍA, R.: *Código de la Unión Europea, op. cit.*, pp. 243-256.

[65] *Informe sobre el funcionamiento del Tratado de la Unión Europea*, Comisión Europea, SEC (95) 731, Bruselas, 10 de mayo de 1995.
Informe del Parlamento Europeo sobre el funcionamiento del Tratado de la Unión Europea en la perspectiva de la Conferencia Intergubernamental de 1996, Ponentes, Jean-Louis Bourlanges (PPE-F) y David Martin (PSE-UK), 17 de mayo de 1995, DOC A 4-0102/95. Publicado en el DOCE C 151, 19 de junio de 1995, p. 56.

Y las deficiencias fueron localizadas principalmente en el ámbito decisional. A saber: no existía ninguna unidad que ayude a preparar la toma de decisiones, analizando y planificando la política exterior de la Unión; no se percibe con claridad a la hora de aplicar el Tratado la diferenciación entre posiciones comunes y acciones comunes; y el recurso a la unanimidad impide una toma de decisiones ágil.

Frente a todas estas críticas se plantearon las correspondientes vías de solución.

Por lo que respecta a la necesidad de una unidad de análisis y planificación, todas las instituciones y gobiernos nacionales se manifestaron a favor. Las discrepancias tan sólo se produjeron a la hora de evaluar dónde debía enclavarse dicha unidad: si en la Comisión[66], dependiendo del hipotético «señor o señora PESC»[67], dependiendo del Consejo o de la Secretaría del Consejo[68].

Finalmente, el proyecto de la presidencia irlandesa proponía que la unidad se creara a través de una declaración a insertar en el acta final y que dependiera de la Secretaría General del Consejo, bajo la responsabilidad del Secretario General[69].

En cuanto al segundo de los problemas, la diferenciación entre acciones comunes y posiciones comunes, ha sido indudablemente un tema de un relieve menor en el ámbito de negociaciones sobre la Política Exterior y de Seguridad Común. El Informe final del Grupo de Reflexión, y el informe de la Presidencia italiana al Consejo Europeo de junio de 1996 no dedicaron mucha atención a este asunto. Por el contrario, el proyecto de Tratado de la presidencia irlandesa proponía incorporar al Tratado la definición de *posición*

---

[66]   Esta es la propuesta que inicialmente realizó el Parlamento Europeo y Bélgica.

[67]   Como se sabe, la propuesta franco-alemana de que una personalidad europea nombrada por el Consejo Europeo represente la política exterior de la Unión, conllevaría que dicha personalidad fuera quien dirigiera la unidad de análisis y planificación.

[68]   Esta era la opinión del Consejo y de una gran mayoría de los gobiernos nacionales.

[69]   Presidencia irlandesa, *Cadre...*, p. 71.

común y de *acción común*[70] con el fin de resolver las dificultades planteadas por el Consejo.

Fue sin embargo, alrededor de las mayorías requeridas para la adopción de decisiones donde se produjo una mayor actividad negociadora. De manera bastante temprana se determinó que habría que diferenciar entre las grandes líneas de la política exterior fijadas por el Consejo Europeo por unanimidad y las decisiones de aplicación de dichos principios, que deberían regirse por el recurso a la mayoría cualificada. Sin embargo, junto con estos principios se intercalaron algunas otras sugerencias: la posibilidad de una transición progresiva hacia la mayoría cualificada utilizando temporalmente otras mayorías supercualificadas, la reserva de la unanimidad para las decisiones de tipo militar, la posibilidad de que quienes no quisieran intervenir en una acción dejaran que la realizaran los Estados partidarios, o incluso la rememoración del «compromiso de Luxemburgo», al contemplarse como una excepción para la decisión por mayoría cualificada la afectación de intereses vitales nacionales.

La evolución de esta cuestión condujo a que la propuesta de Tratado de la presidencia irlandesa[71] contuviera dos principios:

a) En los casos en que la unanimidad se mantuviera sería posible que uno o varios Estados miembros hicieran una declaración de abstención constructiva, en cuyo caso dichos Estados no estarían obligados a aplicar la decisión, aunque permitirían a los demás Estados sacar adelante la propuesta y, con ello, vincular a la Unión Europea.

b) La mayoría cualificada sería instaurada para todas las decisiones relevantes de la PESC, salvo tres supuestos: la adopción de acciones comunes, las decisiones con implicación militar o de defensa o cuando un

---

[70] El proyecto de Tratado señalaba que «las posiciones comunes definen la posición global de la Unión sobre una cuestión particular de naturaleza geográfica o temática» y que «las acciones comunes definen los objetivos de la Unión y los medios puestos a su disposición en ciertas situaciones donde una acción operacional es juzgada necesaria dentro de la zonas donde los Estados miembros tienen intereses comunes importantes». Presidencia irlandesa, *Cadre...,* p. 73 y 74.

[71] Presidencia irlandesa, *Cadre...,* p. 75.

miembro del Consejo alegara razones de política nacional. Las decisiones deberían ser apoyadas al menos por 62 votos que significaran el voto favorable de al menos 10 miembros.

c) Para las cuestiones de procedimiento, el Consejo decidiría por mayoría absoluta de sus miembros.

Con todo, el proyecto señalaba que existían delegaciones que consideraban que la unanimidad no constituía un handicap importante para la toma de decisiones y, consiguientemente, se oponían a toda extensión del voto por mayoría cualificada[72].

Respecto del problema de la visibilidad de la política exterior europea, el artículo 18 del TUE crea finalmente la figura del señor PESC. Este artículo señala que el Secretario General del Consejo ejercerá las funciones de alto representante de la Política Exterior y de Seguridad Común. Ello sin perjuicio de la designación eventual de representantes *ad hoc* de la Unión Europea para situaciones excepcionales, como en la actualidad en el caso de Kosovo. El artículo 26 TUE, por su parte, indica que el Secretario General asistirá al Consejo y dirigirá el diálogo político con terceros.

A su lado ejercerá sus funciones un Comité Político distinto del COREPER, encargado del seguimiento de la PESC, contribuyendo a definir la política mediante dictámenes dirigidos al Consejo en los que plasmará su análisis de las situaciones ligadas a la PESC. Asimismo supervisará la ejecución de las políticas acordadas.

Como se puede apreciar, la solución final ha sido crear dos órganos, pero ambos vinculados al Consejo, lo que pone de relieve una vez más la desconfianza de los Gobiernos hacia la Comisión y la voluntad de mantener la preeminencia del Consejo.

Por su parte, el artículo 13 precisa la articulación entre el Consejo Europeo y el Consejo de la Unión en materia de PESC. Hasta ahora sabíamos que el primero definía las grandes orientaciones políticas de la Unión en esta materia, según rezaba el artículo D TUE. El Tratado de Amsterdam, además de mantener las acciones y las posiciones comunes,

---

[72]   Idem, p. 76.

crea otra figura, las estrategias comunes. Se trata de un nuevo tipo de acto obligatorio para el Consejo, con expresión de sus objetivos y de su duración. Por tanto, ya no se trata de consideraciones políticas vagas sino de verdaderos actos precisos y obligatorios para el Consejo[73]. Esto conducirá inevitablemente a una mayor dependencia de la PESC de nuestros Jefes de Estado y de Gobierno, cuyas consecuencias están aún por ver. En cualquier caso, el alejamiento de los procedimientos comunitarios nunca ha producido demasiadas sorpresas agradables.

En cuanto al procedimiento de votación, se ha incorporado la ya mencionada «abstención constructiva» (artículo 23)[74]. Por su parte, la mayoría cualificada gana terreno, ya que se aplicará al desarrollo de acciones comunes o a las decisiones ejecutorias de éstas, previamente adoptadas por unanimidad. Todo ello, salvo en materia de defensa. Sin embargo, un Estado podrá invocar razones de política nacional para oponerse a que se efectúe la votación, en cuyo caso, el Consejo Europeo tendrá la última palabra. Ello permite afirmar que los condicionamientos históricos y geopolíticos, es decir, los intereses nacionales, seguirán siendo más determinantes que los mecanismos legales dispuestos para servirlos[75].

Por lo demás, se mantiene la posibilidad de mantener una cooperación reforzada también en estos ámbitos pero fuera del marco institucional europeo, a diferencia de la cooperación reforzada prevista en el ámbito comunitario y en materia penal.

En cuanto a las relaciones con la Unión Europea Occidental (UEO), el Tratado de Amsterdam va más lejos que el Tratado de Maastricht, y en

---

[73]   HAGUENAUD-MOIZARD, C.: «Le Traité d'Amsterdam: une négociation inachevée», *Revue du Marché Commun et de l'Union Européenne*, n° 417, abril 1998, p. 242.

[74]   Hay que recordar, sin embargo, que esta técnica ya existe en otras organizaciones como la OCDE, en la que la unanimidad sólo es exigida de entre los países interesados en un asunto determinado. Ver QUOC DINH, N., DAILLIER, P. Y PELLET, A.: *Droit International Public*, LGDJ, París, 5ª edición, 1994, p. 602.

[75]   REMIRO BROTONS, A.: «Consideraciones sobre la CIG 1996», en *Reflexiones sobre la Conferencia Intergubernamental 1996*, Secretaría de Estado para las Comunidades Europeas, Ministerio de Asuntos Exteriores, Madrid, 1996, p. 82.

su artículo 17 afirma que «la UEO es parte integrante del desarrollo de la Unión». Se señala igualmente que se reforzarán las relaciones institucionales con vistas a una eventual integración de la UEO en la Unión. Se añade que las operaciones que podrán solicitarse a la UEO comprenden las misiones humanitarias, las de mantenimiento de la paz y de gestión de crisis. Los países neutrales de la Unión —Irlanda, Suecia, Austria y Finlandia— así como Dinamarca —que no es miembro de la UEO— podrán participar, dado el carácter no ofensivo de esta organización de defensa europea[76].

La Comisión, por su parte, es asociada a los trabajos del Consejo y comparte el derecho de iniciativa junto a los Estados miembros. El Parlamento Europeo sigue en una posición muy desigual; simplemente es consultado «sobre los aspectos principales y las opciones básicas» e informado regularmente por la Presidencia del Consejo y por la Comisión sobre el desarrollo de la PESC, que es objeto de un debate anual ante el Pleno.

7. El procedimiento de toma de decisiones en los ámbitos de cooperación en asuntos de justicia e interior

Si en el apartado anterior nos referíamos a las deficiencias vinculadas a los procedimientos de toma de decisiones que se han detectado en el ámbito de la PESC, en el ámbito de la cooperación en asuntos de justicia e interior se ha producido una inaplicación de los contenidos del Titulo VI del Tratado de la Unión Europea. Los gobiernos nacionales han preferido utilizar formas jurídicas tradicionales —convenios multilaterales, básicamente— antes que poner en práctica posiciones comunes y acciones comunes. Esto, unido a la importancia que ha cobrado para los

---

[76]   Un estudio sobre las relaciones UE-UEO puede encontrarse en GARRIGUES FLÓREZ, J. y ACERETE, M.: «El camino hacia una seguridad y defensa europeas: la nueva relación entre la UE y la UEO», en *España y la negociación del Tratado de Amsterdam*, Política Exterior (Biblioteca Nueva), Madrid, 1998, especialmente, pp. 227-228.

gobiernos nacionales el control del acceso de extranjeros a la Unión provocó que se produjeran las propuestas más radicales en este campo.

Desde el primer momento de las negociaciones todas las partes asumieron la necesidad de comunitarizar en parte o totalmente los asuntos de justicia e interior. Prácticamente todos los actores comunitarios coincidían en comunitarizar la política de asilo, de inmigración y las reglas sobre cruce de fronteras exteriores. Otros añadían la lucha contra el tráfico de drogas ilícitas, el terrorismo y el fraude a escala internacional[77].

Esa comunitarización suponía conferir la iniciativa a la Comisión, sola o junto a los Estados miembros, adoptar el proceso de mayoría cualificada en el Consejo con consulta obligatoria al Parlamento o, en su caso, mediante el procedimiento de codecisión y garantizar la posibilidad de recurrir ante el Tribunal de Justicia.

Sin embargo, el proyecto de la Presidencia irlandesa estableció que la comunitarización se aplicaría taxativamente al cruce de las fronteras interiores y exteriores de los Estados miembros, a la política de asilo, a la política de inmigración y a la política sobre extranjeros residentes en la Unión; a la cooperación administrativa necesaria para aplicar las anteriores políticas, a la cooperación aduanera y a una acción coherente en el campo de la droga[78].

¿Cuáles han sido las modificaciones definitivas aportadas por el Tratado de Amsterdam en este pilar?

La opción final se basó en el documento irlandés de 1996. Se trata, en definitiva, de *comunitarizar* parte del antiguo tercer pilar (Título VI TUE), permaneciendo el resto de su ámbito en el terreno de la cooperación intergubernamental.

A tal fin, se ha habilitado un nuevo Título III bis TCCE, cuyo artículo 29 declara que el objetivo es «ofrecer a los ciudadanos un nivel elevado de protección en un espacio de libertad, de seguridad y de justicia». Esta misma disposición enumera los ámbitos de la cooperación: cooperación

---

[77]   Ver Informe Final del Grupo de Reflexión, ya citado, en GARCÍA DE ENTERRÍA, E., TIZZANO, A., ALONSO GARCÍA, R.: *Código de la Unión Europea, op. cit.*, p. 347.

[78]   Presidencia irlandesa, *Cadre...*, p. 21.

judicial en materia penal y la aproximación de la legislación en materia penal. Se trata, como se ve, de ámbitos reducidos a la cooperación policial y a la judicial penal, siendo la causa la comunitarización ya reseñada del resto de este ámbito. Permanecen en este tercer pilar las competencias en materia de justicia e interior residuales; aquellas que los Estados no han querido transferir a los modos de decisión comunitarios por entender que se trata de atributos de su soberanía[79].

Sin embargo, no sólo se ha producido un vaciamiento de este ámbito. También ha habido un reajuste. En efecto, el Tratado de Amsterdam ha suprimido, por ejemplo, las *acciones comunes* (artículo 34, antiguo K.6), dada su escasa utilización en el período 1993-1997. Por el contrario, añade nuevos instrumentos: las*decisiones-marco* y las*decisiones*. Las primeras podrían asimilarse a las directivas comunitarias; las segundas están aún por definir, aunque se declara expresamente que ambas figuras carecerán de efecto directo. Se hace también mención de las *convenciones*, que ya existían. Éstas entrarán en vigor —según las reglas constitucionales propias de cada Estado— cuando las hayan ratificado la mitad de los Estados, vinculando sólo a quienes lo hayan hecho.

Se observa, eso sí, una *vacunación a priori* contra los efectos de la jurisprudencia del TJCE en materia de efecto directo. Sí se ha producido un cambio respecto de la situación anterior —ya que anteriormente el TJCE era incompetente en este pilar— y se admite ahora su jurisdicción (artículo 35), aunque se hace con grandes reservas. En concreto, la competencia del TJCE puede ser de dos tipos. En primer lugar, el TJCE podrá enjuiciar las controversias entre los Estados o entre éstos y la Comisión sobre la interpretación y aplicación de las convenciones. En segundo lugar, ejercerá una competencia prejudicial respecto de la validez e interpretación de las decisiones-marco, las decisiones y las medidas de ejecución de las convenciones, así como sobre la interpretación de estas últimas. Pero, a diferencia de la conocida cuestión prejudicial del artículo 234 TCCE, ésta tendrá un carácter facultativo. No en vano estamos en el pilar intergubernamental.

---

[79] Sobre las negociaciones que culminaron en la elaboración del nuevo tercer pilar, puede consultarse ELORZA CAVENGT, J. y ALVARGONZÁLEZ SAN MARTÍN, F.: «La intensificación de la cooperación policial y judicial penal en el nuevo tercer pilar», en*España y la negociación del Tratado de Amsterdam, op. cit.*, pp. 103-108.

Además, los Estados deberán especificar qué órganos jurisdiccionales nacionales estarán habilitados para dirigirse al TJCE, si todos ellos o sólo los que decidan en última instancia.

Abordemos a continuación las disposiciones que han sido *comunitarizadas*.

El trasvase deriva de los artículos 61 a 69 TCCE, insertados en el Tratado de la Comunidad Europea por el de Amsterdam. Abarca la libertad de circulación de personas, incluyendo asilo, inmigración, derechos de los nacionales de terceros países, medidas relativas a los controles de las fronteras exteriores; la cooperación judicial en materia civil; la cooperación administrativa; la cooperación judicial y policial en materia penal con vistas a garantizar un alto grado de seguridad mediante la lucha contra la delincuencia. Como se ve, la opción que ya despuntaba desde el proyecto irlandés de 1996.

El Tratado fija, para cada materia, las medidas a adoptar y señala al Consejo un plazo de cinco años a contar desde la entrada en vigor del Tratado de Amsterdam (1 de mayo de 1999) para ello. Durante ese lapso de tiempo, las medidas se adoptarán por unanimidad.

La decisión de *comunitarizar* buena parte del tercer pilar evitará las incoherencias entre el primer y el tercer pilar. Además, permitirá utilizar los métodos del primer pilar, con su capacidad de integración y de obligatoriedad. Por otra parte, el TJCE será competente, lo que es una garantía añadida para que la acción de los Estados no escape al control jurídico en una materia en la que se ven involucrados derechos fundamentales como la libertad de circulación de personas[80].

Hay que destacar, a modo de balance, que los ámbitos reservados a la cooperación intergubernamental aumentan respecto de los originarios. Así, junto a las formas de cooperación policial, la lucha contra el tráfico de droga, la cooperación judicial en materia civil y penal, la cooperación aduanera y la prevención de la corrupción y del fraude a escala internacional, se han añadido la lucha contra la trata de seres humanos y los crímenes contra menores, la prevención del racismo y de la xenofobia y la lucha contra esos fenómenos, la cooperación judicial en materia comercial y la armonización

---

[80]   HAGUENAUD-MOIZARD, C., *op. cit.*, p. 244.

de las reglas aplicables en los Estados miembros a los conflictos de derecho y de competencia en materia civil y mercantil[81].

En cuanto a la iniciativa, ésta pertenecerá a la Comisión y a todo Estado miembro[82]. La función del Parlamento Europeo, en cambio, es muy reducida, y en el procedimiento intergubernamental del tercer pilar se establece la consulta obligatoria, tanto en relación con los instrumentos jurídicos propios del Título VI como en relación con la «pasarela» prevista en el artículo 42 TUE, que permite la posibilidad de transferir acciones del pilar intergubernamental al comunitario[83].

En lo referente a la participación del Consejo se establece que:

— en el procedimiento intergubernamental, éste decidirá por unanimidad para establecer una posición común, una acción operativa o para adoptar decisiones-marco para la armonización de legislaciones. En cambio, decidirá por mayoría cualificada para adoptar medidas de aplicación de las acciones operativas y para establecer tratados a ratificar por los Estados miembros según sus normas constitucionales internas.

— En el procedimiento comunitarizado, el Consejo decidirá por unanimidad durante un tiempo (los cinco años ya reseñados). Si no se produce acuerdo en el plazo prefijado se recurriría a la mayoría cualificada[84].

Por último hay que destacar la función del Tribunal de Justicia en este terreno.

---

[81]   Presidencia irlandesa, *Cadre...*, p. 30.

[82]   Presentes en los dos procedimientos, aunque en el comunitarizado se apuntaba que la concurrencia se produciría tan sólo durante un tiempo de transición para finalizar monopolizándola la Comisión. Presidencia irlandesa, *Cadre...*, p. 26 y 34.

[83]   Curiosamente en el ámbito comunitarizado no está claramente definida cuál puede ser la participación del Parlamento Europeo. Vid. OREJA AGUIRRE, M. (Dir.): *El Tratado de Amsterdam de la Unión Europea. Análisis y comentarios*, vol. I, McGraw-Hill, Madrid, 1998, pp. 273-274.

[84]   Al parecer en todos los casos se aplica, en principio, la unanimidad. Como se puede apreciar el procedimiento parece más entorpecedor que en el ámbito intergubernamental.

En el ámbito intergubernamental, el TJCE será competente para interpretar las disposiciones-marco armonizadoras, aunque —como se vio— con funciones más de árbitro que de juez.

En el ámbito comunitario se redimensionaba a la baja —como también se ha expuesto— la competencia del TJCE, descartándose aplicar el régimen general de la cuestión prejudicial.

No se puede cerrar este apartado sin hacer referencia a la suerte que han corrido los Acuerdos de Schengen con el Tratado de Amsterdam. Lo que empezó siendo una cooperación al margen de la Unión Europea ha acabado introduciéndose en el Tratado de la mano, precisamente, del nuevo Título consagrado a la cooperación reforzada (VI bis).

Respecto de la organización de esta forma de cooperación, pasa a utilizar el entramado institucional y procedimental comunitario. Así, el Consejo sustituye al Comité Ejecutivo de los Acuerdos y decide por mayoría cualificada sobre la autorización de establecer una cooperación reforzada en la que debe participar, como mínimo, la mayoría de los Estados; el Tribunal de Justicia ejerce sus funciones *ex Tractata*, pero será incompetente para decidir sobre las medidas de mantenimiento del orden público y de salvaguarda de la seguridad interior, terrenos que los Estados no quisieron confiar al ámbito de la integración con la coartada conocida de la soberanía nacional.

Esta cooperación reforzada estará a camino entre el primer y el tercer pilar. El Consejo deberá determinar la base jurídica adecuada para adoptar las medidas consideradas. El poder de iniciativa corresponde a los Estados interesados y el de decisión —como se vio—, al Consejo. La Comisión emite un dictamen y el Parlamento Europeo es simplemente consultado. Normalmente, la cooperación policial se situará en el ámbito del tercer pilar, mientras que las cuestiones relativas a la libre circulación de personas serán propias del pilar comunitario. Una vez más, la difícil búsqueda del equilibrio, cuya plasmación práctica está por ver.

Todo ello sin olvidar que la cooperación reforzada introducida por el Tratado de Amsterdam, en lo que respecta al tercer pilar, se basa en la prohibición de que afecte a las políticas comunitarias y tiene como fin permitir a la Unión Europea «convertirse más rápidamente en un espacio de libertad, de seguridad y de justicia».

BIBLIOGRAFÍA REFERENTE A LA REFORMA INSTITUCIONAL EN LA CONFERENCIA INTERGUBERNAMENTAL DE 1996 Y EL TRATADO DE AMSTERDAM (1995-1999)

DAVID GIMÉNEZ GLUCK
RICARDO MIGUEL LLOPIS CARRASCO
IRENE ROCHE LAGUNA
Investigadores del Departamento de Derecho Constitucional
Universitat de València

I. BIBLIOGRAFÍA APARECIDA EN REVISTAS ESPECIALIZADAS

1. ASPECTOS GENERALES

A) SOBRE LA CONFERENCIA INTERGUBERNAMENTAL

ANDREATTA, Beniamino; BOURLANGES, Jean-Louis; CHRISTOPHERSEN, Henning (et al.).: «Dossier: Europe élargie: des Etats membres égaux?» *Discussion Paper*. Philip Morris Institute for Public Policy Research. Edición francesa, n° 9, abril 1996. pp. 9-78.

ARNOLD, Hans; MÖSCHEL, Wernhard; KOWALSKY, Wolfgang (et al.): «Dossier: Zu den Perspektiven europäischer Integration», *Aus Politik und Zeitgeschichte*, n° 3-4, 13 enero 1995, pp. 3-40.

BARBIER, Cécile: «Conférence intergouvernementale: un premier bilan», *Revue Nouvelle*, T. 105, n° 2, febrero 1997, pp. 14-19.

BARBIER, Cécile: «Quel avenir pour l'Union européenne?», *Nota Bene*, n° 90, octubre 1995, pp. 16-18.

BOIDEVAIX, Serge: «De Maastricht à Turin. Perspectives européennes à la veille de la Conférence internationale de marzo 1996», *Documents. Revue des questions allemandes*, año 51, n° 1, 1996, pp. 55-60.

BOIXAREU CARRERA, Ángel: «Perspectivas de la conferencia intergubernamental de 1996. El informe del grupo de reflexión», *Gaceta Jurídica de la CE*. Serie D, n° 25, julio 1996, pp. 7-111.

BONVICINI, Gianni; LOUIS, Jean-Victor; VASCONCELOS, Álvaro (et al.): «On the Revision of Maastricht: A Common Report», *International Spectator*, vol. 31, n° 1, enero-marzo 1996, pp. 3-12.

BORRIES, Reimer von: «Zum Stand der Arbeiten der EU- Regierungskonferenz: Der "Allgemeine Rahmen für einen Entwurf zur Revision der Verträge" der irischen EU- Präsidentschaft vom 5. Dezember 1996», *Zeitschrift für Gesetzgebung*, año 12, n° 1, 1997, pp. 74-80.

BOURLANGES, Jean-Louis: «La conférence intergouvernementale ou comment s'en débarrasser?», *Petites Affiches*, año 386, n° 33, 17 marzo 1997, pp. 18-22.

BROOK, E: «Intergovernamental Conference 1996: Not a Maastricht 2», *Common Market Law Review*, vol. 34, n° 1, febrero 1997, pp. 1-9.

CAMPINS ERITJA, Mar: «La Revisión del Tratado de la Unión Europea», *Gaceta Jurídica de la CE*, n° 24, octubre 1995, pp. 7-80.

CATALA, Nicole: «Groupe parlementaire de réflexion sur la Conférence intergouvernementale de 1996»,*Assemblee Nationale. Délégation pour les Communautés européennes*, junio-diciembre 1995, pp. 1-90.

CATALA, Nicole: «Groupe parlementaire de réflexion sur la conférence intergouvernementale de 1996. II. (Fin)», *Assemblee Nationale. Délégation pour les Communautés européennes*, junio-diciembre 1995, pp. 91-161.

CHALTIEL, Florence: «Enjeux et perspectives de la Conférence Intergouvernementale de 1996», *Revue du Marché Commun et de L'Union Européenne*, n° 393, diciembre 1995, pp. 625-636.

COLARD, Daniel: «Le rendez-vous de Turin et l'Europe du 21ème siècle», *Defense Nationale*, año 52, n° 6, junio 1996, pp. 99-111.

DASTOLI, Pier Virgilio: «L'agenda della Conferenza intergovernativa», *Il Mulino. Europa*, año 45, n° 1, julio 1996, pp. 41-49.

DASTOLI, Pier Virgilio: «L'Unione europea alla vigilia del terzo millennio», *Il Mulino*, año 45, n° 365, mayo-junio 1996, pp. 611-620.

DEGLAIN, Roland: «Union Européenne: la fausse paix de Florence», *Esope*, n° 508, 16 mayo 1996-15 julio 1996, pp. 1-4.

DEGLAIN, Roland: «Union européenne: la Présidence irlandaise», *Esope*, n° 511, 16 noviembre 1996-15 enero 1997, pp. 1-3.

DEHOUSSE, Franklin: «La Conférence intergouvernementale après la reunion de Rome», *Journal des Tribunaux*, año 116, n° 5839, 19 abril 1997, pp. 265-268.

DEHOUSSE, Franklin: «Les résultats de la Conférence intergouvernementale». *Courrier Hébdomadaire. Crisp*, n° 1565-1566, pp. 1-53.

DEVAILLY, Anne: «L'Europe prépare l'avenir», *Espace Social Européen*, n° 332, 26 abril 1996, pp. 12-15.

DEVUYST, Youri: «The European Union's Future. A Preview of the Intergovernmental Conference of 1996», *Res Publica*, vol. 38, n° 1, 1996, pp. 21-48.

DINI, Lamberto: «Il programma di presidenza dell'Unione europea», *Mulino*, año 44, n° 2, (Supl.) 1995, pp. 41-52.

FAGIOLO, Silvio: «L'Unione Europea e la revisione del trattato di Maastricht», *Affari Esteri*, año 28, n° 3, julio 1996, pp. 501-507.

FALKE, Jutta; IZZA, Djamila; KANTOR, Peter (et al.): «Conférence intergouvernementale: Avis de tempête», *Europe*, n° 81, 1996, pp. 4-21.

FROMENT-MEURICE, Henri: «Proposition pour la conférence de 1996», *Commentaire*, vol. 18, n° 70, 1995, pp. 243-248.

FROMENT-MEURICE, Henri: «Le débat sur le pouvoir», *Societal*, n° 5, febrero 1997, pp. 19-22.

GALLO, Flaminia: «Maastricht Watch», *International Spectator*, vol. 30, n° 4, octubre-diciembre 1995, pp. 87-92.

GESCAUD, Franck; DESCHEEMAEKERE, François; RAMBAUD, Nathalie (et al.): «L'Europe en 1996: ce qui va changer», *Moniteur du Commerce International. Moci*, n° 1214, 4 enero 1996, 21 pp.

GOYBET, Catherine: «La CIG 1996: un exercice à haut risque», *Revue du Marché Commun et de l'Union Européenne*, n° 391, octubre 1995, pp. 489-492.

GUAZZARONI, Cesidio: «L'Unione Europea e la conferenza intergovernativa del 1996», *Affari Esteri*, año 28, n° 110, abril 1996, pp. 283-295.

GUIGOU, Elisabeth: «Les enjeux de la conférence de 1996», *Revue des Affaires Européennes*, n° 1, 1995, pp. 35-42.

HANNY, Birgit; JANTZ, Birke: «Eine Zwischenbilanz zum Maastrichter Vertrag: Kritische Anmerkungen zu seiner Reform», *Integration*. Institut für Europäische Politik, año 19, n° 2, abril 1996, pp. 120-126.

HAUSMANN, Hartmut: «Die neue Agenda für die europäische Politik», *Aus Politik und Zeitgeschichte*, n° 10, 1 marzo 1996, pp. 3-9.

HENNES, Michael: «Die Reflexionsgruppe der Europäischen Union», *Aussenpolitik*. Edición alemana, año 47, n° 1, 1996, pp. 33-42.

HOYER, Werner; MAGIERA, Siegfried; PIEPENSCHNEIDER, Melanie (et al.): «Dossier: Agenda 1996», *Integration*. Institut für Europäische Politik, año 18, n° 4, octubre 1995, pp. 189-234.

HORNUNG-DRAUS, Renate: «Regierungskonferenz '96 nicht überfrachten», *Arbeitgeber*, año 47, n° 23, 1 diciembre 1995, pp. 844-848.

HOWARD, Damian: «La Conférence de 1996», *Objectif Europe*, n° 36, 1995, pp. 44-51.

JACQUET, Pierre; GNESOTTO, Nicole: «Dossier: L'Union européenne face à l'échéance de 1996. IV», *Politique Etrangere*, año 61, n° 1, 1996, pp. 99-124.

KINKEL, Klaus: «Unione europea. Bonn chiama Europa», *Mondo Economico*, año 50, n° 13, 3 abril 1995, pp. 52-53.

KINSKY, Ferdinand: «Maastricht 2: l'enjeu de la Conférence intergouvernementale», *Europe En Formation. Les cahiers du fédéralisme*, n° 299, 1996, pp. 7-24.

KRÄGENAU, Henry; WETTER, Wolfgang: «Maastricht II: Europäische Integration auf dem Prüfstand», *Wirtschaftsdienst*. HWWA. Institut für Wirtschaftsforschung, año 75, n° 10, octubre 1995, pp. 525-532.

LAMERS, Karl: «Facing the IGC in 1996», *Studia Diplomatica*, vol. 49, n° 1, 1996, pp. 81-89.

LEMAITRE, Philippe; SCHLENKER, Hans-Heinz; DAVIDSON, Ian (et al.): «Dossier: 1997: State of the debate», *Challenge Europe*, n° 12, enero-febrero 1997, pp. 2-16.

LETTA, Enrico: «La Conferenza Intergovernativa del 1996», *Affari Esteri*, año 27, n° 105, enero 1995, pp. 66-72.

LÓPEZ MARTÍN, Ana Gemma: «Los resultados de la CIG de 1996: claves para una reforma», *Cuadernos de Derecho Público*, 1, INAP, mayo-agosto 1997, pp. 119-133.

LOUIS, Jean-Victor: «Algunas reflexiones sobre la reforma de 1996», *Revista de Instituciones Europeas*, vol. 22, n° 1, enero-abril 1995. pp. 9-42.

LOUIS, Jean-Victor: «La CIG. Vers quelle Europe?», *Cahiers de Droit Européen*, año 32, n° 3-4, 1996, pp. 249-255.

LOUIS, Jean-Victor; BONINO, Emma; BURGHARDT, Gynter (et al.): «Dossier: La Conférence intergouvernementale de 1996: définir le rôle de l'Union européenne à l'aube du 21ème siècle. II. (Fin)», *Revue du Marché Unique Européen*, n° 3, 1995, pp. 233-286.

MACLAUGHLIN, Guillaume; PALMER, John: «Dossier: 1997: State of the Debate», *Challenge Europe*, n° 13, marzo-abril 1997, pp. 2-16.

MATTERA, Alfonso; BANGEMANN, Martin; MONTI, Mario (et al.): «Dossier: La Conférence intergouvernementale de 1996: définir le rôle de l'Union européenne à l'aube du 21ème siècle. I» *Revue du Marché Unique Européen*, n° 3, 1995, pp. 167-232.

MEUCCI, Piero, FORNARA, Piero; CIPOLLETTA, Innocenzo (et al.): «Dossier: Conferenza di Torino», *Mondo Economico*, año 51, n° 13, 1 abril 1996, pp. 10-19.

MEUCCI, Piero: «Il gioco dei Quindici», *Mondo Economico*, año 50, n° 22, 5 junio 1995, pp. 36-39.

MIERT, Karel Van: «Perspektiven der Europäischen Union», *Union. Österreichische Zeitschrift für Integrationsfragen*, n° 1, 1995-1996, pp. 33-42.

MONAR, Jörg: «Der Dritte Pfeiler der Europäischen Union zu Beginn der Regierungskonferenz: Bilanz und Reformbedarf», *Integration*. Institut für Europäische Politik, año 19, n° 2, abril 1996, pp. 93-101.

MOREAU DEFARGES, Philippe; JANNING, Josef: «Dossier: L'Union européenne face à l'échéance de 1996. I» *Politique Etrangere*, año 61, n° 1, 1996, pp. 19-36.

MOREAU DEFARGES, Philippe: «La Conférence intergouvernementale de 1996», *Defense Nationale*, año 52, n° 3, marzo 1996, pp. 93-99.

MORO LAVADO, Enrique: «Europe: le catalogue des impossibles», *Nota Bene*, n° 94, junio 1996, pp. 2-5.

MOUSSIS, Nicolas: Au-delà de la CIG de 1996: Les grands enjeux de l'Union Européenne, *Revue du Marché Commun et de l'Union Européenne*, n° 394, enero 1996, pp. 15-20.

NÈME, Colette: «L'agenda européen: bon courage!», *Chronique Européenne*, T. 45, n° 3, 15 marzo 1996, pp. 108-116.

NICOLL, William; NICHOLSON, Bryan; CROSSICK, Stanley (et al.): «Dossier: The 1996 European Intergovernmental Conference», *European Business Journal*, vol. 7, n° 3, septiembre 1995, pp. 6-67.

NOËL, Emile: «Future Prospects for Europe», *Government and Opposition*, vol. 30, n° 4, 1995, pp. 452-468.

OREJA, Marcelino: «Il governo dell'Unione e i nuovi problemi del continente», *Mulino Europa*, n° 2, febrero 1997, pp. 38-43.

PAPADOSIFAKI, Evi: «1996 Intergovernmental Convention», *Trade With Greece*, n° 2, diciembre 1995, pp. 56-75.

PETERS, Torsten: «Macht und Ohnmacht innerhalb der EU», *Aufenpolitik*. Edición alemana, año 47, n° 2, 1996, pp. 117-126.

PISTONE, Sergio: «Il club di Firenze e la Conferenza intergoverativa per la revisione del Trattato di Maastricht», *Federalista. Rivista di Politica*, año 38, n° 2, 1996, pp. 91-110.

QUERMONNE, Jean-Louis; ZORGBIBE, Charles; BOISSIEU, Christian de (et al.) «Dossier: Europe et CIG: le tournant?» *Revue Politique et Parlementaire*, año 98, n° 981, enero-febrero 1996, pp. 11-60.

RIFKIND, Malcolm: «What future for Europe?», *Survey Of Current Affairs*, vol. 27, n° 4, abril 1997, pp. 115-121.

RIZZO, Aldo: «Il 1996, un anno importante», *Affari Esteri*, año 28, n° 110, abril 1996, pp. 258-265.

RUIZ TARTAS, Carlota: «La Présidence du Conseil de l'Union européenne et la deuxième Présidence espagnole», *European Institute Of Public Administration = Institut Européen d'Administration Publique*, n° 3, 1995, pp. 2-10.

SANTANIELLO, Roberto: «Dall'avvio della Conferenza intergovernativa al "patto di stabilità" di Dublino», *Mulino Europa*, n° 2, febrero 1997, pp. 95-119.

SANTANIELLO, Roberto: «Agenda europea. Verso la conferenza intergovernativa», *Mulino*, año 44, n° 2 (Supl.), 1995, pp. 99-116.

SANTER, Jacques: «At the crossroads: the intergovernmental conference 1996/97», *European Yearbook Of Comparative Government and Public Administration* Vol II, 1995, Baden-Baden, Nomos, Boulder, Westview Press, 1995, pp. 49-204.

SCHÄUBLE, Wolfgang: «Maastricht à mi-parcours», *Politique Internationale*, n° 71, 1996, pp. 105-117.

SCHMUCK, Otto: «Die EU- Regierungskonferenz 1996. Zum Stand der Reformdebatte», *Integration*. Institut für Europäische Politik, año 18, n° 2, abril 1995, pp. 68-75.

SOLANA MADARIAGA, Javier: «Prioridades de la Presidencia española del Consejo de la Unión Europea», *Boletín Asturiano sobre la Unión Europea*. Oviedo, n° 58-59, julio-octubre 1995, pp. 2-15.

SUTHERLAND, Peter D.: «Dix-septième conférence Jean Monnet: L'Union européenne —Une phase de transition— Institut universitaire européen. Florence, le 10 febrero 1995», *Office des Publications Officielles des CE*. Luxemburgo, 1995, 32 pp.

TIEMANN, Friedrich: «Maastricht II- Erweiterung und Vertiefung der Union», *Sozialer Fortschritt*, año 45, n° 2, febrero 1996, pp. 27-35.

TOULEMON, Robert: «Un recensement des réformes à accomplir», *Revue des Affaires Europeennes*, n° 1, 1995, pp. 91-96.

VICIANO PASTOR, Roberto: «Algunas consideraciones sobre el Informe Final del Grupo de Reflexión de la CIG-96», *Ágora-Revista de Ciencias Sociales*, n° 2, 1996, pp. 61-73.

VOGEL, Louis; VOGEL, Joseph: «Dossier: Europe: les blocages dont on n'ose pas parler» *Semaine Juridique. Edition Générale*, Supl. febrero 1996, 10 pp.

WEIDENFELD, Werner: «Europa '96- Unterwegs wohin? Die Europäische Union vor der Regierungskonferenz», *Aus Politik und Zeitgeschichte*, n° 1-2 al 5 enero 1996, pp. 3-10.

WESSELS, Wolfgang: «Weder Vision noch Verhandlungspaket. Der Bericht der Reflexionsgruppe im integrationspolitischen Trend», *Integration*. Institut für Europäische Politik, año 19, n° 1, enero 1996, pp. 14-24.

WILLIAMS, Colin: «Read all about the Intergovernmental Conference», *European Business Journal*, vol. 8, n° 2, 1996, pp. 32-43.

VV.AA.: «Sommet d'Amsterdam: conclusion de la CIG», *Lettre Mensuelle Socio-Economique*, n° 27, septiembre 1997, pp. 16-27.

B) SOBRE EL TRATADO DE AMSTERDAM

BARENTS, René: «Some Observations on the Treaty of Amsterdam», *Maastricht Journal Of European and Comparative Law*, vol. 4, n° 4, 1997, pp. 332-345.

BAZIADOLY, Sophie; Dalmas, Dominique: «Le traité d'Amsterdam». *Regards sur l'Actualité*, n° 241, mayo 1998, pp. 3-18.

CHRISTIANSEN, Thomas; Jörgensen, Knud Erik: «The Amsterdam Process: A Structurationist Perspective on EU Treaty Reform», *European Integration Online Papers (EIoP)* vol. 3 (1999) N° 1; http://eiop.or.at/eiop/texte/1999-001a.htm.

COLARD, Daniel: «Le traité d'Amsterdam ou les dilemmes de l'Union européenne». *Defense Nationale*, año 53, noviembre 1997, pp. 81-93.

DEHOUSSE, Franklin: «Le Traité d'Amsterdam: un mélange de modestie et de complexité» *Journal des Tribunaux*, año 116, n° 5859, 8 noviembre 1997, pp. 721-730.

DEHOUSSE, Franklin: «Le traité d'Amsterdam, reflet de la nouvelle Europe». *Cahiers de Droit Européen*, año 43, n° 3-4, 1997, pp. 265-273.

DEVUYST, Youri: «Treaty Reform in the European Union: the Amsterdam Process», *Journal Of European Public Policy*, vol. 5, n° 4, 1998, pp. 615-631.

DEVUYST, Youri.: «The community-method after Amsterdam», *Journal Of Common Market Studies*, vol. 37, n° 1, marzo 1999, pp. 109-120.

FAGIOLO, Silvio: «Il trattato di Amsterdam», *Affari Esteri*, año 29, n° 114, abril 1997, pp. 482-486.

FAVRET, Jean-Marc: «Le Traité d'Amsterdam: une révision à minima de la "Charte constitutionnelle" de l'Union européenne», *Cahiers de Droit Européen*, año 33, n° 5-6, 1997, pp. 555-605.

FENNELLY, Nial: «Preserving the Legal Coherence within the New Treaty», *Maastricht Journal Of European and Comparative Law*, vol. 5, n° 2, 1998, pp. 185-199.

FONSECA MORILLO, Francisco J.: «Balance sobre el Tratado de Amsterdam», *Europa Junta. Revista de Información Comunitaria*, n° 62, julio 1997, pp. 5-15.

GUAZZARONI, Cesidio: «L'Unione Europea dopo Amsterdam», *Affari Esteri*, año 29, n° 116, octubre 1997, pp. 744-755.

GÖTH, Ursula; CHARDON, Matthias: «Die EU nach Amsterdam: mehr Fragen als Antworten», *Integration.* Institut für Europäische Politik, año 21, n° 1, enero 1998, pp. 56-63.

GUGGENBYHL, Alain; VANHOONACKER, Sophie; BOER, Monica den: «Dossier: The New Treaty on European Union: A First Assessment», *European Institute Of Public Administration = Institut Européen d'Administration Publique*, Supl. n° 2, 1997, pp. 2-11.

HAGUENAU-MOIZARD, Cathérine: «Le traité d'Amsterdam: une négociation inachevée». *Revue du Marché Commun et de l'Union Européenne*, n° 417, abril 1998, pp. 240-252.

HILF, Meinhard; PACHE, Eckhard: «Der Vertrag von Amsterdam», *Neue Juristische Wochenschrift*, año 51, n° 11, 11 marzo 1998, pp. 705-713.

JOCHIMSEN, Reimut: «Europa 2000- Herausforderungen für die EU nach dem Vertrag von Amsterdam», *Integration.* Institut für Europäische Politik, año 21, n° 1, enero 1998, pp. 1-11.

KADELBACH, Stefan; MÜLLER-GRAFF, Peter-Christian; HARINGS, Lothar (et al.: «Dossier: Konsolidierung und Kohärenz des Primärrechts nach Amsterdam. II», *Europarecht*, año 33, Supl. 1998, pp. 51-123.

KOENIG, Christian; PECHSTEIN, Matthias: «Die EU- Vertragsänderung», *Europarecht*, n° 2, marzo-abril 1998, pp. 130-150.

KORTENBERG, Helmut; BLUMANN, Claude; CONSTANTINESCO, Vlad: Dossier: «Le Traité d'Amsterdam I». *Revue Trimestrielle de Droit Européen*, año 33, nº 4, octubre-diciembre 1997, pp. 705-767.

LANG, Jack; LEIBFRIED, Stephan; MARKOVITS, Andrei S. (et al.): «Dossier: Supergeld- Superstaat?», *Blätter für Deutsche und Internationale Politik*, octubre 1997, pp. 1182 1201.

LANGISH, Sally: «The Treaty of Amsterdam: Selected Highlights», *European Law Review*, vol. 23, nº 1, febrero 1998, pp. 3-19.

LENAERTS, Koen; SMIJTER, Eddy de: «Le Traité d'Amsterdam». *Journal des Tribunaux*. Droit européen, año 6, nº 46, febrero 1998, pp. 25-36.

MAGANZA, Giorgio: «Réflexions sur le Traité d'Amsterdam, contexte général et quelques aspects particuliers», *Annuaire Français de Droit International* 1997, vol. 43, pp. 657-670.

MANGAS MARTÍN, Araceli: «El Tratado de Amsterdam: Aspectos generales del pilar comunitario», *Gaceta Jurídica de la CE*. Serie D, nº 29, septiembre 1998, pp. 7-70.

MANIN, Philippe: «The Treaty of Amsterdam», *Columbia Journal Of European Law*, vol. 4, nº 1, 1998, pp. 1-26.

MORAVCSIK, Andrew; NICOLADIS, Kalypso; PHILIPPART, Eric (et al.): «Dossier: The Treaty of Amsterdam», *Journal Of Common Market Studies*, vol. 37, nº 1, marzo 1999, pp. 59-120.

MÜLLER-BRANDECK-BOCQUET, Gisela: «Der Amsterdamer Vertrag zur Reform der Europäischen Union. Ergebnisse, Fortschritte, Defizite», *Aus Politik und Zeitgeschichte*, nº 47, 14 noviembre 1997, pp. 21-29.

NALLET, Henri: «La révision des traités européens par le Traité d'Amsterdam. Textes comparés. IV». (Fin). *Assemblee Nationale*. Délégation pour l'Union européenne, nº 336, 17 octubre 1997, pp. 254-431.

NALLET, Henri: «La révision des traités européens par le Traité d'Amsterdam. Textes comparés. III». *Assemblee Nationale*. Délégation pour l'Union européenne, nº 336, 17 octubre 1997, pp. 161-253.

NALLET, Henri: «La révision des traités européens par le Traité d'Amsterdam. Textes comparés. II» *Assemblee Nationale*. Délégation pour l'Union européenne, nº 336, 17 octubre 1997, pp. 55-160.

NALLET, Henri: «La révision des traités européens par le Traité d'Amsterdam. Textes comparés I», *Assemblee Nationale*. Délégation pour l'Union européenne, nº 336, 17 octubre 1997, pp. 1-54.

NERVIENS, Pierre des; LABAYLE, Henri: Dossier: «Le Traité d'Amsterdam. II». *Revue Trimestrielle de Droit Européen*, año 33, nº 4, octubre-diciembre 1997, pp. 769-881.

OFFICE DES PUBLICATIONS OFFICIELLES DES CE: «El Tratado de Amsterdam en fichas temáticas». Luxemburgo, 1997, 32 pp.

OREJA, Marcelino; GOEBEL, Roger J.; PIRIS, Jean-Claude. (et al.): «Dossier: The European Union and the Treaty of Amsterdam. I» *Fordham International Law Journal*, vol. 22, 1999, pp. 1-47.

PERERA GÓMEZ, Eduardo: «The Amsterdam Failure», *Revista de Estudios Europeos*, vol. 11, nº 42, abril-junio 1997, pp. 14-27.

PETITE, Michel: «Le traité d'Amsterdam: ambition et réalisme» *Revue du Marché Unique Européen*, nº 3, 1997, pp. 17-52.

PIEPENSCHNEIDER, Melanie: «Der Amsterdamer Vertrag: Eine versöhnliche Bilanz», *Dokumente. Zeitschrift für den Deutsch- Französischen Dialog*, año 53, n° 5, octubre 1997, pp. 399-406.

POLLACK, Mark A: «Delegation, agency and agenda setting in the Treaty of Amsterdam», *European Integration Online Papers (EIoP)* Vol 3 (1999) n° 6, http://eiop.or.at/eiop/texte/1999-006.htm.

RAEPENBUSCH, Sean Van: «Les résultats du Conseil européen d'Amsterdam (les 16 et 17 juin 1997). Présentation générale du Traité d'Amsterdam». *Actualites du Droit*, año 8, n° 1, 1998, pp. 7-67.

REMACLE, Eric: «Amsterdam: et au-delà». *Nota Bene*, n° 102, octubre 1997, pp. 7-9.

ROSE, Claudio de: «Il trattato di Amsterdam e la legge di ratifica 16 giugno 1998 n° 209 (tratti salienti, le conseguenze e le prospettive sul piano comunitario e nazionale) I», *Consiglio Di Stato*, año 49, n° 7-8, julio-agosto 1998, pp. 1185-1201.

SANTANIELLO, Roberto: «Agenda europea. Da Essen a Cannes», *Mulino*, año 44, n° 1, Supl. julio 1995, pp. 103-122.

SANTER, Jacques: «Les défis actuels de l'Union européenne». *Europe en Formation. Les cahiers du fédéralisme*, n° 311, 1998, pp. 7-14.

SAURON, Jean-Luc: «Le traité d'Amsterdam: une réforme inachevée?» *Recueil Dalloz*, n° 8, 26 febrero 1998, pp. 69-78.

SCHNEIDER, Heinrich; SCHÖNFELDER, Wilhelm; SILBERBERG, Reinhard (et al.): «Dossier: Der Vertrag von Amsterdam», *Integration*. Institut für Europäische Politik, año 20, n° 4, octubre 1997, pp. 197-308.

SCHÖNFELDER, Wilhelm; SILBERBERG, Reinhard: «Auf dem Weg zum Ziel. Die Ergebnisse des Vertrags von Amsterdam», *Internationale Politik*, año 52, n° 11, noviembre 1997, pp. 18-24.

SILVESTRO, Massimo; FERNÁNDEZ-FERNÁNDEZ, Javier: «Le traité d'Amsterdam: une évaluation critique». *Revue du Marché Commun et de l'Union Européenne*, n° 413, diciembre 1997, pp. 662-664.

STREINZ, Rudolf: «Der Vertrag von Amsterdam. Einführung in die Reform des Unionsvertrages von Maastricht und erste Bewertung der Ergebnisse», *Europäische Zeitschrift für Wirtschaftsrecht*, año 9, n° 5-6, 10 marzo 1998, pp. 137-147.

TIMMERMANS, Christian; PAEMEN, Hugo; BOURGEOIS, Jacques H.J.: «Dossier: The European Union and the Treaty of Amsterdam. III». *Fordham International Law Journal*, vol. 22, 1999, pp. 106-186.

TIZZANO, Antonio: «Brevi considerazioni introduttive sul Trattato di Amsterdam», *Comunità Internazionale*, vol. 52, n° 4, 1997, pp. 673-702.

TIZZANO, Antonio: «La personnalité internationale de l'Union européenne», *Revue du Marché Unique Européen*, n° 4, 1998, pp. 11-40.

VV.AA.-«The Treaty of Amsterdam», *Challenge Europe*, Supl. n° 14, mayo-junio 1997, 8 pp.

VV.AA.-«The Treaty of Amsterdam: Neither a bang nor a whimper», *Common Market Law Review*, vol. 34, n° 4, agosto 1997, pp. 767-772.

VV.AA.: «Faut-il avoir peur du Traité d'Amsterdam?» *Petites Affiches. La Loi,* año 388, n° 17, 25 enero 1999, pp. 6-16.

VENTURINI, Franco: «Da Madrid ad Amsterdam», *Affari Esteri*, año 29, n° 116, octubre 1997, pp. 756-761.

VIGNES, Daniel: «Amsterdam: la énième révision des traités européens», *Studia Diplomatica*, vol. 50, n° 56, 1997, pp. 5-9.

WACHSMANN, Patrick; JACQUÉ, Jean-Paul; BLANCHET, Thérèse: Dossier: Le Traité d'Amsterdam. III. (Fin). *Revue Trimestrielle de Droit Européen*, año 33, n° 4, octubre-diciembre 1997, pp. 883-928.

WESSELS, Wolfgang: «Der Amsterdamer Vertrag- Durch Stückwerksreformen zu einer effizienteren, erweiterten und föderalen Union?», *Integration*. Institut für Europäische Politik, año 20, n° 3, agosto 1997, pp. 117-135.

2. *LOS TRIBUNALES COMUNITARIOS*

ALBORS-LLORENS, Albertina: «Changes in the jurisdiction of the European Court of Justice underthe Treaty of Amsterdam», *Common Market Law Review*, vol. 35, n° 6, diciembre 1998, pp. 1273-1294.

ARNULL, Anthony: «European Communities: Institutional and Jurisdictional Questions: The Community Judicature and the 1996 IGC», *European Law Review*, vol. 20, n° 6, diciembre 1995, pp. 599-611.

BIAVATI, Paolo: «Prime note sulla giurisdizione comunitaria dopo il trattato di Amsterdam», *Rivista Trimestrale Di Diritto E Procedura Civile*, año 52, n° 2, septiembre 1998, pp. 805-829.

CRAIG, P. P.: «The road to the 1996 Intergovernmental Conference: The contribution of the European Court of Justice and the Court of First Instance», *Public Law*, 1996, pp. 13-17.

DELLIS, George: «L'avenir de la Cour de justice et du Tribunal de première instance des Communautés européennes dans la perspective de la Conférence intergouvernementale de 1996», *European Institute Of Public Administration = Institut Europee d'Administration Publique*, n° 3, 1995, pp. 16-18.

GOFFIN, Léon; VANDERSANDEN, Georges; DUFFY, Peter (et al.): «Dossier: L'accès à la Justice dans l'Union européenne. Actes de la journée d'étude organisée par les Cahiers de droit européen» *Cahiers de Droit Européen*, año 31, n° 5-6, 1995, pp. 529-576.

HEDEMANN-ROBINSON, Martin: «Article 173 EC, General Community Measures and Locus Standi for Private Persons. Still a Cause for Individual Concern?», *European Public Law*, vol. 2, n° 1, marzo 1996, pp. 127-156.

NEUWAHL, Nanette A. E. M.: «Article 173 Paragraph 4 EC: Past, Present and Possible Future», *European Law Review*, vol. 21, n° 1, febrero 1996, pp. 17-31.

PHILIPP, Otmar: «Regierungskonferenz 1996 und europäische Gerichtsbarkeit», *Europäische Zeitschrift für Wirtschaftsrecht*, año 7, n° 20, 24 octubre 1996, pp. 624-628.

SAURON, Jean-Luc: «Le renvoi préjudiciel de l'article 177 du Traité instituant la Communauté européenne: crise ou renouveau?» *Petites Affiches. La Loi*, año 387, n° 66, 3 junio 1998, pp. 8-14.

3. *LA REFORMA DEL PROCESO DECISORIO*

A) *LA CONFERENCIA INTERGUBERNAMENTAL*

BIEBER, Roland; SORDAT, Delphine: «L'évolution des procédures législatives européennes», *Droit En Action*, 7 junio 1996, pp. 19-40.

BLUMANN, Claude: «Le Parlement européen et la comitologie: une complication pour la Conférence intergouvernementale de 1996», *Revue Trimestrielle de Droit Européen*, año 32, nº 1, enero-marzo 1996, pp. 1-23.

BOYRON, Sophie: «Maastricht and the codecision procedure: a success story», *International and Comparative Law Quarterly*, vol. 45, nº 2, abril 1996, pp. 293-318.

ECOTAIS, Muriel de l': «La pondération des voix au Conseil des Ministres de la Communauté Européenne. I», *Revue du Marché Commun et de l'Union Européenne*, nº 398, mayo 1996, pp. 388-393.

HOSLI, Madeleine O.: «Voting strength in the European Parliament: The influence of national and partisan sectors», *European Journal Of Political Research*, vol. 31, nº 3, abril 1997, pp. 351-366.

NUTTENS, Jean-Dominique: «La "comitologie" et la conférence intergouver-nementale», *Revue du Marché Commun et de l'Union Européenne*, nº 397, abril 1996, pp. 314-327.

PETERS, Torsten: «Voting Power after the Enlargement and Options for Decision Making in the European Union», *Au(enwirtschaft*, año 51, nº 2, junio 1996, pp. 223-243.

ORTEGA CARCELEN, Martin C.: «Mayoría y unanimidad en el Consejo, ante la CIG 1996», *Gaceta Jurídica de la CE*. Serie D, nº 25, julio 1996, pp. 113-177.

SILVESTRO, Massimo; ALBANI LIBERALI, Clara: «La codécision a été un succés, il faut aller de l'avant», *Revue du Marché Commun et de l'Union Européenne*, nº 406, marzo 1997, pp. 166-169.

WÄGENBAUR, Rolf: «"Mitentscheidung": Stärkung der Rechte des Europäischen Parlaments?», *Europäische Zeitschrift für Wirtschaftsrecht*, año 7, nº 19, 10 octubre 1996, pp. 87-589.

B) EL TRATADO DE AMSTERDAM

EARNSHAW, David; JUDGE, David: «The Life and Times of the European Union's Co-operation Procedure», *Journal Of Common Market Studies*, vol. 35, nº 4, diciembre 1997, pp. 543-564.

GOERKE, Laszlo; PIAZOLO, Kathrin: «Decision Making under the EU's Social Chapter», *International Review Of Law and Economics*, vol. 18, nº 2, junio 1998, pp. 217-237.

REICH, Charles: «Le traité d'Amsterdam et le champ d'application de la procédure de codécision». *Revue du Marché Commun et de l'Union Européenne*, nº 413, diciembre 1997, pp. 665-669.

4. LA INTEGRACIÓN EUROPEA (INCLUYE FLEXIBILIDAD Y FEDERALISMO)

A) LA CONFERENCIA INTERGUBERNAMENTAL

AGT, Dries van: «The State of the European Union», *Tilburg Foreign Law Review*, vol. 5, nº 3, 1996, pp. 253-261.

ANDREATTA, Beniamino; BOURLANGES, Jean-Louis; CHRISTOPHERSEN, Henning (et al.): Dossier: «In a larger EU, can all member states be equal?»

Discussion Paper. Philip Morris Institute for Public Policy Research. Edición inglesa, n° 9, abril 1996, pp. 9-78.

BARBIER, Cécile: «Quelle flexibilité pour l'Europe?», *Nota Bene*, n° 98, febrero 1997, pp. 7-10.

BLANKE, Hermann-Josef; KUSCHNICK, Michael: «Bürgernähe und Effizienz als Regulatoren des Widerstreits zwischen Erweiterung und Vertiefung der Europäischen Union», *Öffentliche Verwaltung*, año 50, n° 2, enero 1997, pp. 45-57.

BOUCHARD, Lucien-Pierre: «Les Quinze à la croisée des chemins? Sur les formes possibles de l'Union européenne», *Etudes Internationales*, vol. 27, n° 3, septiembre 1996, pp. 485-500.

BOURLANGES, Jean-Louis: «Qui a peur d'une Europe fédérale?», *Societal*, n° 6, marzo 1997, pp. 19-24.

BREITENMOSER, Stephan: «Die Europäische Union zwischen Völkerrecht und Staatsrecht»,*Zeitschrift für Ausländisches Öffentliches Recht und Völkerrecht,*vol. 55, n° 4, 1995, pp. 951-992.

CAHEN, Antoine: «Nouvelle géopolitique européenne. L'Europe comme méthode», *Transeuropeennes*, n° 6-7, 1995-1996, pp. 109-113.

CHRYSSOCHOOU, D.: «European Union and the dynamics of confederal cosociation: problems and prospects for a democratic future», *Revue d'Integration Européenne*, 1995, XVIII, n. 2-3, pp. 279-305.

DA CRUZ VILAÇA, José Luis; Herman, Fernand; Howe, Geoffrey (et al.): Dossier: «Does Europe need a Constitution?», *Discussion Paper*. Philip Morris Institute for Public Policy Research. Edición inglesa, n° 10, junio 1996, pp. 1-66.

CROMME, Franz: «Der Verfassungsentwurf des Institutionellen Ausschusses des Europäischen Parlaments von 1994», *Zeitschrift für Gesetzgebung*, año 10, n° 3, 1995, pp. 256-261.

CURTIN, Deirdre: «The Shaping of a European Constitution and the 1996 IGC: «Flexibility» as a Key Paradigm?», *Aussenwirtschaft*, año 50, n° 1, abril 1995, pp. 237-251.

DASTOLI, Pier Virgilio: «Questa Conferenza (per ora) non s'ha da fare», *Mulino*, año 44, n° 2 (Supl.), 1995, pp. 84-98.

DEGLAIN, Roland: «L'Etat préoccupant de l'Union européenne», *Esope*, n° 510, 16 septiembre 1996, 5 pp.

EYSKENS, Marc: «L'Europe à la croisée des chemins», *Revue Politique*, n° 3, 1996, pp. 5-15.

FERAL, Pierre-Alexis: «Le principe de subsidiarité dans le cadre de la Conférence intergouvernementale de 1996», *Les Petites Affiches*, año 384, n° 147, 8 diciembre 1995, pp. 20-25.

FROMENT-MEURICE, Henri: «Le débat sur le pouvoir», *Societal*, n° 5, febrero 1997, pp. 19-22.

GALLO, Flaminia: «Maastricht Watch», *International Spectator*, vol. 31, n° 1, enero-marzo 1996, pp. 95-114.

GIERING, Claus: «Vertiefung durch Differenzierung- Flexibilisierungskonzepte in der aktuellen Reform debatte», *Integration*. Institut für Europäische Politik, año 20, n° 2, abril 1997, pp. 72-83.

HOFMANN, Hans: «Eine Verfassung für die Europäische Union im Zuge der Weiterentwicklung der 2. und 3. Säule», *Europa Blätter*. Beilage zum Bundesanzeiger, año 5, nº 4, 1996, pp. 67-72.

HUBER, Peter M.: «Differenzierte Integration und Flexibilität als neues Ordnungsmuster der Europäischen Union?», *Europarecht*, año 31, nº 4, octubre-diciembre 1996, pp. 347-361.

KOHNSTAMM, Max; Palmer, John; Bonino, Emma (et al.) Dossier: «Flexibility and the IGC» *Challenge Europe*, nº 13 (Supl.), marzo 1997, pp. 2-20.

KONOW, Gerhard: «Maastricht 2 und die "föderativen Grundsätze"», *Öffentliche Verwaltung*, año 49, nº 20, octubre 1996, pp. 845-852.

KRAGENAU, Henry; WETTER, Wolfgang: «Maastricht 2: Reviewing European Integration», *Intereconomics*, vol. 30, nº 6, noviembre-diciembre 1995, pp. 267-275.

LESOURNE, Jacques: «Scénarios pour l'Union européenne», *Futuribles*. Analyse et Prospective, nº 212, septiembre 1996, pp. 5-13.

LETOURNEUR-FABRY, Elvire: «Pour un fédération européenne multiculturelle», *Futuribles*. Analyse et Prospective, nº 212, septiembre 1996, pp. 15-20.

MEYRONNEINC, Guy: «CIG 96: Europe au concret et solidarités renforcées», *Revue des Affaires Europeennes*, año 6, nº 1, abril 1996, pp. 13-17.

MICOSSI, Stefano: «Quella Comunité che va verso il 21 secolo», *Mulino*, año 44, nº 360, julio-agosto 1995, pp. 705-714.

MIETKOWSKI, Piotr: «L'Europe: une puissance inachevée», *Conjoncture. Bulletin économique mensuel de la Banque de París et des Pays-Bas*, año 27, 2 febrero 1997, pp. 2-8.

MILES, Lee; Redmond, John: «Enlarging the European Union. The Erosion of Federalism?», *Cooperation and Conflict*, vol. 31, nº 3, septiembre 1996, pp. 285-309.

NUGENT, Neil: «Building Europe-A need for more leadership?», *Journal Of Common Market Studies*, vol. 34, agosto 1996, pp. 1-13.

PADOA-SCHIOPPA, Antonio: «Verso la Constituzione europea», *Il Mulino Europa*, nº 2, 1995, pp. 8-25.

PETERSMANN, Ernst-Ulrich; Seidel, Martin: «Constitutionalizing the European Union», *Aussenwirtschaft*, año 50, nº 1, abril 1995, pp. 169-236.

RICCARDI, F.: «Quelle "Europe" pour notre avenir?», *Revue du Marché Unique Européen*, nº 3, 1996, pp. 5-14.

SANTANIELLO, Roberto: «Il futuro dell'Unione: tre modelli a confronto», *Mulino*, año 44, nº 358, marzo-abril 1995, pp. 349-363.

SCHMIDHUBER, Peter M.: «Die Zukunft des Föderalismus in Europa», *Auszüge aus Presseartikeln*. Deutsche Bundesbank, nº 15, 12 marzo 1996, pp. 6-11.

SCHWARZ, Hans-Peter: «United Germany and European Integration», *Sais Review. A Journal of International Affairs*, vol. 15, nº 2 (supl.), 1995, pp. 83-101.

SPIEKER, Wolfgang: «Der steinige Weg zur nächsten Reform der Europäischen Union», *WSI Mitteilungen*, año 47, nº 12, diciembre 1994, pp. 721-735.

STATZ, Albert; WEINER, Klaus-Peter: «Fortschritt durch Flexibilisierung? Stand und Aussichten von Maastricht 2», *Blätter für Deutsche und Internationale Politik*, año 41, nº 12, diciembre 1996, pp. 1480-1490.

STUBB, Alexander C.-G.: «A Categorization of Differentiated Integration», *Journal of Common Market Studies*, vol. 34, nº 2, junio 1996, pp. 283-295.

STUBB, Alexander C.-G.: «The 1996 Intergovernmental Conference and the management of flexible integration», *Journal Of European Public Policy*. Glasgow, vol. 4, n° 1, 1997, pp. 37-55.

SÜSSMUTH, Rita: «Der Zustand der Europäischen Union», *West Ost Journal*, año 27, n° 3-4, noviembre 1994, pp. 5-6.

SUTHERLAND, Peter D.: «Europäisches Hochschulinstitut: Siebzehnten Jean-Monnet-Vortrag: Die Europäische Union- eine Übergangsphase- Florenz, den 10. Februar 1995», *Amt für amtliche Veröffentlichungen der EG*. Luxemburgo, 1995. 33 pp.

SUTHERLAND, Peter D.: «Sutherland Speaks out on the European Union's Future», *European Institute Of Public Administration = Institut Européen d'Administration Publique*, n° 2, 1995, pp. 2-9.

TSATOS, Dimitris Th.: «Die Europäische Unionsgrundordnung», *Europäische Grundrechte Zeitschrift*, año 22, n° 13-14, 28 agosto 1995, pp. 287-296.

TSATSOS, Dimitris: «Regierungskonferenz: Partielle Integration», *EU Magazin*, n° 4, 1997, pp. 20-22.

TONRA, Ben: «Die irische Präsidentschaft der Europäischen Union- Flexibilität und Phantasie», *Integration*. Institut für Europäische Politik, año 19, n° 3, julio 1996, pp. 133-145.

USHER, John A.: «Variable Geometry or Concentric Circles: Patterns for the European Union», *International and Comparative Law Quarterly*, vol. 46, n° 2, abril 1997, pp. 243-273.

WALKER, Neil: «European Constitutionalism and European Integration», *Public Law*, 1996, pp. 266-290.

– «La Riforma della Costituzione Europea», *Federalista. Rivista di Politica*, año 37, n° 1, 1995, pp. 50-62.

– «Europe at the Crossroads», *Federalist. A Political Review.*, año 37, n° 3, 1995. pp. 143-149.

– «Orientations de la Commission européenne concernant les conditions et les modalités de l'instrument des «coopérations renforcées» à insérer dans le Traité de Maastricht révisé», *Europe Documents*. Edición francesa, n° 2022, 29 enero 1997, pp. 1-4.

B) EL TRATADO DE AMSTERDAM

AREILZA CARVAJAL, José M. de; Dastis Quecedo, Alfonso: «Cooperaciones reforzadas en el Tratado de Amsterdam: ¿Misión cumplida?», *Gaceta Jurídica de la CE*. Serie D, n° 29, septiembre 1998, pp. 105-142.

CARLIER, Edmond: «Rendre l'Europe au peuple ou problématique institutionnelle de la CIG». *Europe en Formation. Les Cahiers du Fédéralisme*, n° 306-307, 1997, pp. 23-45.

CHALTIEL, Florence: «Le traité d'Amsterdam et la coopération renforcée». *Revue du Marché Commun et de l'Union Européenne*, n° 418, mayo 1998, pp. 289-293.

CHIRAC, Jacques; JUNOT, Michel; SANTER, Jacques (et al.): «La maison de l'Europe a 40 ans». I. *Revue Politique et Parlementaire*, año 100, n° 997, Supl. diciembre 1998, pp. 6-54.

CRIVAT, Liliana: «L'Union après le traité d'Amsterdam. Des Etats-Unis d'Europe à l'Europe à la carte». *Europe en Formation. Les Cahiers du Fédéralisme*, nº 308, 1998, pp. 37-72.

DONAIRE VILLA, Francisco Javier: «El Tratado de Amsterdam y la Constitución», *Revista Española de Derecho Constitucional*, año 18, nº 54, septiembre-diciembre 1998, pp. 119-167.

EDWARDS, Geoffrey; WIESSALA, Georg; MORAVCIK, Andrew (et al.): «Dossier: The European Union 1997: Annual Review of Activities. I» *Journal Of Common Market Studies*, vol. 36, Supl. septiembre 1998, pp. 1-49.

EDWARDS, Geoffrey.; PHILIPPART, Eric: «The provisions on closer co-operation in the treaty of Amsterdam: the politics of flexibility in the European union», *Journal Of Common Market Studies,* vol. 37, nº 1, marzo 1999, pp. 87-108.

EHLERMANN, Claus Dieter: «Différenciation, flexibilité, coopération renforcée: les nouvelles dispositions du traité d'Amsterdam». *Revue du Marché Unique Européen*, nº 3, 1997, pp. 53-90.

EHLERMANN, Claus Dieter: «Engere Zusammenarbeit nach dem Amsterdamer Vertrag: Ein neues Verfassungsprinzip?», *Europarecht*, nº 4, octubre-diciembre 1997, pp. 362-397.

FERAL, Pierre-Alexis: «Le Conseil européen de Cardiff: un rendez-vous manqué pour le principe de subsidiarité?» *Petites affiches. La Loi*, año 387, nº 86, 20 julio 1998, pp. 3-7.

GAJA, Giorgio: «How flexible is flexibility under the Amsterdam Treaty?», *Common Market Law Review*, vol. 35, nº 4, agosto 1998, pp. 855-870.

GOSSES, S.I.H.: «Treaty of Amsterdam Marks Another Step on the Way to a European Constitution», *Thesis*, vol. 1, nº 3, 1997, pp. 28-34.

GROSSER, Alfred: «De l'importance des hommes et des institutions». *Notes et etudes documentaires*, nº 5076-5077, agosto 1998, pp. 9-16.

JANJEVIC, Milutin: «Amsterdam 1997: A New Step Towards the European Unity», *Review Of International Affairs*, vol. 48, nº 1060, 15 septiembre 1997, pp. 15-17.

KINSKY, Ferdinand: «L'Union européenne est-elle fédéraliste?» *Europe En Formation. Les Cahiers du Fédéralisme*, nº 311, 1998, pp. 29-47.

KOENIG, Christian: «Ist die Europäische Union verfassungsfähig?», *Öffentliche Verwaltung*, año 51, nº 7, abril 1998, pp. 268-275.

KORTENBERG, Helmut: «Closer cooperation in the Treaty of Amsterdam», *Common Market Law Review*, vol. 35, nº 4, agosto 1998, pp. 833-854.

LABAYLE, Henri: «Amsterdam ou l'Europe des coopérations renforcées. II. (Fin). Les modalités». *Europe*, año 8, nº 4, abril 1998, pp. 4-7.

LÓPEZ PINA, Antonio: «Las tareas públicas en la Unión Europea», *Revista de Derecho Comunitario Europeo*, año 2, nº 4, julio-diciembre 1998, pp. 353-388.

MANGAS MARTÍN, Araceli: «La cooperación reforzada en el Tratado de Amsterdam», *Comunidad Europea Aranzadi*, año 25, nº 10, octubre 1998, pp. 27-38.

MANZELLA, Andrea: «Dopo Amsterdam. L'identità costituzionale dell'Unione europea», *Mulino*, año 46, nº 373, septiembre-octubre 1997, pp. 906-925.

MARTÍN Y PÉREZ DE NANCLARES, José: «La flexibilidad en el Tratado de Amsterdam. Especial referencia a la noción de cooperación reforzada», *Revista de Derecho Comunitario Europeo*, vol. 3, enero-junio 1998, pp. 205-232.

MARTINACHE, Anne; AUBRY-CAILLAUD, Florence; CIAVARINI AZZI, Giuseppe (et al.): «La subsidiarité. II». *Revue des Affaires Européennes*, año 8, n° 1-2, 1998, pp. 62-82.

MISSIROLI, Antonio: «Flexibility and Enhanced Cooperation After Amsterdam-Prospects For CFSP and the WEU», *International Spectator*, vol. 33, n° 3, julio-septiembre 1998, pp. 101-118.

MONJAL, Pierre-Yves: «Le Traité d'Amsterdam et la procédure en constatation politique de manquement aux principes de l'Union». *Petites Affiches. La Loi*, año 387, n° 69, 10 junio 1998, pp. 8-14.

PFETSCH, Frank R.: «Die Problematik der europäischen Identität», *Aus Politik und Zeitgeschichte*. Tomo 25-26, 12 junio 1998, pp. 3-9.

SAPIENZA, Rosario: «Il Trattato di Amsterdam. Verso una Costituzione per l'Unione Europea?», *Aggiornamenti Sociali*, año 49, n° 4, abril 1998, pp. 273-279.

SCHOUTHEETE, Philippe de: «L'avenir de l'Union européenne». *Politique Etrangere*, año 62, n° 3, 1997, pp. 263-277.

SCHWARZE, Jürgen: «Kompetenzverteilung in der Europäischen Union und föderales Gleichgewicht», *Deutsches Verwaltungsblatt*, año 110, n° 23, 1995, p. 1265-1269.

VICIANO PASTOR, Roberto: «El futuro de la Unión Europea: ¿déficit democrático o déficit constitucional?», *Los retos de la Unión Europea ante el siglo XXI*, UNED, 1997, pp. 33-56.

– «Union without constitution», Editorial, *Common Market Law Review*, vol. 34, n° 5, octubre 1997, pp. 1105-1111.

5. POSICIONES DE LOS ESTADOS MIEMBROS

A) ANTE LA CONFERENCIA INTERGUBERNAMENTAL

BIEDENKOPF, Kurt H.; Winberg, Margareta: Dossier: «Rethinking the European Union» *World Today*, vol. 51, n° 7, julio 1995, pp. 130-135.

BORCHMANN, Michael: «Regierungskonferenz 1996. Das Positionspapier der deutschen Länder», *Europäische Zeitschrift für Wirtschaftsrecht*. año 6. n° 16. 24 agosto 1995, pp. 570-573.

CHARETTE, Hervé de: «Les six échéances de l'année diplomatique 1995/1996», *Revue Politique et Parlementaire*, año 97, n° 979, septiembre-octubre 1995, pp. 52-55.

DANSTOLI, Pier Virgilio: «L'Unione europea e l'Italia. Nelle nebbie di Dublino», *Mulino. Europa*, n° 2, febrero 1997, pp. 19-37.

FISCHER, Hans Georg: «Öffentliche Anhörung des Deutschen Bundestages und des Bundesrates zum «Subsidiaritätsprinzip in der Europäischen Union» am 8. Mai 1996 In Bonn», *Deutsches Verwaltungsblatt*, año 111, n° 18, 15 septiembre 1996, pp. 1040-1044.

GEORGE, Stephen: «The approach of the British government to the 1996 Intergovernmental Conference of the European Union», *Journal Of European Public Policy*, vol. 3, n° 1, 1996, pp. 45-62.

GOETZ, Klaus H.: «Integration policy in a Europeanized state: Germany and the Intergovernmental Conference», *Journal Of European Public Policy*, vol. 3, n° 1, 1996, pp. 23-44.

GUERIN-SENDELBACH, Valérie: «Französische Reformvorschläge zur Regierungskonferenz. Perspektiven nach Dublin», *Dokumente. Zeitschrift für den deutsch-französischen Dialog*, año 53, n° 1, febrero 1997, pp. 13-20.

HUARD, Florence: «La France et la C. I. G.: le consensus équivoqué», *Revue Politique et Parlementaire*, año 98, n° 985, octubre-diciembre 1996, pp. 34-43.

KASTRUP, Dieter: «l ruolo della Germania in Europa», *Rivista Di Studi Politici Internazionali*, año 63, n° 2, abril-junio 1996, pp. 219-226.

KINKEL, Klaus: «Erklärung der Bundesregierung zur Tagung des Europäischen Rates in Amsterdam»,*Bulletin. Presse und Informationsamt der Bundesregierung*, n° 50, 16 junio 1997, pp. 573-576.

LUCET, Jean-Louis: «La vocazione europea della Francia», *Affari Esteri*, año 27, n° 108, 1995, pp. 693-712.

MENDES Da Costa Martins, Vitor Angelo: «Le Portugal dans l'Union Européenne. Réalités et perspectives», *Studia Diplomatica*, vol. 48, n° 3, 1995, pp. 33-44.

MENON, Anand: «France and the IGC of 1996», *Journal Of European Public Policy*, vol. 3, n° 2, 1996, pp.231-252.

MILES, Lee: «Sweden and the Intergovernmental Conference. Testing the "Membership Diamond"», *Cooperation and Conflicts*, n° 4, diciembre 1998, pp. 339-366.

MISSIROLI, Antonio: «The New Kids on the EU Block: Austria, Finland and Sweden», *International Spectator*, vol. 30, n° 4, octubre-diciembre 1995, pp. 13-29.

POOS, Jacques F.: «Le Luxembourg face aux grands défis de l'Union européenne», *Reperes. Bulletin Economique et Financier*, n° 44, 1996, pp. 4-6.

THALÍNEAU, Joël: «La France, collectivité locale de l'Union européenne», *Revue Politique et Parlementaire*, año 97, n° 979, septiembre-octubre 1995, pp. 56-63.

VERMISSO, John: «Greek Positions at the Intergovernmental Conference», *Trade With Greece*, n° 6, marzo 1997, pp. 40-43.

VV.AA. (Comité organizador de la Presidencia Española del Consejo de la Unión Europea, ed.):*Reflexiones sobre la Conferencia Intergubernamental de 1996*, Secretaría de Estado para las Comunidades Europeas, Ministerio de Asuntos Exteriores, Madrid, 1995.

VV.AA.: (Oficina de Información Diplomática, ed.): *Elementos para una posición española ante la Conferencia Intergubernamental de 1996*, Madrid, marzo de 1996.

B) ANTE EL TRATADO DE AMSTERDAM

AUBIN, Emmanuel: «Le Conseil Constitutionnel face à la communautarisation des politiques liées à la libre conrculation des personnes dans l'Union Européenne (visas, asile, immigration et franchissement des frontières)», *Tribune du Droit Public*, 1998/1, pp. 173 ss.

BON, Pierre: «Le Traité d'Amsterdam devant le Conseil Constitutionnel», *Les Petites Affiches*, 1998 (73), 19 junio 1998, pp. 17 ss.

BOTHE, Michael; Lohmann, Torsten: «Verfahrensfragen der deutschen Zustimmung zum Vertrag von Amsterdam», *Zeitschrift für Ausländisches Öffentliches Recht und Völkerrecht*, Tomo 58, n° 1, 1998, pp. 1-46.

CHALTIEL, Florence: «Commentaire de la décision du Conseil Constitutionnel relative au traité d'Amsterdam». *Revue du Marché Commun et de l'Union Européenne*, n° 415, febrero 1998, pp. 72-84.

CHALTIEL, Florence: «La constitution française et l'Union européenne. A propos de la révision constitutionnelle du 25 enero 1999», *Revue du Marché Commun et de l'Union Européenne*, n° 427, abril 1999, pp. 228-237.

DASHWOOD, Alan: «States in The European Union», *European Law Review*, vol. 23, n° 3, junio 1998, pp. 201-216.

FRANCK, Christian: «La politique européenne de la Belgique. Les années 1970-1996: entre orthodoxie et pragmatisme». *Res Publica*, vol. 40, n° 2, 1998, pp. 197-212.

FRANZKE, Hans-Georg: «Die teilweise Unvereinbarkeit des Vertrags von Amsterdam mit der französischen Verfassung», *Öffentliche Verwaltung*, año 51, n° 20, octubre 1998, pp. 860-865.

HECKER, JAN: «Souveränitätswahrung durch Einstimmigkeit im Rat: Der Conseil Constitutionnel zum Vertrag von Amsterdam», *Juristenzeitung*, año 53, n° 19, 2 octubre 1998, pp. 938-943.

KARPENSTEIN, Ulrich: «Der Vertrag von Amsterdam im Lichte der Maastricht-Entscheidung des BVerfG», *Deutsches Verwaltungsblatt*, n° 17, 1 septiembre 1998, pp. 942-952.

LUCHAIRE, François: «Le traité d'Amsterdam et la Constitution». *Revue du Droit Public et de la Science Politique en France et a l'Etranger*, n° 2, marzo-abril 1998, pp. 331-350.

MÜLLER-BRANDECK-BOCQUET, Gisela: «Reform der Europäischen Union. Deutsch-französische Initiativen»,*Dokumente. Zeitschrift für den deutsch-französischen Dialog*, año 52, n° 6, 1996, pp. 456-461.

PELLET, Alain: «Le Conseil constitutionnel, la souveraineté et les traités. À propos de la décision du Conseil Constitutionnel du 31 décembre 1997 (traité d'Amsterdam)», *Les Cahiers du Conseil Constitutionnel*, (4), 1998, pp. 114 ss.

PINDER, John: «New Labour-New Europa? Chancen für eine stärkere und demokratischere EU», *Integration*. Institut für Europäische Politik, año 20, n° 3, agosto 1997, pp. 136-144.

RICHARD, Denis: «Le traité d'Amsterdam à l'épreuve du Conseil Constitutionnel (à propos de la décision n° 97-394 DC du 31 décembre 1997)». *Gazette du Palais*, n° 168-169, 17 junio 1998, pp. 2-7.

RING, Gerhard; OLSEN-RING, Line: «Souveränitätsübertragung nach dänischem Verfassungsrecht», *Europäische Zeitschrift für Wirtschaftsrecht*, año 9, n° 19, 10 octubre 1998, pp. 589-591.

RUPP, Heinrich: «Ausschaltung des Bundesverfassungsgerichts durch den Amsterdamer Vertrag?», *Juristenzeitung*, año 53, n° 5, 6 marzo 1998, pp. 213-217.

SCHOLZ, Rupert; HOFMANN, Hans: «Der Vertrag von Amsterdam im Lichte des Artikels 23 GG», *Europa Blätter. Beilage zum Bundesanzeiger*, año 7, n° 1, 28 febrero 1998, pp. 3-9.

SIMON, Denys; RIGAUX, Anne: «Le Conseil Constitutionnel et le Traité d'Amsterdam», *Europe (Juris-Classeurs)*, 1998 (1), pp. 3-5.

6. *LA LEGITIMIDAD DE LAS INSTITUCIONES COMUNITARIAS*

A) *LA CONFERENCIA INTERGUBERNAMENTAL*

BIERCA, Greinne de: «The Quest for Legitimacy in the European Union», *Modern Law Review*, vol. 59, n° 3, mayo 1996, pp. 349-376.

LAMING, Richard: «L'Unione Europea é legittima?», *Federalista. Rivista di Politica*, año 37, n° 2, 1995, pp. 116-122.

B) EL TRATADO DE AMSTERDAM

BAR CENDÓN, Antonio: «La légitimité de l'Union européenne après le Conseil européen d'Amsterdam». *Institute Of Public Administration = Institut Européen d'Administration Publique*, Supl. n° 2, 1997, pp. 12-15.

HIX, Simon: «Executive selection in the European Union: does the Commission president investiture procedure reduce democratic deficit?», *European Integration Online Papers (EIoP)* Vol 2 (1997) n° 21, http://eiop.or.at/eiop/texte/1997-021.htm.

VERHOEVEN, Amaryllis: «How Democratic Need European Union Members Be? Some Thoughts After Amsterdam», *European Law Review*, vol. 23, n° 3, junio 1998, pp. 217-234.

VICIANO PASTOR, Roberto: «Publicité et accés aux documents officiels dans les institutions de l'Union Euopéenne avant et aprés le Traité d'Amsterdam» en *Mélanges en l'honneur de Michel Waelbroeck*, Brylant, Bruselas, 1998

VICIANO PASTOR, Roberto: «¿déficit democrático o déficit constitucional?» en LINDE PANIAGUA, Enrique*: Los retos de la Unión Europea ante el siglo XXI*, UNED, Madrid, 1997.

7. LA REFORMA INSTITUCIONAL

A) LA CONFERENCIA INTERGUBERNAMENTAL

AGNELLI, Susanna: «L'Europe verso il ventunesimo secolo», *Mulino*, año 44, n° 362, noviembre-diciembre 1995, pp. 975-984.

BLUMANN, Claude: «Le Parlement Européen et la comitologie», *Revue Trimestrielle de Droit Européen*, n° 32 (1), 1996, pp. 1-23.

BRADSHAW, Jeremy: «1996 and all that: making Europe work», *European Trends*. The Economist Intelligence Unit, n° 3, 1995, pp. 58-71.

CATALA, Nicole; AMELINE, Nicole: «Les réformes institutionnelles de l'Union européenne (premières réflexions en vue de la Conférence intergouvernementale de 1996)». *Assemblee Nationale*. Délégation pour l'Union européenne, n° 1939, 8 febrero 1995, pp. 11-236.

GRÉVISSE, Fernand: «La Cour de Justice et la révision de 1996», *Revue du Marché Commun et de l'Union Européenne*, n° 384, enero 1995.

KAHL, Wolfgang: «Das Transparenzdefizit im Rechtsetzungsproze(der EU)», *Zeitschrift für Gesetzgebung*, año 11, n° 3, 1996, pp. 224-240.

LANGGUTH, Gerd: «Ein starkes Europa mit schwachen Institutionen? Die europapolitische Agenda zur Regierungskonferenz 1996», *Aus Politik und Zeitgeschichte*, n° 1-2, enero 1996, pp. 35-45.

MAURER, Andreas; JOPP, Mathias: «Das Europäische Parlament. Demokratiepolitische Überlegungen zu den Reformoptionen der Regierungskonferenz 1996/97», *Integration*. Institut für Europäische Politik, año 19, n° 1, enero 1996, pp. 25-36.

NEISSER, Heinrich: «Die Rolle der Kleinstaaten in der Europäischen Union», *Zeitschrift für Rechtsvergleichung*, año 36, n° 6, noviembre-diciembre 1995, pp. 244-255.

NEYER, Jürgen: «Administrative Supranationalität in der Verwaltung des Binnenmarktes: Zur Legitimität der Komitologie», *Integration*. Institut für Europäische Politik, año 20, n° 1, enero 1997, pp. 24-37.

NOËL, Emile: «L'Europa dello «zoccolo» e l'Unione futura», *Mulino*, año 44, n° 1, Supl. julio 1995, pp. 5-16.

OHLER, Christoph: «Perspektiven der Gemeinschaftsrechtsentwicklung nach Maastricht: das Europäische Parlament», *Zeitschrift für Gesetzgebung*, año 10, n° 3, 1995, pp. 223-239.

SÁNCHEZ ALMAGRO, David: «El Comité de las Regiones: Examen de su primer año de actividad», *Boletín Asturiano sobre la Unión Europea*, n° 58-59, julio-octubre 1995, pp. 16-24.

Toulemon, Robert: «L'équilibre des «petits» et des «grands» dans l'Union européenne», *Futuribles*. Analyse-Prévision-Prospective, n° 206, febrero 1996, pp. 21-26.

VALDÉS ALONSO, Carmen M.: «La Unión Europea ante la Conferencia Intergubernamental de 1996: Aspectos institucionales», *Boletin Asturiano sobre la Unión Europea*, n° 60, noviembre-diciembre 1995, pp. 5-15.

VIGUERA, E.: «Las reformas institucionales en la Unión Europea tras la ampliación», *Gaceta Jurídica de la CE*, GJ1440-B100, 1995, pp. 5-18.

WILKS, Stephen; MCGOWAN, Lee: «Disarming the Commission: The Debate over a European Cartel Office», *Journal of Common Market Studies*, vol. 33, n° 2, junio 1995, pp. 259-273.

WUERMELING, Joachim: «Streicht die Räte und rettet den Rat! Überlegungen zur Reform des EU- Ministerrats», *Europarecht*, año 31, n° 2, abril-junio 1996, pp. 167-178.

B) EL TRATADO DE AMSTERDAM

DEHOUSSE, Renaud: «European Institutional Architecture after Amsterdam: Parliamentary System or Regulatory Structure?», *Common Market Law Review*, vol. 35, n° 3, junio 1998, pp. 595-627.

FALKNER, Gerda, NENTWICH, Michael: «The Treaty of Amsterdam: towards a new institutional balance», *European Integration Online Papers (EIoP)* Vol 2 (1997) n° 15, http://eiop.or.at/eiop/texte/1997-015.htm.

GARABELLO, Roberta: «I nuovi poteri del Parlamento Europeo nel quadro delle riforme istituzionali apportate dal Trattato di Amsterdam», *Comunità Internazionale*, vol. 53, n° 2, 1998, pp. 271-294.

GREVISSE, Fernand: «A propos de quelques Institutions». *Revue du Marché Commun et de l'Union Européenne*, n° 422, octubre 1998, pp. 569-576.

GUTIÉRREZ ESPADA, Cesáreo: «La CIG de 1996 (o la crónica de una reforma anunciada)», *Noticias de la Unión Europea*. CISS, año 14, n° 156, enero 1998, pp. 9-23.

LIPPOLIS, Vincenzo: «L'evoluzione istituzionale dell'Unione e i suoi riflessi sugli schieramenti politici», *Mulino*, año 47, n° 6, noviembre-diciembre 1998, pp. 1004-1015.

MASALA, Carlo: «Debatte über die institutionelle Reform der EU», *Aussenpolitik*. Edición alemana, año 48, n° 3, 1997, pp. 228-236.

MANGAS MARTÍN, Araceli: «La reforma institucional en el Tratado de Amsterdam», *Revista de Derecho Comunitario Europeo*, vol. 1, n° 3, enero-junio 1998, pp. 7-40.

PADOA-SCHIOPPA, Antonio: «L'Europa di domani: una nuova dimensione istituzionale», *Il Mulino Europa*, n° 1, 1996, pp. 5-11.

PADOA-SCHIOPPA, Antonio: «The Institutional Reforms of the Amsterdam Treaty», *Federalist. A Political Review*, año 40, n° 1, 1998, pp. 8-25.

RHEIN, Eberhard: «Die Europäische Union à 25. Wie regierbar ist sie?», *Internationale Politik*, año 52, n° 11, noviembre 1997, pp. 25-30.

TOULEMON, Robert: «L'avenir de la Commission européenne. Pour un compromis de progrès». *Cahiers de Droit Européen*, año 34, n° 5-6, 1998, pp. 501-507.

WEIDENFELD, Werner: «Europas neues Gesicht», *Internationale Politik*, año 52, n° 11, noviembre 1997, pp. 1-6.

8. EL PARLAMENTO EUROPEO Y LOS PARLAMENTOS DE LOS ESTADOS MIEMBROS

A) LA CONFERENCIA INTERGUBERNAMENTAL

BONNAMOUR, Marie-Christine: «Les relations Parlement Européen et Parlements Nationaux à la veille de la Conférence Intergouvernementale de 1996», *Revue du Marché Commun et de l'Union Européenne*, n° 393, diciembre 1995, pp. 637-646.

HUNT, John: «Les parlements nationaux devant la sécurité et la défense de l'Europe et la préparation de la Conférence intergouvernementale de 1996», *Assemblee de l'Union de L'europe Occidentale*, n° 1459, 22 mayo 1995, pp. 1-17.

LIGOT, Maurice; CATALA, Nicole; HOGUET, Patrick: «L'association collective des Parlements nationaux à la construction européenne et sur la 14ème Conférence des organes spécialisés dans les affaires communautaires (COSAC), tenue à Rome les 23 et 24 juin 1996», *Assemblee Nationale*. Délégation pour l'Union européenne, n° 2969, 23 julio 1996, pp. 109-152.

MENY, Yves; LE GALL, Gérard; BAYLET, Jean-Michel (et al.). Dossier: «Cumul des mandats, Amsterdam, vers une autre constitution?» *Revue Politique et Parlementaire*, año 99, n° 991, noviembre-diciembre 1997, pp. 4-63.

NALLET, Henri; LIGOT, Maurice; BARRAU, Alain: «La 17ème Conférence des organes spécialisés dans les affaires communautaires des Parlements de l'Union européenne (COSAC), tenue au Luxembourg les 13 et 14 novembre 1997». *Assemblee Nationale*. Délégation pour l'Union européenne, n° 488, 27 noviembre 1997, pp. 1-55.

RACHET, Jean-Michel: «Défis contemporains et perspectives du parlementarisme européen», *Revue du Marché Commun et de l'Union Européenne*, n° 406, marzo 1997, pp. 170-174.

SILVESTRO, Massimo; FERNÁNDEZ-FERNÁNDEZ, Javier: «Les orientations du Parlement européen sur la conférence intergouvernementale et l'état actuel des négociations», *Revue du Marché Commun et de l'Union Européenne*, n° 403, diciembre 1996, pp. 709-713.

WESTLAKE, Martin: «The European Parliament, the National Parliaments and the 1996 Intergouvernmental Conference», *Political Quarterly*, vol. 66, nº 1, enero-marzo 1995, pp. 59-73.

– «La position du Parlement européen dans la perspective de la CIG de 1996», *Europe Documents*. Edición francesa, nº 1936-1937, 25 mayo 1995, pp. 1-11.

B) EL TRATADO DE AMSTERDAM

POLLET, Kris: «The European Parliament in the post-Amsterdam era», *European Policy Analyst*. The Economist Intelligence Unit, nº 4, 1997, pp. 63-71.

II. BIBLIOGRAFÍA APARECIDA EN MONOGRAFÍAS

AMELINE, Nicole; CATALA, Nicole: *Les réformes institutionnelles de l'Union européenne: (premières réflexions en vue de la Conférence intergouvernementale de 1996)*, Assemblée Nationale, París, 1995, 236 pp.

AREILZA, José Mª: *Enhanced cooperations in the Treaty of Amsterdam: some critical remarks*, Instituto Universitario Ortega y Gasset, Papeles de Trabajo (Estudios Europeos), Madrid, 1998, 22 pp.

ATTALI, Jacques; EIJSBOUTS, W. T. [et al.]: *Bastard or monster: money, territory and the constitution of Europe*, K.G. van Hogendorp Centre for European Constitutional Studies, Amsterdam, 1998, 128 pp.

BERTHU, Georges; SOUCHET, Dominique: *Le Traité d'Amsterdam contre la démocratie: texte intégral comparé et commenté*, F. X. de Guibert, París, 1998, 404 pp.

BIEBER, Roland; FERNÁNDEZ, Javier J.; MEEHAN, Gerard: *La semplificazione dei trattati sull'Unione e la Conferenza intergovernativa del 1996*, PE, Luxemburgo, 1995, 35 pp.

BIEBER, Roland: *Systemwandel in Europa: Demokratie, Subsidiarietät, Differenzierung*, Verlag Bertelsmann Stiftung, Gutersloh, 1998, 57 pp.

BLANCHET, Thérèse; BLUMANN, Claude; CONSTANTINESCO, Vlad; GOSALBO BONO, Ricardo; JACQUÉ, Jean-Paul; LABAYLE, Henri; WACHSMANN, Patrick: *Le Traité d'Amsterdam*, Dalloz, París, 1998, 396 pp.

BLANPAIN, Roger [et al.]: *Institutional changes and European social policies after the Treaty of Amsterdam*, Kluwer Law International, The Hague, 1998, 419 pp.

DEN BOER, Monika; GUGGENBÜHL, Alain; Vanhoonacker, Sophie (eds.): *Coping with flexibility and legitimacy after Amsterdam*, European Institute of Public Administration, Maastricht, 1998, 259 pp.

BOIXARREU CARRERA, Ángel; CARPI BADÍA, Josep M.: *La reforma de la Europa de Maastricht: la conferencia Intergubernamental y la revisión del Tratado de la Unión Europea*, Generalitat de Catalunya: Patronat Català pro Europa, Barcelona, 1997, 123 pp.

BON, Pierre: *El Tratado de Amsterdam ante el Consejo Constitucional francés*, Instituto Universitario Ortega y Gasset, Papeles de Trabajo (Estudios Europeos), Madrid, 1998, 38 pp.

BROK, Elmar: *Perspektiven der Regierungkonferenz für die Europäische Union*, Zentrum für Europäisches Wirtschaftsrecht, Bonn, 1997, 21 pp.

BUSCH, Berthold: *Europäische Union: Erwartungen an die Regierungskonferenz 1996*, Dt. Institut-Verlag, Colonia, 1996, 46 pp.

CANGELOSI, Rocco Antonio; GRASSI, Vincenzo: *Dalle Comunità all'Unione: il Trattato di Maastricht e la Conferenza intergovernativa del 1996*, Franco Angeli, Milán, 1995, 153 pp.

CANTO RUBIO, Juan: *La Unión Europea, Roma-Amsterdam*, Amarú Ediciones (Ciencias del Hombre), 1997, 202 pp.

CHITI-BATELLI, Andrea: *Une stratégie fédéraliste pour l'après-Maastricht: de la réforme du Traité à une Constitution européenne*, Presses d'Europe, Niza, 1995, 34 pp.

COHEN-TANUGI, Laurent: *Le choix de l'Europe*, Fayard, París, 1995, 225 pp.

DELORS, Jacques: *Europe: l'impossible statu quo*, Club de Florence, Stock, París, 1996, 284 pp.

DEVUYST, Youri: *The European Union's future: a preview of the Intergovernmental Conference of 1996*, Vrije Universiteit, Bruselas, 1995, 61 pp.

DONY, Marianne: *L'Union européenne et le monde après Amsterdam*, Institut d'Etudes Européennes de l'Université Libre de Bruxelles, Ed. de l'Université de Bruxelles, Bruselas, 1999, 352 pp.

EHLERMANN, Claus-Dieter: «*Differentiation, flexibility, closer cooperation: the new provisions of the Amsterdam Treaty,* European University Institute, Ginebra, 1998, 32 pp.

EL SAYEGH, Selim (dir.): *Comprendre l'Europe: la CIG, les perceptions nationales de l'Union Européenne*, Godefroy de Bouillon, París, 1996, 268 pp.

EDWARDS, Geoffrey; PIJPERS, Alfred: *The politics of European Treaty reform: the 1996 intergovernmental conference and beyond,* Pinter, Londres, 1997, 353 pp.

FUNDACIÓN HISPANIA/EUROPA: *Reflexiones sobre el futuro de la Unión Europea (Jornadas sobre la CIG '96 y el Tratado de Amsterdam)*, Madrid, 1997, 190 pp.

FRASER, Maurice (ed.): *Britain in Europe*, Strategems Publishing Limited, Londres, 1998, 181 pp.

GOMIS DÍAZ, Pedro Luis: *Los grandes desafíos entre Madrid y Roma (1988-1990): del Plan Delors a la preparación de la 2ª conferencia intergubernamental pasando por el giro copernicano de la Europa del Este, la 1ª Presidencia española de la Comunidad y la Unificación alemana*, Trans European Policy Studies Association (Bruselas), Grupo Español de Estudios Europeos Asociado a TEPSA, 1994. 39 pp.

GORMLEY, Laurence W.; Kapteyn, P.J.G.; Themaat, P. VerLoren van: *Introduction to the law of the European Communities: from Maastricht to Amsterdam*, Kluwer Law International, Londres, 1998, 1447 pp. (3º edición que incorpora la 5º edición holandesa).

GRILLER, Stefan: *Regierungskonferenz 1996: Ausgangspositionen*, Forschungsinstitut für Europafragen der Wirtschaftsuniversität, Viena, 1996, 132 pp.

GRILLER, Stefan: *Regierungskonferenz 1996: Der Vertrag von Amsterdam in der Fassung des Gipfels von Juni 1997: Zwischenbericht im Rahmen des Forschungsprojektes zur EU-Regierungskonferenz*, Forschungsinstitut für Europafragen der Wirtschaftsuniversität, Viena, 1997, 134 pp.

GRIMM, Dieter: *Zur Neuordnung der Europäischen Union: Die Regierungskonferenz 1996/97*, Nomos Vlg. Ges., Baden-Baden, 1997, 148 pp.

GUÉGUEN, Daniel: *L'Europe à contresens*, Apogée, Rennes, 1996, 127 pp.

HALLO, Ralph: *Greening the Treaty II: Sustainable development in a democratic union: Proposals for the 1996 Intergovernmental Conference,* Raymond Van Ermen, Bruselas, 1995, 45 pp.

HOPKINSON, Nicholas: *Intergovernmental Conference: prospects for building a more democratic and effective European,* Wilton Park Papers, Londres, 1996, 53 pp.

HRBEK, Rudolf:*Die Reform der Europäischen Union: Positionen und Perspektiven anlässlich der Regierungskonferenz,* Nomos-Verlag-Ges., Baden-Baden, 1997, 394 pp.

INSTITUTE OF EUROPEAN AFFAIRS: *Legal and constitutional implications of the Amsterdam Treaty,* Institute of European Affairs, Dublín, 1998, 76 pp.

JOPP, Mathias; SCHMUCK, Otto: *Die Reform der Europäischen Union: Analysen, Positionen, Dokumente zur Regierungskonferenz 1996/97,* Institut für Europäische Politik, Europa Union Verlag, Bonn, 1996, 256 pp.

LAURSEN, Finn; PAPPAS, Spyros A. (eds.): *The Changing Role of Parliaments in the European Union.* European Institute of Public Administration, Maastricht, 1995, 189 pp.

LEICHT, Anton: *Regierungskonferenz 1996: Wohin steuert die EU?,* Signum, Viena, 1996, 392 pp.

LEJEUNE, Yves: *Le traité d'Amsterdam: espoirs et déceptions,* Collection de l'Institut d'études européennes de l'Université catholique de Louvain I, Bruylant, Bruselas, 1998, 498 pp.

LORCA CORRONS, Alejandro: *De Maastricht a Amsterdam: un paso más en la integración europea,* Fundación MAPFRE Estudios, Madrid, 1998, 42 pp.

LOUIS, Jean-Victor:*Pour une Union européenne efficace et démocratique = For an efficient and democratic European Union,* European Movement. Initiative Committee with a view to the 1996 Intergovernmental Conference, Mouvement européen, Bruselas, 1995, 40 pp.

LOUIS, Jean-Victor: *L'Union européenne et l'avenir de ses institutions,* Presses interuniversitaires européennes, Bruselas, 1996, 192 pp.

LUDLOW, Peter:*Preparing Europe for the 21st century: the Amsterdam council and beyond,* CEPS International Advisory Council Reports 1997, Centre for European Policy Studies, Bruselas, 1997, 144 pp.

MACDONAGH, Bobby; SANTER, Jacques: *Original sin in a brave new world: the paradox of Europe: an account of the negociation of the Treaty of Amsterdam,* Institute of European Affairs, Dublín, 1998, 249 pp.

MAGNETTE, Paul; TELÒ, Mario: *De Maastricht à Amsterdam: L'Europe et son nouveau traité,* Complexe, Bruselas, 1998, 277 pp.

MAJOCCHI, Luigi V.: *Messina quarant'anni dopo: l'attualità del metodo in vista della Conferenza intergovernativa del 1996,* Associazione universitaria di studi europei-AUSE, Cacucci, Bari, 1996, 303 pp.

MANIN, Philippe (dir.): *La révision du Traité sur l'Union européenne: perspectives et réalités,* Association française d'étude pour l'Union européenne (París)/Groupe français d'étude pour la Conférence intergouvernementale 1996, Pedone, París, 1996, 158 pp.

MARTIN, David; BARTIE, Colin (ed.): *1996 and all that: The European Parliament's position on the Intergovernmental Conference in 1996,* Lothian Euro Office, Londres, 1995, 18 pp.

MATTERA, Alfonso (dir.): *La Conférence intergouvernementale sur l'Union européenne: répondre aux défis du XXIe siécle*, Clément Juglar, París, 1996, 380 pp.

MAUS, Didier; PASSELECQ, Olivier (dirs.): *Le traité d'Amsterdam face aux constitutions nationales: actes du colloque international organisé le 10 décembre 1997*, Université de París 1, Centre de Recherche de Droit Constitutionnel, Maison de l'Europe de París, Documentation française, 1998, 133 pp.

MELCHIOR, Josef: *Crafting the «common will»: The IGC 1996 from an Austrian Perspective*, Institut für Höhere Studien, Viena, 1997, 29 pp.

MINIERI, Stefano; VERRILLI, Antonio: *L'Integrazione europea dopo Maastricht: dal trattato sull'Unione Europea al trattato di Amsterdam*, Esselibri-Simone, Napoli, 1998, 271 pp., 4ª ed.

MORATA, Francesc: *La Unión Europea. Procesos, actores y políticas*, Ariel, Barcelona, 1998, 447 pp.

MOREAU DEFARGES, Philippe: *Les Institutions européennes*, Armand Colin, París, 3ª ed., 1998 192 pp.

MOUTON, Jean-Denis; STEIN, Torsten: *Vers une nouvelle Constitution pour l'Union Européenne? La Conférence intergouvernementale de 1996 = Eine neue Verfassung für die Europäische Union? Die Regierungskonferenz 1996 = Towards a New Constitution for the European Union? The Intergouvernmental Conference 1996*, Bundesanzeiger, Colonia, 1997, 193 pp.

MOUVEMENT EUROPÉEN: *Construisons ensemble l'Europe du XXIe siècle*, Rapport Intérimaire du Comité d'Initiative du Mouvement Européen International en vue de la préparation du «Congrès de l'Europe», organisé à La Haye les 8, 9 et 10 Mai 1998 pour le 50e anniversaire du 1er Congrès de l'Europe, Bruselas, 5 de noviembre de 1997.

NICOLL, William; SCHÖNBERG, Richard (ed.): *Europe 2000: the Intergouvernmental Conference of the European Union in 1996*, Whurr, Londres, 1996, 209 pp.

OLESTI RAYO, Andreu: *Los principios del Tratado de la Unión Europea: del Tratado de Maastricht al Tratado de Amsterdam*, Ariel, Barcelona, 1998, 158 pp.

OREJA AGUIRRE, Marcelino; FONSECA MORILLO, Francisco [et al.]: *El tratado de Amsterdam de la Unión europea: análisis y comentarios,* McGraw-Hill, Madrid, 1998, 2 vol. 839 pp.

PECHSTEIN, Matthias; KOENIG, Christian: *Die Europäische Union: die Verträge von Maastricht und Amsterdam*, Mohr Siebeck, Tübingen, 1998, 357 pp.

PIEPENSCHNEIDER, Melanie:*Regierungskonferenz 1996: Synopse der Reformvorschläge zur Europäischen Union*, Konrad-Adenauer-Stiftung, Internationale Politik, 1996; St. Augustin, 222 pp., 2ª ed.

SAINT-OUEN, François: *Où en est l'Europe aujourd'hui? textes des exposés et débats organisés pour les premières Rencontres Denis de Rougemont, 29 abril 1994, Genève*, Centre européen de la culture, Genève, 1995, 67 pp.

LA SERRE, Françoise de; LEQUESNE, Christian: *Quelle Union pour quelle Europe?: l'après-traité d'Amsterdam*, Collection du Centre d'études et de recherches internationales (CERI) 26, Complexe, Bruselas, 1998, 165 pp.

SHAW, Jo:*Constitutional settlements and the citizen after the Treaty of Amsterdam*, Harvard Law School, Cambridge, MA, 1998, http://www.law.harvard.edu/Programs/ JeanMonnet/jmpapers.html, Harvard Jean Monnet Chair Working Paper series 07/98.

SILGUY, Yves-Thibault de: *Le syndrome du diplodocus: un nouveau souffle pour l'Europe*, Albin Michel, París, 1996, 253 pp.

THUN-HOHENSTEIN, Christoph: *Langer Anlauf- kurzer Sprung: die neue Verfassung der EU; der neue EG- Vertrag; der neue EU- Vertrag; Erläuterung der neuen Bestimmungen*, Manz, Viena (u.a.), 1997, 360 pp.

TINDEMANS, Leo; TUYLL VAN SEROOSKERKEN, Sammy van: *Quelle Europe choisir?: cinq scénarios pour l'Europe de demain/rapport du Groupe Tindemans sur les institutions européennes*, Maisonneuve et Larose, París, 1996, 139 pp.

VANDAMME, Jacques; WESTLAKE, Martin: *L'Union européenne au-delà d'Amsterdam: nouveaux concepts d'intégration européenne. Un hommage à la vie et l'oeuvre de Jacques Vandamme*, Presses interuniversitaires européennes, Bruselas, 1998, 249 pp.

VV.AA.: *Intergovernmental Conference: issues options implications 1996 intergovernmental conference,* Institute of European Affairs, Dublin, 1995, 263 pp.

VV.AA.: *Reflexiones sobre la Conferencia Intergubernamental 1996,* Ministerio de Asuntos Exteriores, Secretaría de Estado para las Comunidades Europeas, Madrid, 1995.

VV.AA.: *State and Nation: Current legal and political problems before the 1996 Intergovernmental Conference. Papers from the 8th National Conference held in Lillehammer autumn 1994*, Universitetsforlaget, Oslo, 1995, 83 pp.

VV.AA.: *Actes du Colloque des Chaires Jean Monnet sur la Conférence Intergouvernementale de 1996, Brusxelles 6 & 7 mayo 1996*, Comisión Europea-DG X, Bruselas, 1996, 188 pp.

VV.AA.: *Reforming the Treaty on European Union: The Legal Debate*, Kluwer, De Witte, 1996.

VV.AA.: *Los retos de la Unión Europea ante el siglo XXI*, UNED, Madrid, 1997, 318 pp.

VV.AA.: *España y la negociación del Tratado de Amsterdam*, Editorial Biblioteca Nueva (Política Exterior), Madrid, 1998, 365 pp.

ZIELONKA, Jan (ed.): *Paradoxes of European foreign policy*, Kluwer Law International, The Hague, 1998, 171 pp.

DOCUMENTOS INSTITUCIONALES REFERENTES A LA CONFERENCIA INTERGUBERNAMENTAL DE 1996 Y AL TRATADO DE AMSTERDAM (1995-1999)

Declaración solemne del Parlamento Europeo, el Consejo de Ministros y de la Comisión. Messina, 2 de junio de 1995. Texto en INTERNET: http://europa.eu.int/en/agenda/igc-home/euspeech/decl_en.html.

Rapport d'étape du Président du Groupe de réflexion sur la Conférence Intergouvernementale de 1996, (Groupe «Carlos Westendorp»). Agence Europe, 27 de septiembre de 1995, n° 1.951-1.952, 17 pp. Texto en INTERNET: http://europa.eu.int/en/agenda/igc-home/eu-doc/reflect/west.html.

Informe Final del Grupo de Reflexión. Bruselas, 5 de diciembre de 1995, (DOC SN, reflex, 21), 86 pp. Texto en INTERNET: http://europa.eu.int/en/agenda/igc-home/eu-doc/reflect/final.html.

Presidencia irlandesa: *The European Union today and tomorrow. Adapting the European Union for the benefit of its peoples and preparing it for the future. A general outline for a draft revision of the Treaties. Dublin II.* Texto en INTERNET: http://europa.eu.int/ en/agenda/igc-home/general/pres/index.html.

Presidencia neerlandesa (enero-junio 1997*): Conferencia Intergubernamental sobre la revisión de los Tratados: recopilación de textos*, EUR-OP 1999, Luxemburgo, octubre 1997, 245 pp.

Consejo de la Unión Europea. Secretaría General*: El Tratado de Amsterdam: desafíos y soluciones,* Luxemburgo, EUR-OP, 1998, 18 pp.

Consejo de la Unión Europea. Secretaría General. Política de Información, Transparencia y Relaciones Públicas: *Conferencia intergubernamental: proyecto de Tratado de Amsterdam*: Bruselas, agosto 1997, Luxemburgo: EUR-OP, 1997, 314 pp.

Comisión Europea (Dirección General X). Information, Communication, Culture and Audiovisual Media: *Conferencia intergubernamental 1996: dictamen de la Comisión: reforzar la unión política y preparar la ampliación*. Luxemburgo: EUR-OP, 1996, 23 pp.

Comisión Europea (Dirección General X). Information, Communication, Culture and Audiovisual Media:*Conferencia intergubernamental 1996: informe de la Comisión para el Grupo de reflexión*, Luxemburgo: EUR-OP, 1995, 102 pp.

Comisión Europea: *Informe sobre el funcionamiento del Tratado de la Unión Europea.* Bruselas, 10 de mayo de 1995, OPOCE, Luxemburgo, 87 pp. Texto en INTERNET: http://europa.eu.int/en/agenda/igc-home/eu-doc/commissn/reports.html.

Parlamento Europeo (Ponentes, Jean-Louis Bourlanges y David Martin): *Rapport du Parlement Européen sur le fonctionnement du Traité sur l'Union Européenne dans la perspective de la Conférence Intergouvernementale de 1996.* 4 de mayo de 1995, DOC. A 4-0102/95, 21 pp. Texto en INTERNET: http://europa.eu.int/en/agenda/igc-home/eu-doc/parlment/resol.html.

Parlamento Europeo (Ponentes, Íñigo Méndez de Vigo y Dimitris Tstatsos): *Informe sobre el Tratado de Amsterdam*, 5 de noviembre de 1997, DOC A4-347/97, 73 pp.

Parlamento Europeo.*Libro Blanco sobre la Conferencia Intergubernamental.* Luxemburgo, 1996.

Tribunal de Justicia:*Rapport de la Cour de Justice sur certains aspects de l'application du Traité sur l'Union Européenne.* Luxemburgo, 20 de mayo de 1995, 10 pp. Texto en INTERNET: http://europa.eu.int/en/agenda/igc-home/eu-doc/justice/ cj_rep.html.

Tribunal de Primera Instancia: *Contribution du Tribunal de Première Instance en vue de la Conférence Intergouvernementale 1996.* Luxemburgo, 17 de mayo de 1995, 10 pp. Texto en INTERNET: http://europa.eu.int/en/agenda/igc-home/eu-doc/justice/ report.html.

Comité Económico y Social: *La Conferencia Intergubernamental de 1996. El papel del Comité Económico y Social.* DOC CES 1312/95 (23 de noviembre de 1995). Texto en INTERNET: http://europa.eu.int/en/agenda/igc-home/eu-doc/economic/ces-en.html.

Comité de las Regiones: *Dictamen del Comité de las Regiones* sobre *la revisión del Tratado de la Unión Europea,* 21 de abril de 1995, DOC CDR 136/95. Texto en INTERNET: http://europa.eu.int/en/agenda/igc-home/eu-doc/regions/reports.html.